9th Edition

POWER MANUAL SERIES

소아청소년과 전문의시험 준비를 위한

Korea Medical Licensing Examination

POWER
Pediatrics

소아청소년과

1

군자출판사

Power 소아청소년과 1 9th ed.

첫째판 1쇄 발행 | 2000년 3월 29일
둘째판 1쇄 발행 | 2002년 1월 10일
셋째판 1쇄 발행 | 2003년 8월 5일
넷째판 1쇄 발행 | 2007년 6월 20일
다섯째판 1쇄 발행 | 2007년 7월 1일
여섯째판 1쇄 발행 | 2008년 8월 12일
일곱째판 1쇄 발행 | 2010년 10월 4일
여덟째판 1쇄 발행 | 2013년 7월 15일
아홉째판 1쇄 발행 | 2017년 2월 12일

지 은 이   전북대학교 의학전문대학원 학술편찬위원회
감   수   임인석, 이원석, 안지현
발 행 인   장주연
출 판 기 획   김도성
표지디자인   김재욱
편집디자인   신익환
발 행 처   군자출판사
            등록 제 4-139호(1991. 6. 24)
            본사 (10881) **파주출판단지** 경기도 파주시 회동길 338(서패동 474-1)
            전화 (031) 943-1888   팩스 (031) 955-9545
            www.koonja.co.kr

ISBN 979-11-5955-134-5
ISBN 979-11-5955-133-8(세트)

2권 세트 50,000원

머리말

의학이 발달할수록 의학 관련 지식정보는 눈덩이처럼 불어납니다. 다양한 국내·외 교과서들이 있고, 인터넷으로 방대한 의학지식을 접할 수 있지만 한정된 시간에 많은 과목을 공부해야 하는 학생 시기에는 잘 정리된 교재가 필요합니다.

지금도 대부분의 학교 수업은 슬라이드와 강의록을 중심으로 제각각 이루어지고 있습니다. 의사국가시험, 레지던트 임용시험, 전문의 시험처럼 전국 단위로 치러지는 시험에서는 전 단원이 일관성 있는 요약정리서가 필요합니다. '파워 시리즈'는 오랜 기간 국내 유일 의학 요약정리서로 자리매김해 왔습니다.

이번 개정판에서는 국내·외 새 교과서를 바탕으로 그동안 업데이트된 의학지식을 반영하였습니다. 새 교과서에서 내용이 사라졌더라도 이전 교과서의 내용 가운데 시험에 임하거나 환자를 만났을 때 도움이 될 수 있는 내용을 살렸습니다. 교과서마다 내용에 차이가 있는 부분도 함께 다루었습니다. 이 과정에서 전·현직 교수님, 전문의 선생님의 자문을 통해 완성도를 더욱 높였습니다.

이제 학교 수업의 진도에 맞춰, 임상실습을 하는 동안, 의사국가시험을 준비하면서 파워 시리즈를 활용하면 보다 효율적으로 고득점의 목표에 도달할 수 있을 것입니다. 레지던트 선생님도 수련 기간 동안 이 책을 서브노트로 활용하면 전문의 시험 대비에 훨씬 수월할 것으로 확신합니다.

임인석 · 이원석 · 안지현
전북대학교 의학전문대학원 학술편찬위원회

Power 소아청소년과 1

Contents

1권

2권

I 소아기의 구분

소아과에서 대상으로 하는 연령 : 21세까지

1. 출생전기(prenatal period)

- 수정연령 : 수정으로부터 계산
- 월경연령 : 마지막 월경으로부터 계산(임상에서 잘 사용됨)
  월경연령 = 수정연령 + 2주
- 배아기(Embryonic) : 수정~8주,
  4~8주 : 주요 기관의 구조적 형성(organogenesis)
- 태아기(Fetal) : 수정연령 9주 ~ 출생(38주) - 각 장기가 자라며 기능적으로 완성

2. 신생아기(neonatal Period) : 생후 4주간

출생전 후기(perinatal period) : 주산기
: 재태 28주~ 생후 1주, 사망 또는 장기 예후의 관점에서 볼 때 중요한 시기

3. 영아기(infancy)

1개월~1년

4. 유아기 또는 학령 전기(Early Childhood or Preschool Period)

1세~5세

5. 학령기(Prepuberal Period)

6~10년

6. 사춘기(Puberty), 청소년기(Adolescence) : 11~20년

남자 : 12~20년

여자 : 10~18년

☆ 소아기의 구분

II 한국 소아 질병의 변천

1. 광복전

감염병과 영양실조가 중요한 질병

2. 현재

viral infection, allergic disease, malignant tumor, congenital anomaly, accident, poisoning 등은 그대로 남아 있거나 증가

▶ 비만증, 선천이상, 뇌성마비, 학습부진, 가출, 청소년비행, 약물남용(마약 등), 혼전 임신 등이 중요한 문제로 대두

3. 영아 사망률(infant mortality rates)

(1) 1996년 출생 1,000명당 7.7

(2) 2006년 출생 1,000명당 5.3

(3) 2014년 출생 1,000명당 3.0

☆ 4. 소아의 주요 사망 원인(2013년 기준)

(1) 1세 미만 : 주산기 질환

(2) 1~9세 : 불의의 사고

(3) 10~14세 : 신생물

(4) 15~19세 : 자살

순위\연령	1세 미만	1~4세	5~9세	10~14세	15~19세
	한국 소아의 연령별 주요 사망 원인(2013년)				
1	주산기 질환	불의의 사고†	불의의 사고†	신생물	자살
2	선천 기형	신경계 질환	신생물	불의의 사고†	불의의 사고†
3	미분류*	신생물	신경계 질환	자살	신생물
4	순환기 질환	선천 기형	타살	신경계 질환	신경계 질환
5	신생물	미분류	선천 기형	순환기 질환	순환기 질환

통계청 : 인구동태통계결과(2014. 9.)

* 미분류 : 달리 분류되지 않은 증상, 징후와 임상 및 검사의 이상 소견
† 불의의 사고 : 교통사고, 익수사고, 추락사고, 연기, 불 및 화염에 노출, 유독 물질에 의한 중독사고

2 성장과 발달

Power Pediatrics

 정의

- 성장(growth) : 양적으로 증가해 나가는 과정
  ex. 신장, 체중, 장기의 무게 등
- 발달(development) : 성장에 따르는 기능적인 발전 과정
  ex. 뇌의 성장에 따라 운동 기능, 정신 기능이 발달
- 발육 : 성장+발달

I 성장과 발달에 영향을 주는 요인

1. 유전(Heredity)

인종, 민족, 가계, 연령, 성별, 염색체 이상, 선천성 대사 이상 등

2. 환경(Environment)

영양, 사회 경제적 요인, 질병, 계절(키는 봄철에 가장 많이 크고 가을철에 가장 적게 큰다), 심리적 요인, 운동 및 신체 자극, 신체적 환경

II 성장의 평가

백분위수(percentiles)

특히 신체의 성장과 관련된 측정치를 나타낼 때 사용

측정치를 작은 순서나 큰 순서의 차례로 늘어놓는데, 이때 가장 적은 것이 1백분위수에 해당하고, 가장 큰 것이 100백분위수에 해당

ex. 어떤 어린이의 측정치를 76백분위수라 하면 같은 군의 어린이 중 75명의 어린이는 이 어린이보다 작은 것을 의미

> ▶ 정상 범위(관습적)
> · 3백분위수 ~ 97백분위수
> · 평균값 ± 2SD

☆1. 장기별 성장 유형(Pattern)

(1) 일반형(General type) : 신장, 체중, 호흡기, 소화기, 신장, 심장, 비장, 근육 및 골 전체의 무게, 혈액량…S자형의 패턴. 영아기, 사춘기에 급성장

(2) 신경형(Neural type) : 뇌, 척수, 시각기, 두위… 출생 초기부터 급성장하여 4세경에 성인의 80%에 도달

(3) 림프형(Lymphoid type) : 가슴샘, 림프절, 편도 등 림프 조직 10~12세 경에 성인의 2배, 18세경 성인 정도

(4) 생식형(Genital type) : 생식기, 유선, 음모, 자궁, 전립선… 사춘기부터 급속히 커져서 16~18세에 성인치에 도달

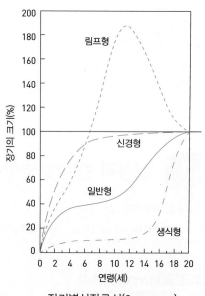

장기별성장곡선(Scammon)

2. 키(Height)

우리나라 소아의 신장 증가 배수					
연령	출생 시	1년	4년	8년	12년
신장(cm)	50	75	100	125	150
출생 시 신장에 대한 배수	1	1.5	2	2.5	3

▶ 출생 시의 신장은 약 50cm, 처음 1년간은 25cm 가량 자라 생후 1년이 되면 75cm 가량 된다.

1] 성장속도(Growth Rate)

(1) 제1성장 급증기(growth spurt) : 태아기~2세까지 급속히 성장하는 시기

(2) 2세~사춘기 : 서서히 성장하는 시기

(3) 제2성장 급증기(adolescent growth spurt) : 사춘기~15, 16세

(4) 15,16세~성숙기 : 성장 속도가 감소(여자가 남자보다 빨리 나타남)

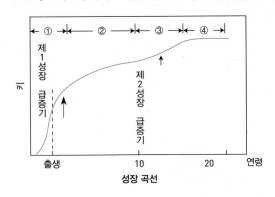

성장 곡선

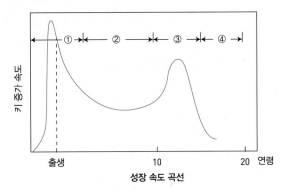

성장 속도 곡선

2] 신체 비례(Body proportions)

성장은 두 → 미(cephalo-caudal) 방향으로 진행

중앙점(midpoint)

• 출생 시 : 배꼽보다 2cm 가량 위쪽

• 2세 : 배꼽보다 약간 아래쪽

• 16세 : 치골결합(symphysis pubis) 부근

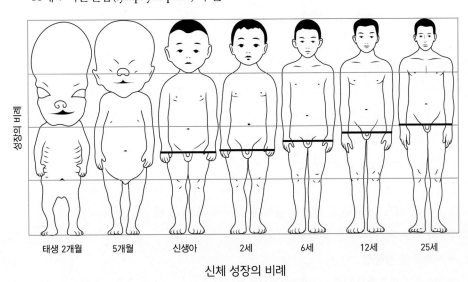

신체 성장의 비례

3) 상절과 하절

- 상절(upper segment) : 머리 ~ 치골 결합(pubic symphysis)
- 하절(lower segment) : 치골 결합 ~ 발끝
    - 출생 시 1.7 정도, 성장함에 따라 점차 감소하여 다 자라면 1.0 정도 된다.
    - 사지가 짧은 왜소증, 구루병과 같은 뼈 질환, 갑상샘 저하증 → 상절/하절비가 크다.
    - 성장호르몬 결핍에 의한 왜소증 → 상절/하절비가 정상

4) 성장 유형(Growth pattern)

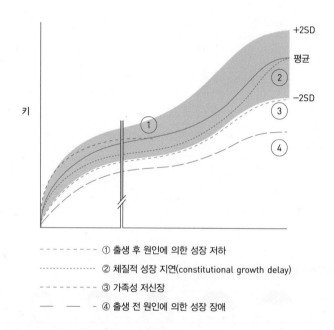

- - - - - - - - - ① 출생 후 원인에 의한 성장 저하
⋯⋯⋯⋯⋯⋯ ② 체질적 성장 지연(constitutional growth delay)
- - - - - - - - - ③ 가족성 저신장
— — – ④ 출생 전 원인에 의한 성장 장애

- 선천성 원인에 의한 저신장

  선천성 원인 : 출생 시부터 작음, 출생 후에도 점차 해당 연령의 평균치보다 떨어짐

  <u>ex.</u> 터너증후군, 다운증후군 등의 염색체 이상. 만성 자궁내 감염(TORCH), 약물복용
  (페니토인, 알코올) 및 심한 미숙아 등이 해당

☆• 체질적 성장 지연(constitutional growth delay)

  ① 키와 체중이 출생 시에는 정상 → 1세 말에 성장속도가 저하되어 표준이후 성장 곡
    선의 하단을 따라 성장 → 사춘기 말기에 급속성장 → 결국 성인 때 자기에게 주어
    진 정상체중과 키로 되는 특징을 보인다.

  ② 유전적 → 가족력의 경향성

  ③ 사춘기 미만까지의 성장속도는 4cm/년 이상으로 정상이다.

  ④ 2차 성징의 출현도 늦고 골연령도 자신의 나이에 비해 늦다.

★ • 가족성 저신장(Familial short stature)

① 소아 · 부모 모두 작고, 정상범위의 바로 아래 수준에서 정상 성장 곡선에 평행

② 사춘기 미만까지의 성장속도는 4cm/년 이상으로 정상이다.

3. 체중(Weight)

(1) 출생 시 정상체중 : 2.6 ~ 4.4kg(평균 : 3.3kg)

(2) 초기 체중감소(initial weight loss) : 생후 3~4일 동안 5~10%의 체중감소 일어남.

  • 원인 − 태변 및 소변의 배설− 폐 및 피부로부터의 수분 소실(m/c)− 수유량의 부족

  • 7~10일째 대개 회복

(3) 생후 3개월 : 출생 시 체중의 2배(6.6kg)

(4) 생후 1년 : 출생 시 체중의 3배(10kg)

> 대략적인 체중(kg) = (연령+3) × 2.2

우리나라 소아의 체중증가 배수								
연령	출생 시	3개월	1년	2년	4년	6년	10년	12년
체중(kg)	3.3	6.6	10	13	16	20	30	40
출생 시 체중에 대한 배수	1	2	3	4	5	6	10	12

4. 두위(Head circumference)

• 전두 결절과 후두 결절을 지나는 최대 둘레

• 소두증, 뇌수종 등의 진단에 도움.

• 출생 시 : 34cm (출생 시 두위는 흉위보다 약간 크다)

• 1세 : 46cm (흉위와 일치)

• 4세 : 50cm (성장이 완료되었을 때(20세 55cm)의 90%)

5. 숫구멍(Fontanel)

• 뒤숫구멍(posterior fontanel) : 생후 6~8주까지 닫힘.

• 앞숫구멍(anterior fontanel) : 14~18개월 경에 닫힘, 아이가 울지 않을 때에 앉은 자세로 관찰

• 봉합선(suture) : 임상적으로는 6~8개월이면 닫힘. (X선상으로는 성숙할 때까지 화골이 되지 않는다)

앞숫구멍의 크기					
월령(개월)	1~3	4~6	7~9	10~12	13~15
대천문의 크기	2	2.5	1.5	1	0.4

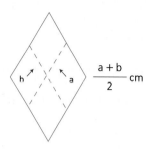

앞숫구멍의 크기

☆6. 흉위(Chest circumference)

- 출생 시 흉위 : 약 33 cm로서 두위보다 1 cm 가량 작다.
- 생후 1년 : 두위와 흉위는 비슷
- 10세 : 흉위는 출생 시의 2배가 된다.

7. 체표면적(Body surface area)

- 신생아가 성인이 되면 체중은 20배 증가, 체표면적은 8배 증가
  → 즉 소아의 체표면적이 성인에 비해 넓다.
- 인체의 생리 현상, 대사 과정은 체표면적에 비례
  → 수분 필요량이나 약용량의 계산에 사용

8. 체질량지수(Body mass index; BMI) 및 피부 두께(Skinfold thickness)

- 체질량지수(BMI) = kg/m^2 (체중 / 키^2)
- 피부 두께(triceps나 subscapular skinfold thickness) : 지방도(adiposity)를 나타내는 좀 더 좋은 지표

9. 생치(Dentition)

- ☆ 유치 : 모두 20개, 생후 2년 반(30개월)이면 다 나온다.
- 유치의 수 늑 월령 − 6(그러나 이가 나오는 시기는 아기마다 상당한 차이가 있음)
- 영구치 : 모두 32개

☆ – 6세구치(제1영구 대구치, first permanent molar) : 크면서 치주 모형의 기본이 되는 대단히 중요한 치아, 5~8세

　– 12세구치(제2영구 대구치) : 10~14세

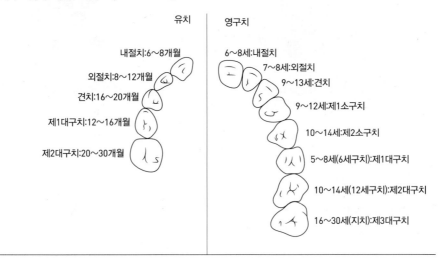

유치 / 영구치

유치
- 내절치:6~8개월
- 외절치:8~12개월
- 견치:16~20개월
- 제1대구치:12~16개월
- 제2대구치:20~30개월

영구치
- 6~8세:내절치
- 7~8세:외절치
- 9~13세:견치
- 9~12세:제1소구치
- 10~14세:제2소구치
- 5~8세(6세구치):제1대구치
- 10~14세(12세구치):제2대구치
- 16~30세(지치):제3대구치

- Teething(생치) : 이가 나올 때는 그 부위를 덮고 있는 잇몸이 압박받아 어린이가 보채고 침을 흘리며 젖을 몹시 빨거나 씹으려고 하는 증상이 나타날 수 있으나, 이때 특별히 치료할 필요는 없다.
- Salivation(침 분비) : 생후 3개월이 되면 침 분비가 많아져 그것을 전부 삼키지 못하게 되면 침을 흘리게 됨.
- Drooling(유타증)의 원인
  ① 생치
  ② 입병(구내염 등)
  ③ 당뇨병
  ④ 말단통증(acrodynia)
  ⑤ 약물

10. 부비동과 꼭지돌기(Paranasal sinuses and mastoids)

- 상악동(Maxillary sinus)과 사골동(Ethmoid sinus)은 출생 시에 이미 존재
- 소아 유스타키오관(Eustachian tube)이 성인과 다른 점 : 더 짧으며 곧고 넓다.
  ∴ 인두의 염증이 쉽게 중이나 꼭지 방(mastoid antrum)으로 파급될 수 있다.

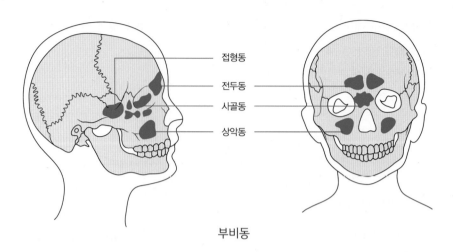

부비동

11. 가슴샘(Thymus)

- 면역 기전(cell-mediate immunity)을 발전시키는 데 중요한 역할
- 태생기에 급속히 커져서 신생아에 이르면 체중에 비해 상대적으로 가장 크다.
- X선 상 thymus의 크기 판독
  ① 호흡상태 : 숨을 내쉬었을 때 음영이 더 커진다.
  ② 위치 : 누워서 찍었을 때가 서서 찍었을 때보다 음영이 더 넓어진다.
  ③ 찍는 방향 : 정면 사진과 측면 사진이 모두 필요하다(넓은 가슴샘이 반드시 두꺼운 가슴샘은 아니다).
  ④ 건강상태 : 어떤 자극(stress)이 있거나 감염 또는 steroid 치료 시에는 작아진다.

12. 심장 및 폐(Heart and lungs)

- Apex beat (심첨박동)
  - 신생아기 : Lt. 4th ICS의 midclavicular line or lateral
  - 2세 : Lt. 5th ICS의 midclavicular or medial
- Cardiothoracic ratio (CT ratio; 심흉비) : 1세 이상에서는 50% 이내여야 하나, 1세 미만에서는 55%까지 정상
- 소아의 정상 BP는 연령에 따라 증가한다.
- 흉벽은 성인에 비해 더 얇고 탄력성이 있다.

  * puerile breath sound (소아 호흡음) : 흉벽이 얇은 데다가 기관지는 상대적으로 크므로, 흉벽을 통한 음의 진동(tactile fremitus)이 잘 느껴지며, 호흡음이 크고 고음(high-pitched)이므로 귀에 가깝게 잘 들린다.

정상 소아의 심박 수, 호흡 수		
연령	심박동 수/분	호흡 수/분
출생 시	140	40
6개월	110	30
1세	100	28
3~4세	95	25
5~10세	90	24
10~15세	85	20
15세 이상	75~80	16~18

- 신생아, 영아 : 복식호흡(가슴 근육이 약하므로)

  7세 이후 : 흉식 호흡

13. 소화기계(Gastrointesinal system)

- Stomach : 처음에는 횡위, 성장함에 따라 수직 방향으로 됨. 10세가 되면 성인의 위와 비슷하게 된다.
- Liver : 완전히 expiration시 Rt. midclavicular line 상에서 rib 밑의 약 2cm 가량에서 정상적으로 촉진
- Spleen : 신생아 및 생후 1년의 아기 중 15%에서 만져지며, 1.5~10.5세에서는 10%가 촉진
- Intestine : 장의 길이는 신생아에서는 신장의 약 7배, 유아에서는 6배, 성인에서는 약 4~5배가 된다.

14. 비뇨생식기(Genitourinary system)

- 신장(kidney) : 출생 시 양쪽의 무게는 약 30g이고 성인이 되면 250~300g이 된다. 2세까지는 신장의 하단이 iliac crest 밑으로 와 있을 수도 있다.
- 방광(Bladder) : 유아기에는 복벽에 아주 가깝게 있으나 차츰 골반 안으로 들어간다. 방광용적은 출생 시에는 약 75mL, 연장아에서는 약 250mL이다.
- Urination(배뇨) : 어린 영아에서는 10~30회/일, 2~3년에서는 약 10회, 3~4년에서는 약 9회, 12년 이상에서는 성인과 같이 약 4~6회
- Testes(고환) : 출생 시 고환이 음낭에 내려와 있지 않을 경우 고환은 보통 외부서혜관(external inguinal ring)에 와 있지만, 생후 2주까지는 음낭 속으로 내려오는 수가 많다. 용적은 사춘기 전에는 1~3mL, 사춘기가 시작되면 4mL 이상으로 커져 성인 이 되면 12~25mL가 된다(임상적으로 고환용적계 orchidometer로 측정).
- Labia (음순) : 소음순이 현저하게 보임.

15. 골격계(Osseous system)

1) 골연령 측정을 위한 촬영 부위(Greulich-Pyle)

- 출생 시~영아 초기 : knee
- 6개월~6세 : wrist & hand
- 12세 이후 : elbow & shoulder
  - 수근골의 화골핵 수는 완성 시 11개
  - 2~10세에서의 수근골의 화골핵 수 = 연령 or 연령+1
  - 골 성숙 : 사춘기와 골성숙도는 연관이 많다(사춘기가 빠르면 골연령도 앞서 있다).
    또한 여자의 골 성숙 과정이 남자보다 2년가량 빠르다.
    (가족성저신장- 역연령과 골연령 같음)
    (체질성저신장, 내분비성 저신장 및 영양결핍- 골연령 낮음, 키연령과 같은 수준)

16. 성장의 평가

1) 성장 도표 분석

- 연령별 체중, 연령별 키, 연령별 두위, 키별 체중, 체질량지수
- 정상 : 평균+-2SD 또는 5~95백분위수

2) 정상 소아

- 백분위수 곡선을 따라가며 성장
- 체격이 작은 소아 : 5~25백분위수
- 체격이 큰 소아 : 75~95백분위수
- 소아의 정상궤도는 부모의 키와 체중이 반영(MPH : mid-parental height)
  - 남아 : [(모 신장 + 13)+부 신장]/2
  - 여아 : [모 신장+(부 신장 -13)]/2
- 6~18개월에서 정상 궤도를 일시적으로 이탈할 수 있음(만삭아는 자궁 내 환경이 반영→ 2세경에는 유전적 영향에 의한 체격이 반영되면서 백분위수가 이동됨)

3) 미숙아

- 미숙아를 위한 특수 성장 도표를 이용
- 극소 저체중아(very low birth weight)의 따라잡기 성장(catch-up growth)은 합병증이 없을시
  체중 : 첫 2년, 키 : 첫 2.5년 동안 일어남(일부는 학동 초기까지 진행됨)

4) 비정상 평가

- 성장 장애
  - 체중 : 5백분위수 미만

    or 일정 기간 동안 백분위수 곡선이 2개 이상 밑으로 떨어지는 경우
  - 키별 체중 : 5 백분위수 미만
- 영양 결핍
  - 급성 영양 결핍 : 키별 체중이 5백분위수 미만
  - 만성 영양 결핍 : 키별 체중은 정상(체중과 함께 키도 성장저하됨)
  - 중증 만성 영양 결핍으로 인하여 두위 성장이 저하된 영아는 장래 인지 발달 장애
    의 위험이 매우 높음
- 선천성, 제질성, 가족성, 내분비성 원인에 의한 성장장애 : 키별 체중의 백분위수가
  정상이거나 높음

III 발달(Development)

1. 기능별 발달과정

1) 감각의 발달(Sensory development)

(1) 시각(Vision)

- 신생아기 : 20~30 cm 거리에 있는 물체를 가장 잘 볼 수 있는데 천천히 움직이는 물체에 시선을 고정하거나 45~90° 내에서 따라서 본다.
- 2개월 : 움직이는 물체를 180°까지 따라본다. 시력은 4개월까지 급속히 발달.
- 4~5개월 : 물체를 따라 손을 움찔거린다. 6개월에는 붙잡는다.
- 거짓사시(Pseudostrabismus) : 생후 수개월 동안은 정상아에서도 일시적으로 과도 수렴(overconvergence)이 있을 수 있다. 그러나 진짜 사시가 발견되면 빨리 안과 의사에게 의뢰하도록 해야 한다.
- 5~6세가 되면 성인의 정상 시력인 20/20에 도달

(2) 후각(Smell), 미각(Taste) 및 촉각(Touch)

후각은 신생아기에도 비교적 잘 발달되어 신생아는 젖냄새를 구별할 수 있다.

(3) 청각(Hearing) : 출생 시 청각은 발달되어 있으며 생후 수일 내에 청력은 예민해진다. 1개월에는 엄마의 목소리를 구별하여 듣고 반응하며 4개월이 되면 소리나는 방향으로 고개를 돌릴 수 있다.

- 신생아나 영아는 뇌줄기유발전위(brain stem evoked potential) 검사로 청력을 검사할 수 있으며 기타 모든 연령의 소아에서도 청력검사가 가능

★2) 운동 발달(Motor development)

자발적 운동 : 원시 반사 소실 후 출현

머리→다리(cephalo-caudal), 체간→말단(proximal-distal)

손의 운동 : 척골→요골, 회내 운동(pronation)→외전운동(supination)의 순서

동작의 수행이 먼저 발달. 후에 억제운동이 발달

ex. 물건을 쥐는 동작이 먼저 발달하고 펴서 놓아주는 동작은 나중에 발달

- 운동 기능 발달의 방향 : Cephalo-caudal(머리→다리), Proximal-distal(중심→사지)

(1) 대근육 운동 발달

자세(posture), 평형(balance), 운동(movement)등 전체적인 몸의 움직임의 발달

(2) 소근육 운동 발달

- 손으로 물건을 쥐는 모습, 입방체 쌓아올리기, 그림보고 그리기로 평가할 수 있다.

- 지능발달과 관계있고, 사람과 동물과 구별되는 기능
- 생후 6개월 : 손바닥 전체로 잡는다.
- 생후 7~9개월 : 첫째 손가락, 둘째 손가락을 이용하여 가위 모양으로(Scissor grasp)

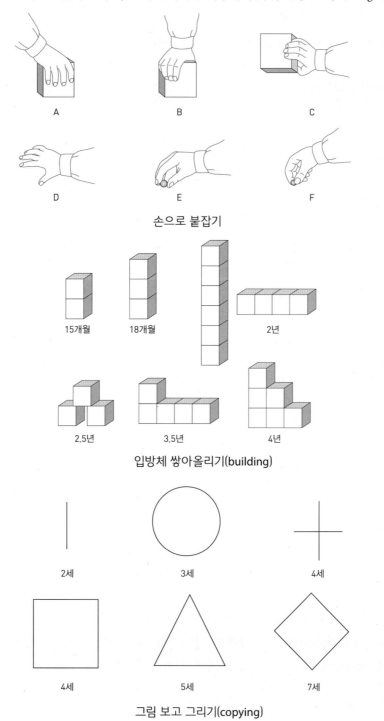

손으로 붙잡기

입방체 쌓아올리기(building)

그림 보고 그리기(copying)

대근육 운동 발달의 순서	
종목	개월 수
엎드린 자세에서 머리를 좌우로 돌린다	1개월
엎드린 자세에서 팔꿈치로 받쳐 상체를 든다	3개월
목을 가눈다	3~4개월
엎드린 자세에서 손/손목으로 받쳐 상체를 90°든다	4개월
뒤집는다(P→S)	4개월
뒤집는다(S→P)	5개월
붙잡아주면 앉아 있다.	5개월
앉혀 놓으면 혼자 앉아 있는다	7개월
긴다(배밀이)	7개월
긴다(네 발 자세로 긴다)	8개월
혼자 일어나 앉는다	8개월
바로 누워 양 손을 잡아당기면 선다	8개월
혼자 앉아 몸통을 돌린다	8~9개월
붙잡고 선다	9~10개월
붙잡고 걷는다	10개월
혼자 서 있는다	11개월
혼자 걷는다	12개월
한 손으로 잡고 층계를 올라간다	18개월
잘 뛴다	2년
혼자 층계를 올라간다	2년
세발자전거를 탄다	3년
한쪽 발로 잠깐(2초) 선다	3년
혼자 층계를 내려온다(한 발씩 번갈아 딛고)	3년
한쪽 발로 뛴다	4년
줄넘기를 한다	5년

- 생후 9~10개월 : 첫째 손가락, 둘째 손가락을 이용하여 정확하게(mature pincer grasp)

3) 언어발달(Speech and Language)

- 일반적으로 남아가 여아보다 말을 배우는 속도가 느리다.
    - 정신지체, 청각장애, 행동 및 정서장애, 자폐, 사회적 자극의 결핍, 만성질환, 급성 스트레스 등으로 인하여 언어 발달이 지연될 수 있음.
☆ • 언어발달의 이상을 의심
    - 12개월에 한 마디도 말을 하지 않는 경우
    - 18개월이 되어도 말보다는 몸짓으로 의사표현하는 경우
    - 만 2세에도 간단한 두 단어 문장을 만들지 못하는 경우
    - 만 3세가 되어도 문장으로 자신의 의사를 표현하지 못하는 경우
        원인 : 정신지체, 뇌성마비, 영아 자폐증, 청력 저하, 교육부족, 정서장애, 정신지체, 청각장애, 행동 및 정서장애, 자폐, 사회적 자주의 결핍, 만성질환, 급성 스트레스

4) 수면(Sleep)

- 수면은 각성, 뇌파, 운동, 상태 및 자율신경계 리듬의 변화가 반복되는 것으로 REM수면과 non-REM수면으로 이루어진다.
- 소리를 내거나 꿈 또는 악몽(nightmare) : REM 수면에서 잘 일어난다.
- non-REM수면은 4단계로 나뉘어진다.
- 영아 수면의 50%는 REM 상태(성인은 20%)
- Night terror(야경증), Sleep-walking(몽유증) : non-REM stage III, IV에서 잘 일어남.

5) 대소변 가리기(Sphincter control)

- 대소변 훈련 시작 : 18~2세
- 순서 : 대변 가리기 → 낮에 대변 → 낮에 소변 가리기 "밤똥 → 낮똥 → 낮소변 → 밤소변"(여아 5년, 남아 6년)
- ☆ 대변가리기 29개월경(16-48개월 범위), 소변가리기 32개월경(18~60개월 범위)에 가능
- 생후 3년 말까지 대변을 가리고, 여아는 5년, 남아는 6년까지 밤에 소변을 가릴 수 있는 것으로 기준을 삼는다.

2. 연령별로 본 신경, 정신 사회적 발달

3~5주가 되면 주위의 자극에 대한 반응으로 미소를 짓는 사회적 미소(social smile)가 나타난다.

		☆ 소아의 정상 행동 발달표		
연령	운동 (Motor behavior)	적응 (Adaptive behavior)	언어 (Language)	개인 사회적 행동 (Personal, Social behavior)
~4주	• 팔다리를 구부리고 있다. • Moro반사, 파악 반사가 활발하다.	• 보이는 불빛에 얼굴을 고정한다.	• 목소리에 반응을 보인다.	• 사람의 얼굴을 선호한다.
1개월	• 엎어 놓으면 턱을 들고, 머리를 좌우로 돌린다. • 긴장성 경반사의 자세로 누워 있다.	• 사람을 쳐다본다. • 움직이는 물체를 따라 본다.	• 미소짓기 시작한다.	• 목소리에 반응하여 몸을 움찔거린다.
2개월	• 엎어 배를 받쳐 들어올리면 머리를 몸과 수평이 되도록 든다. • 긴장 목반사의 자세로 누워 있다.	• 움직이는 물체를 180°까지 따라본다.	• 다른 사람의 목소리를 듣고, 자신의 목소리를 낸다.	• 주위의 자극에 반응하여 미소 짓는다.(social smile)

	☆ 소아의 정상 행동 발달표			
연령	운동 (Motor behavior)	적응 (Adaptive behavior)	언어 (Language)	개인 사회적 행동 (Personal, Social behavior)
3개월	• 엎어 놓으면 머리와 가슴을 든다. • 팔을 펴고 있다. • 엎어 배를 받쳐 들어올리면 머리를 몸 위치보다 위로 든다. • 머리를 약간 가눈다.	• 물체를 보면 접근하지만 잡지는 못한다. • 장난감을 보면 손을 흔든다.	• 음악 소리에 귀 기울인다. • "아~" 소리를 낸다.	• 사회적 반응 시간이 길어진다.
4개월	• 엎어 놓으면 머리와 가슴을 들어 머리를 수직으로 든다. • 다리를 펴고 있다. • 머리를 가운데로 하고 대칭자세로 누워 있다. • 바로 누운 자세에서 붙잡아 일으켜 앉히면 머리를 가눈다.	• 물체에 손을 뻗어 잡고, 입으로 가져간다. • 작은 물체를 보기는 하나 잡으려 하지는 않는다. • 양손을 몸의 가운데로 모은다	• 크게 소리내어 웃는다.	• 먹을 것을 보면 좋아한다.
7개월	• 앉혀 놓으면 혼자 앉아 있는다. • 배밀이 또는 네 발로 긴다. • 세우면 다리를 뻗어 몸을 지탱한다.	• 다른 손으로 물건을 옮겨 쥔다. • 작은 물체를 보면 갈고리 모양으로 손에 움켜쥔다.	• 여러 음절의 모음 소리를 낸다. • 의미 없이 재잘거린다.	• 엄마를 더 좋아한다. • 거울을 좋아한다. • 상대방의 감정 변화에 반응한다.
10개월	• 혼자 일어나 앉는다. • 기어 다닌다. • 붙잡고 일어선다. • 가구 등을 붙잡고 걷는다.	• 엄지손가락과 집게손가락을 사용한다. • 손수건 밑에 장난감을 감추면 찾아낸다.	• 반복되는 자음 발음을 한다(마마, 빠빠). • 이름을 부르면 반응을 한다.	• "까꿍", "짝짜꿍", "바이바이" 놀이를 한다.
12개월	• 혼자 일어선다. • 혼자 걷는다.	• 알약 크기의 작은 물건을 엄지와 집게손가락만으로 집어 든다. • 달라고 하면 손에 쥐고 있던 물건을 손을 펴서 놔 준다.	• "마마", "빠빠" 말고 다른 말을 몇 개 정도 말한다.	• 간단한 공놀이를 한다. • 옷을 입힐 때 자세를 맞춘다.
15개월	• 혼자 걷는다. • 층계를 기어 올라간다.	• 종이에 그리는 시늉을 한다. • 입방체를 2개 쌓아 올린다.	• 친숙한 물건의 이름을 말한다(예: 공). • 뜻을 알 수 없는 말을 지껄인다. • 간단한 것으로 한 가지를 지시하면 맞게 수행한다.	• 원하는 것을 손가락으로 가리키며 달라고 한다.
18개월	• 한 손 잡고 층계를 올라간다. • 서툴게 뛴다.	• 입방체를 3~4개 쌓아올린다. • 휘갈기는 것을 흉내 내어 그린다. • 병을 거꾸로 하여 작은 물체를 꺼낸다.	• 신체 부위를 1개 이상 알고 말한다. • 10개 정도의 단어를 말한다.	• 혼자 먹는다. • 소변을 보고 알려 준다. • 문제가 있으면 도움을 청한다. • 부모에게 입을 오므려 뽀뽀한다.
24개월	• 잘 뛴다. • 층계를 오르내린다.	• 입방체를 6~7개 쌓아올린다. • 직선을 흉내 내어 그린다.	• 간단한 문장을 말한다. • 그림 이야기책을 읽어 주면 귀 기울여 듣는다.	• 숟가락질을 한다. • 간단한 옷은 혼자 벗는다.

	운동 (Motor behavior)	적응 (Adaptive behavior)	언어 (Language)	개인 사회적 행동 (Personal, Social behavior)
연령				
30개월	• 한 발씩 번갈아 딛으며 계단을 오른다.	• 입방체를 9개 쌓아 올린다. • 수평, 수직 직선을 보고 그린다.	• 자신을 대명사 '나'로 말한다.	• 물건 치우기를 돕는다. • 흉내내기 놀이를 한다.
3년	• 세발자전거를 탄다. • 한 발로 잠깐 서 있다.	• 입방체 3개로 다리 모형을 만든다. • 원을 보고 그린다.	• 이름, 성별, 나이를 말한다. • 물건 수를 셋까지 맞게 센다.	• 혼자 옷을 입는다.(단추를 풀고, 신발을 신는다) • 손을 씻는다.
4년	• 한 발로 뛴다. • 가위질하여 그림을 오려 낸다.	• 십자형과 사각형을 보고 그린다. • 머리 외에 몸의 2~4 부분을 그린다.	• 줄거리가 있는 말을 한다. • 반대말을 안다. • 전치사를 안다.	• 혼자 용변을 해결한다. • 양치질, 세수를 한다. • 다른 아이들과 협조적으로 논다.
5년	• 한 발씩 번갈아 들고 뛴다. • 줄넘기를 한다.	• 삼각형을 보고 그린다. • 머리 외에 몸의 여섯 부분을 그린다. • 둘 중 더 무거운 것을 가려낸다.	• 열까지 센다. • 4가지 색깔을 알고 말한다. • 단어의 의미를 묻는다.	• 혼자 옷을 입고 벗는다. • 소꿉놀이를 한다. • 다른 아이들과 경쟁적 놀이를 한다.

☆ 소아의 정상 행동 발달표

3. 발달의 평가

한국 영유아 발달 선별 검사(Korean Developmental Screening Test for Infants & Children; K-DST),

K-ASQ (Ages and Stages Questionnaire-Korean)가 일차 진료에서 사용하기 적합함

① 세계적으로 가장 많이 사용(한국에는 서울 영유아 발달 선별 검사)

② 검사 항목

- 전체운동(Gross motor)

- 언어(Language)

- 미세운동-적응(Fine motor-Adaptive)

- 개인성-사회성(Personal-Social)

▶ 어린이에게 많이 발생하는 발달 장애

발달 장애	빈도(1,000명당)
뇌성마비	2 ∼ 3
시력 장애	0.3 ∼ 0.6
청력 장애	0.8 ∼ 2
정신 지체	25
학습 장애	75
집중력 결핍 행동 과다 장애(ADHD)	150
행동 장애	6 ∼ 13

4. 청소년기(Adolescence)

- 정의 : 10세에서 20세 미만
- 청소년기에 나타나는 3가지 뚜렷한 현상
  ① 생물학적 성장 : 키의 급성장, 2차 성징
  ② 인지 발달의 성숙 : 추상적인 생각이 가능
  ③ 정신 사회적 변화 : 의존적인 소아에서 독립적인 성인으로 변화

1) 사춘기

(1) 사춘기의 생리(Physiology of puberty)

- 특징 : 성의 성숙과 키의 성장
- 사춘기의 시작을 유도하는 기전
  - GnRH의 박동적 분비가 수면 시에 일어나는 것이 사춘기의 시작
  - estradiol과 testosterone에 대한 hypothalamus, pituitary gland의 sensitivity 감소
  → feedback의 강도가 감소 → gonadotropin, LH, FSH의 호르몬이 증가
    estrogen & androgen에 대한 시상하부 "gonadostat"의 감수성이 감소하면서 GnRH
    의 분비로 뇌하수체의 gonadotropin이 분비되고 이것이 말단기관, 특히 생식기관
    및 근육 골격계기관을 자극함으로써 사춘기가 시작되는 것으로 알려졌다.
- 여성에서는 positive feedback이 발달 : estrogen이 GnRH의 분비를 자극하며 배란
  을 시작하게 한다.

> - 여성에서는 positive feedback이 발달
> : estrogen이 GnRH의 분비를 자극하며 배란을 시작하게 한다.

  → 뼈 연령은 사춘기의 성 성숙도(sexual maturity rating; SMR)와 잘 일치

	남자	여자
LH	• Leydig cell에 작용하여 testosterone의 생산자극 • sperm 생산의 마지막 단계 자극	• progesterone 생산 자극 • 배란, 황체형성
FSH	• sperm 생산의 마지막 단계 자극	• estrogen의 생산 자극 • 난포의 성장

⑵ 사춘기의 변화(Pubertal events)

• 사춘기의 시작

– 남자 : 2차 성징이 나타나기 전에 고환의 부피가 커지는 것으로 시작

– 여자 : 8~13세 유방돌출 되면서 시작

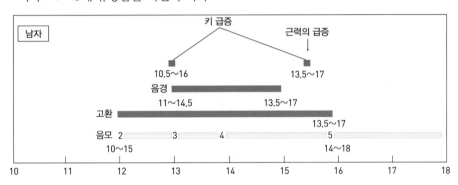

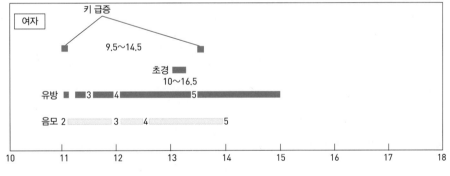

사춘기 남녀의 성숙의 차이(Tanner)

▶ 성장의 남녀 차이

① 여자가 남자보다 18~24개월 정도 PHV (peak height velocity)가 조기에 일어나며

② 여자의 PHV는 남자보다 2cm/년 정도 작고

③ 남자의 PHV는 PWV (peak weight velocity)와 일치하나 여자는 PWV가 PHV보다 6~9개
월 늦게 시작

☆ • PHV : 여자는 SMR 3~4, 남자는 SMR 4 시기

(3) 사춘기 단계의 평가(Assessment of pubertal stage)

☆ • 성 성숙도(Sexual maturity ratings; SMR) : 여성에서는 유방(B)과 음모(PH), 남자에
서는 고환, 성기(G)와 음모(PH)에 기초를 둔 5단계
남자는 성기의 변화로 구분하고(G1~G5) 남녀 모두 음모의 발달(PH1~PH5)여자
는 유방의 변화로 구분(B1~B5)

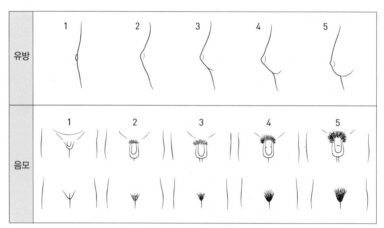

SMR	사춘기의 변화
1	사춘기 전
2	사춘기 초기
3	사정, 여자의 PHV
4	초경, 남자의 PHV, 여자의 PWV
5	어른 상태

2) 인지의 성숙

구체적 사고 → 추상적 사고로의 변화

3) 정신 사회적 발달

(1) 초기 청소년기

- 키의 급성장, 신체 모습의 변화, 성적 흥분
- 가족과 약간의 갈등이 있으나 밀착되고 협조적
- 동년, 동성애에 대한 친구관계 증가

(2) 중기 청소년기

- 청소년기의 정형
- 독립심이 최고조에 다람

- 부모와의 거리감은 '일시적인 부모의 통제 불능' 상태
- 가정의 역할은 줄어들고 또래가 중심적인 역할을 담당

(3) 말기 청소년기

- 자아 독립이 이루어진 상태로 다시 부모와 가까워짐(성인 대 성인)
- 친구들은 친밀하나 중요하지 않음
- 실제적이고 상호적인 관계를 찾고, 상대자와 조화를 이루는 인간관계 형성

4) 청소년기의 흔한 질환

(1) 여성형 유방(gynecomastia)

- 남성에서 여성의 유방 발달과 유사한 현상이 나타나는 경우
- 남자의 SMR 2~3 시기에 잘 일어나며 주로 일과성이다.
- 왼쪽에 많이 발생, 77~95%에서 양측성
- 원인

  Physiologic : estrogen과 androgen의 불균형

  Pathologic : Klinfelter syndrome, thyrotoxicosis, liver cirrhosis, adrenal hyperplasia,

  testicular tumor, nutrient deficiency, Drug (amphetamine, cimetidine,

  cyclophosphamide, isoniazid, ketoconazole, marijuana, phenothiazine, reserpine)

(2) 여성의 월경 장애(Menstrual disorder)

- 청소년기 50% 이상의 여성 : 기능 부전성 자궁 출혈, 무월경, 월경곤란, 월경 증후군
  - 월경통 또는 심한 출혈의 월경 장애를 예방
  - 월경 장애로 야기된 병리적 상태나 심리적인 문제를 평가
  - 월경과 관계된 다모증, 여드름의 예방
  - 월경으로 일어날 가능성이 있는 장기적 합병증을 줄이는 차원에서 치료가 필요
- 월경곤란(Dysmenorrhea)
  - 1차성 • 기질적 골반질환이 없는 상태(m/c)
    - Prostaglandin $F_{2\alpha}$가 자궁근의 수축과 혈관의 수축을 일으킴
    - 경련성 통증, 하복부에서 느껴져 허리와 대퇴부 앞으로 퍼짐
    - 월경통, 오심, 구토, 피로감, 신경질, 설사, 두통 등의 전신질환 가능
  - 치료 – 정신적 안정, NSAIDs (Ibuprofen, naproxen, mefenamic acid), 피임제
- 월경 전 증후군(Premenstrual syndrome; PMS)
  - 황체기에 일어나는 신체적, 인지적, 감정적 및 행동적 증상으로 생리 시작과 소실
  - 월경 증상을 기록하는 습관을 길러줌

- 비타민 B$_6$, 칼슘의 보조적 치료, NSAIDs
- 기능 부전성 자궁 출혈(Dysfunctional uterine bleeding)
  - 응급을 요할 수 있음(9%는 기질적 원인)
  - 80 mL 이상 출혈
  - 원인 : 미숙한 hypothalamic-pituitary-ovarian axis에 의한 무배란 주기
  - 통증이 없는 출혈 병력
  - 성병검사, CBC, 임신 검사 필요
  - 정상적인 월경 & 비정상 출혈 : 혈액질환 or 자궁의 이상 의심
  - 비정상적인 월경 & 비정상 출혈 : 자궁 손상, 자궁 폴립, 감염, 자궁 내막염 의심
- 무월경(Amenorrhea)
  - 14~15세에 2차 성징과 자연 자궁 출혈이 없음
  - 정상적인 2차 성징임에도 16~16.5세까지 자궁 출혈 없음
  - 4년 전에 유방 발달이 있으나 자궁 출혈 없음
  - Turner 증후군의 임상적 특징을 가지며 자궁 출혈 없음
  - 원인 : Hypothalamic-pituitary 기능장애, 갑상샘 저하증, 쿠싱 증후군, 심한 열량 제한
  - 검사 : β-hCG, LH, FSH, prolactin, 갑상샘 기능 검사, CBC, ESR, 임신 검사 등
  - 15세부터 조기 진단할 필요가 있음
- 다낭성 난소 증후군

(3) 피부질환 : 안드로겐 증가 → 여드름 증가(80% 이상)

(4) 정형외과적 문제
- 척추측만증(4~14%)
- Osgood-Schlatter 병 : 슬관절 인대가 착상하는 경골 결절에서 통증
- 대퇴골두 분리 : 비만하고 성장이 느린 청소년
- 성장통(40~50%)

(5) 10대의 임신

(6) 자살
- 문제가 장기적으로 축척되는 기간
- 소아기의 약점이 악화
- 사회로부터의 고립
- 남자 또는 여자친구를 잃었거나 임신, 학교 문제, 친구, 친척의 죽음, 가정불화

(7) 약물 남용

3 아동기 정신 장애

Power Pediatrics

1. 정신 사회적 문제들

감정의 장애(우울, 불안), 신체기능의 이상(정신신체의 장애), 행동의 장애(행동장애, 반항장애 등) 그리고 학교 적응의 어려움(학습 문제 등)으로 나타난다.

2. 정신 신체 장애(Psychosomatic disorder)

1) 정신 생리 장애(Psychophysiologic disorder)

외부 또는 내부의 자극에 대한 심리적 반응이 어린이의 발달 과정에 영향을 주거나 병리를 동반한 신체증상을 반복적으로 유발시키는 경우

2) 신체형 장애(Somatoform disorder)

기질적 원인이 없고 심리적 요인으로 인하며 무의식적으로 표출되는 신체 증상

ex. 전환 장애, 신체화 장애, 건강염려증, 신체형 통증장애

3) 인위 장애(Factitious disorder)

의식으로 조절되고 2차성 이득을 얻기 위하여 고의로 유발시킨 신체적 또는 심리적 증상

3. 정신 지체(mental retardation)

- IQ<70, 18세 이전에 진단되어야 함.
- 지능지수가 70~75 범위에 있는 경우라도 적응능력이 크게 떨어지는 경우

1) 원인

유전적 요인	Down synd, fragile X synd, PKU, tuberous sclerosis
출생 전 또는 주산기 요인	모체의 만성질환, fetal alcohol synd, 모체의 물질남용, 임신 합병증(임신 중독증, 출혈, 전치태반 등), infantile bacterial meningitis
환경적 또는 사회 경제적 요인	유아의 영양불량, 산후 산모에 대한 불량한 의료조치, 가족내의 불안 정성, 엄마의 부적절한 보살핌, 엄마의 교육정도가 낮아 아이에게 적절한 자극을 주지 못할 경우

2) 분류

☆ 경도	☆ 50~70	85%	• 교육이 가능 (초등학교 6학년 수준까지 가능) • 학령전기에서는 대인관계능력이나 언어발달상태가 크게 문제되지 않을 수도 있어 입학할 때까지 진단이 안되는 수도 있다.
중등도	35~40, 50~55	10%	• 학습능력은 초등학교 2학년을 넘지 못한다. • 도움을 받는 상황에서 스스로를 돌볼 수 있는 능력
중증	20~25, 35~40	3~4%	• 학습능력은 "가, 나, 다" 정도나 간단한 셈은 가능 • 성인이 되면 철저한 감독하에 간단한 일은 할 수 있다
최중증	<20~25	3~4%	• 언어나 운동 발달에 심한 장애 동반 • 지속적인 감독이 필요

3) 치료

- 경도, 중증도 – 자신의 능력이 떨어진다는 것을 인지하고 있음
  - 따라서 위축되고 불안 및 우울감을 느낌
  - 지능 수준에 근거한 적한 치료가 필요
  - 개별적이고 포괄적인 특수 교육 프로그램 요구
  - 가족에 대한 교육이 필수
    부모 자신의 죄책감, 낙심, 분노들의 감정을 표현, 해결할 수 있는 기회를 제공

4. 학습 장애 및 언어 장애(Learning, speech and Language disorder)

▶ Delayed speech(언어 지연)

(1) 학습장애

- 지능이 비교적 정상 범위에 해당되는 아동이 자신의 연령, 학년, 지능수준에 비해 읽기, 쓰기, 산수능력에서 2년 이상 부진한 경우
- 읽기장애, 산수장애, 쓰기장애

(2) 의사소통 장애

- 의사소통을 위해 언어를 적절하게 사용하지 못함

- 조기 치료 중요
- 말더듬, 언어지연, 구음장애
    - 만 2세가 되어도 의미있는 말을 하지 못한 경우
    - 원인 : 정신지체, 자폐증, 뇌성마비, 청력 저하, 교육부족, 정서 장애
    - DDx) 발달성 언어 장애(developmental language disorder)
- 청력이나 다른 분야에서는 지연이 없으면서 언어 발달만 늦는 경우

5. 자폐장애(Autism disorder)
1) 발병률
4~5명/1만 명, 남아 > 여아(3~4배)

2) 원인
- 최근에 와서는 기질적, 생물학적 원인설이 지배적(출생 전후에 뇌손상, 뇌염 등)

    EEG : 10-83% 이상 소견

    CT : 20-25% 뇌실 확장 소견

    MRI : 소뇌의 vermal lobule VI, VII의 이상. 대뇌피질의 polymicrogyria

    생화학적 검사 : 자폐아의 1/3에서 serotonin의 양이 정상아보다 높다.

    자폐아의 lymphocyte가 어머니의 Ab에 이상 반응

3) 증상
(1) 대인관계형성의 장애 : 어머니와의 눈 접촉이나 신체 접촉을 피함, 6-8개월에 정상적으로 나타나는 낯가림(stranger anxiety)도 보이지 않고 혼자서 놀기를 좋아하는 등 어머니와의 애착 및 가족을 포함한 다른 사람과의 관계형성이 이루어지지 않는다.

(2) 언어장애 : 언어가 전혀 발달되지 않거나 괴성을 내며, 언어 이전 단계인 옹알이나 모방행위도 보이지 않고, 언어가 시작되어도 무의미한 말을 되풀이한다.

(3) 제한되고 반복적인 행동, 관심 : 한 가지 물건에 집착, 조그마한 변화도 싫어하고 같은 행동을 고집. 특정한 상동 행위(stereotype behavior)

(4) 기타 증상 : 과잉운동, 자해행동

       3/4에서 지능이 낮다(언어성 지능이 동작성보다 더 낮다).

       일부에서는 단순기억이나 계산 등의 특정 분야에서 놀랄 만한 능력

4) 치료

- 가장 중요한 치료방법은 체계화된 특수 교육, 행동 수정 치료
- 최근에는 아편계 길항제(opioid antagonist)인 naloxone이나 naltrexone이 효과적이라는 보고가 있다.
- 행동상의 문제가 행동수정만으로 잘 조절이 되지 않는 경우 : haloperidol
  (경련이 반복적으로 일어나면 뇌의 발달에 장애적인 요인이 될 수 있으므로 항경련제 반드시 투여)

5) 예후

- 좋지 않음
- 2/3은 평생 도움 받거나 수용 시설 필요
- 5~20%는 어느 정도 호전되나 독립적 생활은 힘듦
- 자폐적 증상은 없어져도 정신지체 때문에 시설에 머문다.
- 지능이 70 이상, 5~7세에 언어발달, 가족의 협조가 원만, 경련성 질환이 없는 경우
  → 비교적 좋은 예후

6. 주의력 결핍 과잉 운동 장애(Attention deficit hyperactivity disorder : ADHD)

1) 발병률

4.5%(한국) 남아 > 여아(4~6배)

2) 원인

아직 확실히 밝혀진 것은 없지만

PET검사상(frontal lobe)의 뇌혈류와 신진 대사의 감소

대뇌의 catecholamine (NE와 dopamine) 대사의 이상

3) 증상

- 빈번한 순서 : 과잉 운동 장애(가장 먼저 호전), 지각 운동 장애, 불안정한 정서 장애, 일반적 운동 조정 장애, 주의력 장애, 충동성, 기억과 사고 장애, 특수 학습 자애, 뇌파이상 순
- 상대편의 말을 끝까지 듣지 못하고 중간에 자기 말을 잘하며, 결과를 생각하지 않고 즉흥적이고 충동적인 행동
- 좌절감에 대한 참을성이 적고, 쉽게 흥분하는 등 감정적으로 변화가 많다.

- 학교에서는 친구들에게 따돌림을 당하는 경우가 많다.
- 지능 검사에 나타난 지능에 비하여 학교 성적이 나쁘며, 특히 읽기 산수 쓰기 등의 학습장애가 같이 있기 쉽다.

4) 감별진단

행동장애(도벽이나 가출 등 행동상의 문제는 ADHD에서는 나타나지 않는다), 우울장애, 조증, 불안장애, 전반적 발달 장애

5) 치료

- 주위환경을 차분하게 규격화, 단순화하여 생활
☆ • 약물요법 : CNS stimulant, methylphenidate, Ritalin
- 심리치료

6) 예후 · 행동치료 : 긍정적, 부정적 강화법

- 연령이 증가함에 과잉운동과 충동성은 어느 정도 감소할 수 있지만 학습문제와 정신사회적 문제는 사춘기에 더 심해질 수 있다.
- 청소년기 혹은 성인기까지 지속될 수 있다.

7. 습관 장애(Habit disorder)

1) 이 갈기(Bruxism)

- 억압된 분노나 원망의 감정을 표현
- 치아에 2차적인 문제를 일으킬 수도 있다.

2) 손가락 빨기(Thumb sucking)

아동이 손가락을 빨 때는 다른 방법으로 아기에게 즐겁고 기분좋은 감정을 갖게 해 주는 것이 제일 좋다.

8. 뚜렛 장애(Tourette disorder)와 틱 장애(Tic disorder)

1) 틱 : 갑작스러운, 빠른, 반복적인, 상동적인 근육의 움직임 또는 소리냄.

3가지 유형 ┌ (1) 일과성 틱 장애 : 4주 이상 1년 이내, 음성 or 운동틱
　　　　　├ (2) 만성 틱 장애 : 1년 이상, 음성 or 운동틱
　　　　　└ (3) 뚜렛 장애 : 1년 이상, 음성 & 운동틱

2) 원인

아직 확실히 밝혀져 있지 않다.

<u>유전적 요인 강하다.</u>

basal ganglia(기저핵)이 관련 되어 있을 가능성이 있다.

3) **증상**

- <u>남아 > 여아</u>
- 처음에는 수의적 → 금방 불수의적
- 얼굴, 목, 어깨, 몸통, 손이 가장 흔하게 움직이는 부위
- <u>증상이 얼굴에서 시작해서 몸통으로 진행한다.</u>

(1) 운동틱

① 단순운동틱 : 눈 깜빡거리기, 눈알 움직이기, 얼굴 찡그리기, 머리 흔들기

② 복합운동틱 : 자신을 치는 행동, 갑자기 뛰어오르는 행동, 의미없이 물건 만지는 행동

(2) 음성틱

① 단순음성틱 : 주로 가래 뱉는 소리, 쿵쿵거리는 소리, 기침소리, 침뱉는 소리, 상황과 관계없는 단어

② 복합음성틱 : "옳다", "입닥쳐" 등의 거친 말을 반복적으로 보임

4) **치료**

☆ • 일차적으로 약물치료 : Haloperidol, pimozide
- 행동치료
- 정신치료
- 가족치료

9. 행동 문제(Behavioral problem)

1) **호흡 정지 발작(Breath-holding spells)**

- 생후 24개월까지 흔히 관찰
- 소수의 어린이는 호흡을 정지하는 기간이 길어 의식을 잃거나 경련을 일으키기도 하지만 경련성 질환과는 다르다(감별 포인트-답답하면 숨을 쉰다. 스트레스나 관심 끌고자 할 때 경련 등의 Sx. 나타남).
- 치료 : 발작에 관심을 두기 보다는 어린이가 느끼는 불안 좌절감을 이해해 주도록

2) 반항(oppositionalism), 분노 발작(Temper tantrum)

- 18개월~3세에 많다.
- 자기 마음대로 하고 싶은 욕구 사이에 갈등과 분노가 생겨 발생
- 부모가 화가 났을 때 분노를 즉각적으로 표현하지 않도록 주의하여 아이들에게 본보기가 되어야 한다.

3) 거짓말(Lying)
4) 훔치는 행위(Stealing)

- 아동기에 상당히 흔한 행동
- 반복적일 때만 문제됨.

5) 공격적 행동(Aggressive behavior)
6) 수동-공격적 행동(passive-aggressive behavior)

10. 행동 장애(Conduct disorder)

- 지속적으로 다른 사람의 권리를 침범하고 자신의 나이에서 지켜야 할 사회적인 규범을 어기는 행동을 하는 특징(예 : 도벽, 거짓말, 불지르기, 무단결석, 재물파괴, 동물 학대 등).
- 자신의 행동에 대해 통제가 전혀 되지 않기 때문에 1차적으로는 입원치료 필요함
  행동장애 환자의 개인 치료뿐만 아니라 가족에 대한 적절한 치료가 필요함
  치료 : Haloperidol, Li 등이 공격적인 행동에 사용되나 행동장애 자체에는 별로 효과 없음

11. 불안 장애(Anxiety disorder)

불안감은 정상적으로 생후 7-8개월에 가장 먼저 나타난다.

1) 공포증(phobia)
2) 등교 거부증(school refusal)

- 전 아동의 5%
- 학교선생님들과의 관계나 친구들과의 관계에서 불안감을 느끼고 회피하는 등 실제학교 상황과 관련된 경우.

3) 분리불안 장애(separation anxiety disorder))

- 부모, 특히 어머니에게 해로운 일이 일어날 것 같은 비현실적인 불안의 지속
- 부모와 떨어지는 것에 대한 악몽과 여러 가지 신체증상, 고통도 흔히 나타난다.

4) 선택적 함구증(selective mutism)

12. 강박 장애(Obsessive-compulsive disorder)

13. 섭식장애(eating disorder)

1) 이식증(Pica)

- 반복적으로 혹은 만성적으로 먹지 못하는 물체를 먹는 습관 장애
  (진흙, 털, 재, 페인트, 숯, 머리카락 등)
- 만 2세가 지나도 지속되면 비정상
- 원인
  어른이 관심을 잘 보여주지 않고 관심을 주지 않을 때
  지능지체
  영양상태 나쁨.
  사회 경제적으로 낮은 계층에서 많다.
- lead poisoning과 parasite infection의 위험이 높으므로 혈액검사와 대변검사를 해야 한다.

2) 신경성 식욕부진(Anorexia nervosa)

(1) 증상 : bradycardia, postural hypotension, 심전도 이상, 수면 장애, 저체온, 무월경, electrolyte disturbance, 시상하부-뇌하수체-부신축(hypothalamic-pituitary-adrenal axis) 이상

(2) 후유증 : 사망률 5~18%

14. 배설 장애

1) 유뇨증(Enuresis)

- 정의 : 만 5세 이상, 1주일에 최소한 2회 이상, 3개월 이상(80% 야간성, 15% 주간성, 5% 주·야간성)
- 남아에서 더 많고, 가족력이 있을 때가 많다.
- 분류
  일차성(primary) : 태어나서 한번도 소변을 못 가린 경우

이차성(secondary) : 1년간 소변을 가리다가 다시 싸는 경우로 사회적, 환경적 요인으로 다시 소변을 가리지 못하는 것
- 원인 : 수면장애, 신체발달의 지연, 운동발달지연, 부적절한 소변훈련의 결과, 유전 등 다양하다.
  → 2차성의 경우는 대소변 가리기 훈련과정에서의 부모와의 갈등이 가장 중요한 문제
- 유뇨증 증상은 대개 저절로 호전
- 치료
  - 행동수정 요법 : 낮 동안 소변을 참게 하여 방광훈련, 저녁식사 후에 수분섭취를 줄이도록 한다.
  - 긍정적 강화(positive reinforcement) : 소변을 싸지 않은 날은 달력에 표시
  - Bell pad : 소변이 조금이라도 묻으면 즉시 벨이 울린다. 효과 탁월, 50% 이상에서 치료효과
  - 약물요법 : TCA (Imipramine), Desmopressin acetate (DDAVP : 일시적 효과, 부작용 주의)
  아이에게 벌을 주는 것은 좋지 않다.

2) 유분증(Encopresis)
- 만 4세 이상에서 특별한 기질적 병변없이 대변을 잘 가리지 못하여 옷에 싸거나 또는 적절치 못한 장소에 대변을 보지 못하는 경우
- 만성변비, 갑상샘 질환, 고칼슘혈증, 항문 파열, 직장 협착증, 선천성 거대 결장증(congenital megacolon) 등을 먼저 R/O해야 한다.
- 무의식적 분노와 반항심의 표현이기도 하다.
- 치료
  유분증에서와 마찬가지로 아동과 가족의 심리 치료가 필요한 경우가 많다.
  2차적 유분증인 경우 광유(mineral oil)와 섬유질 식이 요법 병용

15. 수면 장애(sleep disorder)

1) 악몽(nightmare)
수면 중에 무서운 꿈으로 인해 깨는 장애.
- REM 수면 중에 나타남(수면의 후반부에 나타난다).
- 아침에 깨어나면 간밤에 일어났던 일을 생생하게 기억한다.
- 부모의 설명을 듣고 안심해야 다시 잠이 들 수 있다(자율신경의 변화는 거의 없다).

- 스트레스와 관련된 경우 이에 대한 대책을 세워야 하며 무서운 내용의 비디오나 TV는 시청하지 말아야 한다(환아 또는 가족들에 대한 간단한 교육만으로도 호전).

2) 야경증(Night Terror)

수면 중에 깨어나서 강한 발성과 동작, 그리고 고도의 자율신경 반응을 동반하는 심한 공포와 공황 상태를 보이는 증상

- NREM 수면 중에 일어남.
- 호흡이 가쁘고 동공 산대, 땀이 많이 나며, 빈맥 등의 "자율신경계의 흥분"이 있고 아동은 일어나지만 깨어나지 못하고 주위에 대한 감각이 없다.
- 다음 날 아침 전날 밤에 일어난 일을 기억하지 못한다(amnesia).
- 가족에 대한 교육을 통해 안심시키는 과정이 가장 중요.
- 횟수가 많은 경우에는 benzodiazepine계 약물(예 : diazepam)을 소량투여하면 조절될 수 있다.

3) 몽유병(Sleepwalking, Somnambulism)

- NREM stage 3,4에 나타나고 사춘기에 자연적으로 없어진다.
- 잠자리에서 일어나 돌아다니는데, 혼자서 또는 다른 사람들이 가만히 이끌어 줄 때 조용히 잠자리로 돌아간다.
- 대개 깨어났을 때 기억 못함.
- 치료
  - 몽유병시 어린이가 다치지 않게 조심하며 자연히 소실된다는 사실을 부모에게 인지
  - 몽유병시 무리하게 깨우지 않도록 한다.
  - 심한 경우 Benzodiazepine과 TCA
- 수면장애의 치료원칙
  - 환아를 위협하거나 벌을 주지 말고 침착하고 안정되지만 단호한 태도를 취해야 한다.
  - 취침시간을 정해놓고 자기전에 차분한 시간을 갖도록 하는 것이 도움

16. 기분장애

1) 주요우울증
2) 양극성 장애

17. 조현병(Schizophrenia)

18. 자살(Suicide)

19. 어린이 학대와 방임(Child Abuse & neglect)

1) 신체적 학대

- 저소득층에서 많고 가해자는 부모나 친척이 대부분(가해자의 대부분은 학대 받은 과거력이 있다).
- 아동은 만삭아보다 미숙아가 많고 각종 기형아, 특수아, 행동문제아에서 많다.
- 증상 : bruise, laceration, scar, hematoma, 손가락 자국, 화상 등이 발견
- 사망원인 : subdural hematoma (m/c), intraabdominal injury
- X선
  - metaphyseal Fx(뼈 몸통끝 골절)
  - subperiosteal bleeding(골막하 출혈)
  - subperiosteal calcification(골막화 석회화)
  - 시기가 다른 multiple Fx
- 아동학대가 의심되면 아동의 즉시 격리, 보호(가해자나 가족 전체의 치료 병행해야 함).

2) 성적학대(sexual abuse)

- 근친상간 : 형제자매간(m/c), 부녀간, 모자간 등
- 가출을 하는 가장 많은 원인

3) 비기질적 성장 장애(Nonorganic failure to thrive)

- 외부에 나타나는 원인 없이 체중이 증가하지 않거나 체중이 감소하는 것
- 30%에서 찾아보면 원인이 있다(기질적 병변).
- 70%에서는 비기질적 원인(50% : 심리적 or 방임, 20% : 잘못된 영양공급)

20. 입원, 수술에 대한 준비

21. 만성 질환아 혹은 신체 장애아

22. 죽음을 앞둔 환아

4

소아의 영양

Power Pediatrics

I 영양필요량

1. 열량

- 처음 1년 1일 약 80~120 kcal/kg 필요
- 이후 3년마다 kg당 약 10 kcal씩 필요량 감소
- 1~3세(100 kcal/kg), 4~6세(90 kcal/kg), ~ 성인(40 kcal/kg)
- 총 열량의 9~15%는 단백질, 35~45%는 지방, 45~55%는 탄수화물로 섭취

2. 수분

- 수분 하루 필요량 : 체중의 10~15%(성인은 2~4%)
- 정상 영아의 경우 125~150 mL의 수분을 섭취해야 한다.
- 폐와 피부를 통한 불감수분소실이 40~50%, 소변으로 배출되는 양 40~50%, 대변으로 배출되는 양이 3~10% 정도 차지한다.

3. 단백질

- 생후 6개월 : 1일 13g/d
- 이후 1년 : 14g/d
- 1~3세 : 16g/d
- 4~6세 : 24g/d
- 7~10세 : 28g/d
- 11~14세 : 45g/d
- 15~18세 : 59g/d

- 필수아미노산 – Thr, Val, Leu, Lys, Trp, Phe, Met
  - Arg, Cys, Taurine : Low B.W에서 필수 아미노산으로 추가

4. 탄수화물

신생아는 성인에 비해 간은 10%, 근육은 2% : 체내 Glycogen 저장량 적음.

5. 지방

필수지방산 : Linoleic acid, Linolenic acid – 성장, 피부와 머리카락 유지, Cholesterol대사, 혈소판 응집감소, 생식에 필요

6. 무기질

- 칼슘 : 40mg/kg/d(모유영양), 70mg/kg/d(인공영양)
- 인 : 음식물을 통하여 충분히 섭취가능
  - 대부분 부족하지 않음.
- 철 : 만삭아의 경우 생후 6개월 동안 필요한 철을 가지고 태어남
  - 6개월 이전 6mg/d
  - 6개월 이후 10mg/d
  - 10세이후 : 12mg/d (M), 15mg/d (F)
- 요오드 : Thyroxine 형성에 중요
- 아연 : 여러 효소의 성분, 단백질, RNA 합성에 관여
  - 3~5mg/d(영아의 1일 소요량)
  - 결핍 시 성장장애, 성 성숙지연, 간비장비대, 피부의 각질화, 이식증, 맛 감각의 둔화
- ☆ 결핍원인 : 아연부족 모유, 조제분유, TPN, 장 흡수장애, Celiac ds, 창자병증말단피부염(acrodermatitis enteropathica) : 유전적으로 아연흡수장애로 AR 유전
- 마그네슘 : 체온조절, 신경전달, 근수축, 단백질 합성
- 인체에 결핍 증상을 일으키는 미량원소 3가지 : 아연, 구리, 크롬
- 구리 : anemia, neutropenia 유발
- Cr : DM 유발

II 영아의 영양

1. 모유영양

1) 모유영양의 장점

☆(1) 영아에 유리한 점

① 자연적으로 사람에게 특별히 알맞게 만들어져 적어도 생후 6개월간은 이것만으로
도 충분한 영양이 된다.

② 신선, 무균적, 보온유지, 휴대간편, 경제적

③ 높은 농도의 secretory IgA를 포함하여 항세균성, 항바이러스성 작용macrophage, lac-
toferrin, lysozyme, fibronectin, nucleotide, 백혈구 등을 풍부하게 가지고 있어 위장관
& 호흡기 감염에 덜 걸리게 된다.

④ 조제분유와 달리 모유에는 호르몬(코티솔, 인슐린, 갑상샘호르몬) 등과 성장인자
(epidermal growth factor, nerve growth factor, transforming growth factor)들이 있어서
출생 직후의 미숙한 장점막의 발달을 촉진한다.

⑤ 우유 알레르기나 못견딤증(intolerance)에 의한 증상(젖 넘기기, colic, 설사, 장출혈,
아토피성 습진)이 적다.

- DHA, arachidonic acid, linoleic acid, α−linolenic acid 등 생리적으로 중요한 n−3
& n−6 계열의 여러 LCPUFA (long chain polyunsaturated fatty acid)가 들어 있다.

- 어머니와 어린이 양측에 정신심리학적으로 만족스러운 관계를 준다.

[모유영양이 방어적인 역할을 하는 질환]

- 급성 질환 : 설사, 중이염, 요로감염, 패혈증, 영아 보툴리눔 독소증, 괴사성 장염

- 만성 질환 : 영아 돌연사 증후군, type 1 DM, Crohn's disease, inflammatory bowel dis-
ease, lymphoma, 만성 소화기 질환, 알레르기 질환

- 과체중과 비만, 입원 빈도, 영아 사망률

(2) 산모에 유리한 점

① oxytocin을 증가시켜 산후 출혈을 감소

② 수유에 의한 무월경으로 출산 후 월경에 의한 실혈을 적게 한다.

③ 수유모는 임신 전 체중으로 빨리 회복

④ 배란을 늦게 오게 함으로써 다음 임신을 늦춘다(child spacing에 유리).

⑤ 산후 뼈의 재골화를 촉진

⑥ 난소암의 위험성 감소

⑦ 갱년기 전 유방암의 위험성 감소

(3) 사회적 경제적 이득

(4) 양육비, 보건 의료비 감소

2) 모유 수유를 성공시키기 위한 유의사항

(특히 분만 후 퇴원할 때까지의 기간이 모유 수유 성공에 중요한 시기이다.)

(1) 모유 수유를 성공하기 위해서는 임신부에게 사전 교육을 시행

★(2) 출산 후 되도록 빨리(30분~1시간) 모유수유를 시작하도록 함

(3) 의학적으로 필요하지 않는 한 모유이외의 다른 음식물을 주지 않도록 한다.

(4) 아기가 원하면 언제든지 수유를 하도록 함(8~12회/d, 한쪽 유방에서 10~15분 빨림)

(5) 모유수유 아기에게는 고무 젖꼭지나 우유병을 빨리지 않도록 함.

(6) 처음 나오는 젖의 양이 적다는 것을 설명해 두어야 함. 분만 직후에 나오는 초유는 성숙유에 비해 단백량이 10%, IgA, lactoferrin, 백혈구를 많이 포함하여 신생아 감염방지에 도움

(7) 퇴원 후 2~3일이 모유 영양 성공에 중요한 시기임.

(8) 제왕절개 후에도 아기와 산모의 상태가 정상이면 바로 수유. 마취로 분만 시는 산모가 마취에서 완전히 깨어난 후 곧바로 수유

★(9) 산모에게는 충분한 칼로리, 단백질, 수분, 비타민 등을 함유한 좋은 식사제공, 정신적 평온 유지

(10) 산후 1주일 동안은 젖이 많이 나오지 않는다는 것을 산모에게 미리 알려주어야 함; 젖을 규칙적으로 완전히 비울 수 있도록 빨리는 것이 젖의 분비를 자극하는 가장 좋은 방법

3) 모유 수유시의 문제점

(1) 유두 통증

(2) 유방 울혈 : 주로 분만 2~7일에 발생 : 자주 수유를 시키거나 손이나 기계를 이용하여 젖을 짜주면 쉽게 해결한다.

(3) 유방염(Mastitis) : m/c cause → *S. aureus*, *E. coli*증상-발열, 전신 쇠약감, 두통 : 계속 수유가능, 계속 젖을 자주 물리고 완전히 잘 비우고 항생제 치료

(4) 모유 황달 : 모유 수유금기 아님. 심한 경우에는 1~2일 수유를 중단하였다가 다시 먹이기 시작한다.

- 생후 2주 후부터 감소함
- 황달이 심하거나 오래도록 지속되면 갈락토오스혈증, 갑상샘저하증, 요로감염, 용혈진환 등에 대하여 검사

4) 모유 수유의 금기

(1) 모체의 active TB, HIV, untreated gonorrhea, 범발성 헤르페스 감염, 심한 만성 질환, 영양실조

예외) 결핵약으로 2주 이상 치료 시, 모체의 B형 간염인 경우 출생 직후 HBIG, B형 간염바이러스 백신 주사 시, 분만 직전 새로 감염된 경우를 제외한 매독

(2) 분만과 관련된 심한 합병증 : 심한 출혈, sepsis, 자간(회복되면 다시 모유수유 가능)

(3) 모유를 통하여 이행하여 어린이에게 지장을 줄 수 있는 drug 복용 시

(4) 갈락토스혈증(galactosemia) 있는 영아

5) 모유 수유의 기간과 보충식

기간 : 생후 6개월간은 다른 음식을 따로 먹일 필요가 없다. 보충식

(1) 비타민 D : 수유모의 비타민 D 결핍증 or 일광 노출이 부족한 경우

(2) 철분 : 미숙아나 빈혈 시

(3) 불소 : 생후 6개월간은 먹이지 않음.(모유 영양아 or 인공영양아)

2. Artificial Feeding

★(1) 모유와 우유의 비교

성분(L당)	모유		우유
단백질(g)	10	<	33
(%)유청:카세인	72/28	>	18/82
Lactoferrin (mg/dL)	27	<	–
IgA (mg/dL)	100	<	3
지질(g)	39	<	33
MCT/LCT(%)	2/98		8/92
유당(g/dL)	7.1	<	4.7
반응	알칼리성 or 양성		산성 or 양성
Curd (응괴)	연하고 작다		조대하고 굳다
소화	더 빠르다	>	덜 빠르다
무기질		<	

조유 처방 계획			
월령	체중(kg)	1회량(mL)	수유 횟수
0~1/2	3.3	80	7~8
1/2~1	4.2	120	6~7
1~2	5	160	6
2~3	6	160	6
3~4	6.9	200	5
4~5	7.4	200	5
5~6	7.8	200~220	4~5

- 칼로리 소요량 : 110 (110~120) kcal/kg
- 수분 소요량 : 150 (130~160) mL/kg
- 우유 100mL = 약 70kcal

성분(L당)	모유	우유
에너지(kcal)	680	680
단백질(g)	10	33
% 유청/카세인	72/28	18/82
지방(g)	39	33
% MCT/LCT	2/98	8/92
탄수화물(g)	72	47
% lactose	100	100
칼슘(mg)	280	1,200
인(mg)	140	920
마그네슘(mg)	35	120
나트륨(mg)	180	480
칼륨(mg)	525	1,570
염소(mg)	420	1,020
아연(μg)	1,200	3,500
구리(μg)	250	100
철분(μg)	300	460
비타민 A (IU)	2,230	1,000
비타민 D (IU)	22	24
비타민 E (IU)	2.3	0.9
비타민 K(μg)	2.1	4.9
티아민(비타민 B_1) (μg)	210	300
리보플라빈(비타민 B_2) (μg)	350	1,750
피리독신(비타민 B_3) (μg)	93	470
나이아신(mg)	1.5	0.8
비오틴(μg)	4	35
판토테닌산(mg)	1.8	3.5
염산(μg)	85	50
비타민 B_{12}(μg)	1	4
아스코르빈산(mg)	40	17

☆ 초유(colostrum) : 임신후반기부터 출산 후 2~4일까지 분비되는 모유

- 짙은 레몬색 ~ 노란색

- 10~40mL/d 분비
☆ • 이후 분비되는 모유에 비해 단백질, 칼슘, 기타 mineral, 면역학 요소들이 많이 함유. <u>탄수화물, 지방이 적게 함유</u>

(2) 인공영양의 기법 및 주의점

- 어느 정도 규칙적인 시간을 정해서 우유를 먹이는 것을 추천
- 아기가 만족할 만큼 먹고 나서 젖을 빨지 않을 때는 그대로 두면 됨. 우유가 남았다고 강제로 먹이면 안됨.
- 하루 먹이는 우유 총량 : 1,000mL을 넘지 않도록 함.
- 1회 먹이는 최대량 : 240mL
- 트림은 젖 먹이는 중간과 끝에 하도록 함.
- 생후 4~6개월 되면 이유식 시작. 생우유는 12개월쯤 지나서 시작

III 이유기 영양

- **이유**
  - 정의 : 젖이나 우유만으로 영양을 받던 영아에게 반고형식을 주기 시작하여 그 경도, 양, 종류를 증가시켜 고형식으로 이행해 나가는 과정
  - 필요성 : 생후 4~6개월이 되면 모유분비량↓, 성장속도↑ → 모유만으로는 충분한 영양공급이 되지 않음. 올바른 식습관 형성
  - ☆ 시작시기 : 4~6개월, 체중 6~7kg
  - 이유의 단계
    (1) 이유 초기 : 생후 4~6개월. 하루 1번 미음, 계란 노른자, 야채, 과일즙 등의 반유동식을 숟가락으로. 모유나 분유이외의 음식에 습관을 들이는 시기
    (2) 이유 중기 : 생후 7~9개월. 묽은 죽, 으깬 야채, 생선, 완숙 계란 등의 반고형식, 하루 2번
    (3) 이유 후기 : 생후 10~12개월. 죽밥, 잘게 썬 야채, 다진 고기 등의 고형식, 하루 3번만 1세는 이유완료 시기

- ☆ **기본원칙**
  (1) 이유 초기에 철분이 함유된 단일 곡식(쌀)을 이용하여 미음 같은 반유동식을 숟가락으로 시도
  (2) 이유식은 처음 오전 10시경에 모유나 분유를 수유하기 전에 준다.
  (3) 이유 초기에 여러가지 음식을 섞지 말고 한 번에 한 가지 음식을 준다.
  (4) 새로운 음식을 첨가할 때는 약 1주일 간격을 두고 시행하며 설사, 구토, 피부발진 등이 나타나면 중지
  (5) 소금, 설탕 등의 조미료는 첨가하지 않음. 꿀은 보툴리눔 독소 등의 위험성이 있으므로 돌전에는 주지 않는다.
  (6) 이유식은 중탕에 의해 체온 정도로 데우는 것이 이상적
  (7) 한 번에 먹을 수 있는 양이 적으므로 가족의 식사 준비 중 일부를 아기에게 맞게 조리하면 효율적이다.
  (8) 이유식은 식생활의 틀을 만드는 기본이므로 일정한 장소에서 일정한 시간에 주어 올바른 식생활 형성에 도움이 되도록 한다.
  (9) 이유 후기 고형식을 줄 때 기도내로 들어가 호흡곤란을 초래할 수 있으므로 특별히 주의
    cf. 계란은 이유 초기에는 노른자만 주고 1세 이후 계란 전체를 준다.

식사종류		월령		
		4~6개월	7~9개월	10~12개월
모유나 분유 이유식	횟수	4회 1회	3회 2회	2회 3회
	시간	6,14,18,22시 10시	6,14,22시 10,18시	11,16시 8,13,18시
곡류	이유식	미음	죽	죽밥
야채류 달걀 생선, 고기류 과일류	종류	거른 것 완숙 노른자 1/4개 생선가루 과즙	으깬 것 완숙 2/3개 으깬 것 굵은 것	잘게 자른 것 완숙 1개 잘게 다진 것 잘게 다진 것

IV 비타민

1. 수용성 비타민

구분	생화학적 작용	결핍 증상	과잉 중독 증상	1일 권장량 및 주요 공급원
		수용성 비타민의 생화학적 작용, 결핍증 및 과잉증		
비타민 B_1 (Thiamine)	인과 함께 결합하여 thiamine pyrophosphate가 되어 pyrubic acid 등 탄수화물 대사과정에서 oxidative decarboxylation을 담당	Wet beriberi : 울혈성 심부전, 빈맥, 사지 부종, Dry beriberi : 신경염, 감각 신경 이상, 안절부절, 식욕 부진, 쉰 목소리	없음	영아: 0.3~0.4mg 소아: 0.7~1.5mg 간, 고기(특히, 돼지고기), 정제되지 않은 곡식 낟알, 콩류, 호두, 밤 등의 견과류
비타민 B_2 (Riboflavin)	Flavin mononucleotide (FMN), flavin adenine dinu-cleotide (FAD)로 되어 활성형이 된다. FMN, FAD는 호흡 효소를 비롯한 여러 가지 산화 효소의 조효소로 필요하다. 광선 적응에 필요한 망막 색소와 성장에 필수적	Ariboflavinosis : photophobia, 시력 감퇴, 눈의 가려움 및 작열감, 각막 혈관 침윤, 설염, 지루성 피부염, 성장 부진, 구순증 (cheilosis)	없음	영아: 0.4~0.5mg 소아: 0.8~1.7mg 우유, 치즈, 달걀, 내장, 생선, 녹색채소, 정제되지 않은 곡식 낟알
니코틴산 항펠라그라비타민 (Niacin) (Nicotinamide)	조효소 NAD (nicotinamide adenine dinucleotide)와 NADP (nicotinamide adenine dinucleotide phosphate)의 구성 성분이다. 당원 합성과 지방산 분해에 필요한 탈수적 효소계의 조인자로 작용	Pellagra : 3D (diarrhea, dementia, dermatitis), 햇빛에 노출되는 부위의 피부염, 혀의 염증, 치매 등 뇌증, 점막 위축성 설사	니코틴산 (아마이드는 아니다)은 혈관을 확장시켜 피부 발적, 가려움을 일으킴. 간 장애 유발	영아: 5~6mg 소아: 9~20mg 고기, 생선, 간, 땅콩, 녹색채소, 곡물, 곡식낟알
엽산 (Folate)	Tetrahydrofolic acid가 활성형이다. Purine, pyrimidine, nucleoprotein 생합성에 필수적, 메칠화 반응, 1개 탄소대사에 관여	Megaloblastic anemia(영아기, 임부)가 흡수장애로 온다. 설염, 세포 면역저하, 인두 궤양, 성장 장애	미상	영아: 25~35μg 소아: 50~200μg 간, 녹색채소, 호두, 밤 등 견과류, 곡물, 치즈, 과일, 효모, 콩류
비타민B_6 (Pyridoxine)	Decarboxylation, transami-nation, transsulfuration의 조효소, 혈색소 합성, 지방산 대사에도 관여	피부염, 구순증(cheilosis), 구내염, 말초 신경염(isoni-azid 치료 환아), 소구성 저색소성 빈혈, 영아기 경련	촉감 이상, 통증, 발열과 진행성 실조를 동반한 감각 신경 병변	영아: 0.3~0.6mg 소아: 1.0~2.0mg 간, 고기, 정제되지 않은 곡식 낟알, 효모, 감자, 옥수수, 바나나, 땅콩
비타민 B_{12} (Cyanocobalamin)	골수에서 적혈구 성숙에 필수적 purine 대사에서 1개 탄소 단위 전달, methylmalonyl CoA mutase 조효소, 신경조직대사에 관여	Pernicious anemia가 식이 결핍이 아닌 흡수장애로 오며 또한 위 절제, celiac병, 소장염증, 약물(PAS, neomycin)장기 복용 시 온다. methylmalonic aciduria, homocystinuria, 척수 신경 섬유 수초 탈락으로 인한 신경장애	미상	영아: 0.3~0.5μg 소아: 0.7~2.0μg 간, 내장, 고기, 달걀, 치즈, 생선
비타민 C (Ascorbic acid)	결체 조직의 intercellularground substance 형성에 필요, 철 흡수 촉진, tyrosine 대사, 부신 피질 호르몬 합성에 관여	Scurvy : 잇몸, 점막, 관절강, 안구의 출혈, 혈뇨, 경막하 출혈, 골막하 출혈시 통증으로 특징적인 개구리자세, 골절, 괴혈병성 염주 (rosary), 창상 회복 지연, 특징적인 무릎 부위 X-선 소견(골간 및 골핵의 ground glass 소견, 골파손, white line of Frankel 등)	구역, 설사, 심한 복통, oxaluria, 신석 (kidney stone)	영아: 30~35mg 소아: 40~60mg 과일, 토마토, 딸기류, 양배추, 녹색 채소, 음식 조리로 잘 파괴됨.

2. 지용성 비타민

1) 비타민 A

- all-trans-retinol, 인체에서 합성되지 않는 필수 영양소
- 태아의 발달과 성장, 호흡기와 위장관 기능, 조혈 기능 및 면역기능 유지에 중요
- rhodopsin과 iodopsin의 합성에 필요 → 시력에 중요한 역할
- 지용성이며 지방 흡수장애가 있는 경우 결핍이 초래
- 출생 후 6개월 동안 급격히 증가
- 아연 결핍은 비타민A 결핍의 위험을 높임
- 간, 생선 간유, 유제품, 달걀노른자, 강황 마가린, 초록색 채소, 노란색 과일 및 채소

(1) 비타민A 결핍증

- 피부, 위장관, 호흡기상피세포의 변화 → 감염에 취약, 면역기능 약화
- 망막의 변화로 야맹증, 눈부심, 실명까지 이를 수 있음
- 각막의 각질화 → 안구건조증(xerophthalmia), 각막연화증(keratomalacia) → 실명
- 진단
  - 정상 혈장 레티놀 농도 : 영아20~50µg/dL, 연장아&성인30~225µg/dL,
  - 20µg/dL미만 : 결핍
- 예방(1일 섭취권장량)
  - 영아 300~400µg
  - 5세미만 300µg
  - 남자소아 400~700µg, 여자소아 400~650µg
- 치료
  - 하루1,500µg을 복용
  - 안구건조증이 있는 경우 : 5일간 1,500µg/kg/day의 경구비타민 A를 복용 후 회복될 때까지 7,500µg을 근주

(2) 비타민 A 과다증

- 급성 비타민 A 과다증 : 주로 개발도상국에서 예방 접종 시 과량의 비타민 A를 투여해서 생김
  - * 구역, 구토, 의식 혼미
- 만성 비타민 A 과다증 : 수개월 동안 하루 6,000µg 이상 과다 섭취
  - * 구토, 두통, 식욕감소, 건조한 피부의 가려움증, 지루성 피부 병변, 입꼬리 균열, 탈모, 뼈 이상, 간비장비대, 복시, 뇌압상승, 과민, 점막 건조
  - * X선 소견 : 긴 뼈 중간 부위의 뼈 과다증

2) 비타민 D

- 비타민 D 활성화 : cholecalciferol → (liver) → 25-OH-Cholecalciferol (kidney) → 1,25-dihydroxyvitamin D, 활동형 비타민 D (calcitriol)
- 작용 : ① Ca, P의 장관 흡수 촉진 ② 신장에서의 인의 재흡수 촉진 ③ 뼈에서 미네랄 침착, 흡수대사에 직접 관여
- 생후 2주부터 보충

★(1) 비타민 D 결핍증(Rickets)

① 머리 : 가장 일찍 나타나는 증상 : 두개로(Craniotabes) → 특히 뒤통수뼈, 관자뼈의 골질이 얇고 물러서 손가락으로 누르면 탁구공 모양으로 들어갔다가 다시 나오는 것으로 저체중아에서는 더 조기에 나타난다. Caput quadatum → 숫구멍도 크고 늦게 닫히며 이마뼈, 관자뼈의 중앙부가 튀어나와 머리 전체가 사각형의 상자모양

② 흉부 : 구루병 염주(rachitic rosary) → 늑골의 골, 연골 접합부가 염주모양으로 튀어나옴. Pigeon breast, Harrison groove → 가로막 부착부를 따라 흉벽이 우묵하게 들어가는 홈이 생김, funnel chest, kyphosis, lordosis, scoilosis

③ 사지 : 손목, 발목 부위의 epiphysis 비후, 내반슬 또는 외반슬 내반고, rachitic dwarfism, greenstick Fx

④ 진단 : 혈청 P; 4mg/dL↓, 혈청 Ca; 정상 or 약간 ↓ALP; 500IU/L 이상 상승소변 cAMP; ↑, 혈청 25-hydroxycholecalciferol : ↓골 X선; ulna, radius의 원위부에서 가장 잘 나타난다. 골단 중앙부의 cupping. 양쪽 부위가 spreading(바깥쪽으로 불분명하게 확대)

⑤ Tx : 비타민 D_3 또는 1,25-dihydroxycholecalciferol을 4~5주간 경구투여 → 생화학적 검사가 1주내 정상. X선은 2~4주내 변화

(2) 비타민 D 과다증(Hypervitaminosis D)

- 고칼슘혈증, 근긴장 저하, 식욕감퇴, 다뇨, 다음, 변비, 급성 신부전, HTN, 각막 결막 혼탁증
- 단백뇨가 오며, 장기간 지속되면 신장과 타 장기에 calcification

(3) 비타민 E

- 기능 : antioxidant
- 결핍 시 : 만성 흡수장애 증후군 [ex] 간담도질환, 유극 적혈구증가증, 낭포성 췌장 섬유증], 미숙아(흡수 poor, +불포화 지방산 과다 투여시)
- 결핍 Sx : 미숙아에서 ① 생후 6~10주에 hemolytic anemia ② 산소 중독증 증가 ③ creatinuria, 평활근, 골격근 병변, 근력저하, 혈소판 부착력과 수가 증가

☆(4) 비타민 K

- 비타민 K의 활성화 : 장관내의 세균 작용에 의해
- 비타민 K 의존인자 : Factor II, VII, IX, X
- 비타민 K 결핍 시

① 신생아의 출혈성 질환 : 예방을 위해 출생 후 비타민 K를 예방적으로 주사

② 영아의 비타민 K 결핍증 : 주로 모유 영양하는 영아에서 1~2개월경에 잘 옴.

③ 연장아의 비타민 K 결핍증 : 장기간 항생제 사용으로 발생할 수 있다.

V 영양실조(protein/energy malnutrition)

1. 영양부족

1) 원인

(1) 부적당하거나 불충분한 식사

(2) 음식물의 흡수장애

(3) 대사성 질환

(4) 기타 : 스트레스나 급·만성 질환에 이환되었을 때, 항생제, 이화(catabolic) 또는 동화(anabolic)제를 장기간 투여할 때 등이다.

2) 진단

(1) 자세한 음식 섭취에 대한 병력 청취

(2) 체중, 키, 허리둘레 등 성장 발육에 대한 평가

(3) 상완둘레 및 skin fold 두께 측정

① 피부주름 두께의 감소 : 단백질 칼로리 영양실조

② 피부 주름두께의 과도한 증가 : 비만증

③ 근육괴(muscle mass) = 상완둘레(cm)−[피부주름두께(cm)×3.14]

(4) 생화학 검사 등 각종 영양소의 혈청치를 측정 : albumin, transferrin, 혈색소, prealbumin, 필수 아미노산

(5) 면역기능 감소에 대한 검사 : 1,500/mm³ ↓의 총 림프구수, 피부 검사 항원에 대한 anergy

3) 분류

marasmus, kwashiorkor

2. 단백질 칼로리 영양실조(Protein-energy malnutrition)

- 원인
  - 단백질의 불충분한 섭취
  - 단백질의 흡수장애
  - 단백질의 비정상적 소실
  - 단백질의 합성장애
  - Kwashiorkor : 저개발국가에서 단백질과 칼로리 섭취가 극도로 결핍 시 나타나는 증후군.

- 분류
☆ – 소모증(marasmus)
☆ – 단백 열량 부족증(kwashiorkor)
  – 소모성 단백 열량 부족증(marasmic kwashiorkor)

1) 비부종성 영양실조(소모증;marasmus)

- 체중감소 및 전신 쇠약 : 피부 긴장도 소실, 주름 생성, 피하지방 소실
- 복부 평편 or 팽만, 복부 시진 시 장관 연동 운동
- 근육 위축 및 근력 저하
- 낮은 체온, 맥박수 감소, 기초 대사율 감소
- 변비 또는 설사증

2) 부종성 영양실조(kwashiorkor)

- 초기증상 → lethargy, apathy, 자극 과민성
- 진행증상 → 성장지연, 원기부족, 식욕부진, 피하조직소실
- 2차 면역결핍 : 홍역 시 치사율 높음.
- 간비대 및 지방 침윤
- 근육 : 근육조직의 소실로 긴장도가 소실되고 약해지며 얇아지고 위축된다.
- edema
- 신기능저하
- 심장 : 초기에 size 감소 → size ↑
- 피부염 : 자극 받는 부위의 색소 침착
- 모반 : 숱이 적고 얇아지며, 탄력성 소실
- 감염 : 결핵, HIV, 기생충감염, 식욕부진, 구토, 설사
- 의식변화 : 자극 과민성 → 감정둔마 → 혼미 → 혼수 → 사망

* 병태 생리

- 에너지 소모량 감소
- 지방분해, 단백질 이화작용
- 과량의 탄수화물 투여 시 단백질의 이화작용이 증가되어 저알부민혈증, 부종, 지방합
  성증가 → 지방간
- aflatoxin과 유리기 손상(free radical damage)

VI 비만(Obesity)

정의 : 피하 조직에 지방이 과도하게 축적되어 피부주름이 정상보다 현저히 두꺼운 상태.
소아기에 비만이 시작된 사람은 비만의 정도가 심하고 비만의 합병증도 더 심하다.

1. 원인
  (1) 음식의 과다섭취 & 신체 활동 부족

   * 절약유전자(thrifty genotype)

  (2) 비만의 위험 요인

   • 부모의 비만, 임신 전 과체중, 임신 시 체중증가, 어머니, 고체중 출생, 흡연

   • 모유 수유는 비만에 다소 보호 효과 있음

   • 여러 요인이 상호 작용함

1) 환경의 변화

   • 음식 : 식품 공업 발달, 핵가족화 → 가공식품 섭취 : 고열량, 지방증가

   • 신체 활동 : 좌식 생활, 학업, 컴퓨터

   • 수면 부족 : TV, 작업 시간 증가 → 수면부족 → 렙틴 수치 감소, 그렐린 증가 → 공복
     감과 식욕 증가
     글루코코르티코이드, 교감신경 활성화 → 인슐린 감수성, 포도당 내성 감소

2) 유전

   • 16q12 : FTO (fat mass and obesity) : 소아의 체지방과 연관, 에너지 섭취 증가

   • MC4R 결핍질환 : Prader-Willi 증후군, Alstrom 증후군, Bardet-Biedl 증후군

3) 내분비와 신경 생리 기전

   • 위장관호르몬, glucagon-like peptide-1, peptide YY (PYY)와 미주신경피드백 고리 →
     포만감 촉진

   • 그렐린 : 위에서 분비되며 식욕 촉진

   • 아디포넥틴, 넥틴 : 지방 세포에서 분비
     → 시상하부의 arcuate nucleus와 뇌간의 solitary tract nucleus에 작용

   • 아디포넥틴 감소(비만 시) → 인슐린 감수성 감소 → 심혈관질환 위험도 증가

   • 렙틴 : 수치가 낮을 시 음식 섭취 유도

- 신경 내분비 기전 : 단기적으로 식욕 조절(그랠린, PYY-음식섭취를 감소)

  장기적으로 체지방과의 균형을 음성 피드백으로 조절

  비만 시 PYY 낮음 → 음식 섭취 증가

  FTO 비만 대립 형질 유전자 동형 환자 : 아실-그렐린 조절 못함

  → 식후 식욕 억제 불가

2. 역학

- 소아비만은 성인비만의 예비군
- 성인에서의 이환율과 사망률이 높다.

3. 병태생리

1) adipocyte 수의 증가 & 비후

   태생기와 1세 미만의 영아에서 칼로리 섭취 증가 시 지방세포 급증, 이 현상이 사춘기까지 지속 시→ 이후 체지방을 줄여도 지방 세포의 크기 감소. But 수 감소 없음.

2) Insuline resistance

   비만은 insuline resistance를 일으키고 insulin에 의한 지방분해 감소 → 지방합성 & 흡수 ↑

4. 증상

- 호발연령 : 영아기, 5~6세, 청소년기
- 비만아들은 체중 뿐 아니라 같은 연령에 비해 키도 더 크고 골연령도 증가
- 얼굴은 비교적 풍뚱하지 않으며 주로 유방부위에 지방 침착
- 소년들의 외부 생식기도 상대적으로 작아보이며, 치부 지방 조직에 파묻혀 있기도 하는데 대부분 정상크기
- 비만은 상지와 대퇴부에 더 심하기도 한다.
- 비만아는 정신적인 중압감이 있게 마련(놀림, 따돌림)
- 갑상생 저하증과 코티솔 과잉은 골격근 성장이 늦고, 키가 작으며 사춘기가 지연된다.
- 사춘기는 일찍 올 수도 있어 최종적인 키는 작을 수도 있다. 초경은 정상적이거나 빨리 온다.
- 비만은 upper arm과 thigh에 더 심하기도 한다. genu valgum이 흔함.
- 비만아들은 정신적 중압감이 있다.

5. 진단

(1) 체질량지수(Body Mass Index, BMI) = 체중(kg)/{신장(m)}^{2} : 95 percentile↑ 시 비만으로 정의, 청소년기에 BMI 상승은 BP 상승, 고지혈증과 연관, 6세 이후 피하지방과 체지방과 유의하게 상관성이 좋다.

(2)
$$비만도 = \frac{실제체중 - 신장별\ 표준체중}{신장별\ 표준체중\ (50백분위수)} \times 100\ (20\%\ 이상을\ 비만)$$

(3) skinfold thickness : 95 백분위수 이상

(4) 병적인 비만 : 1% 미만으로 저신장, 골 연령과 이차 성징의 지연 등으로 감별 가능

6. 검사

- BMI가 청소년기의 성별, 연령에 비교하여 95백분위 수 이상(또는 BMI 25 이상)이면 검사시행
- BMI : 85~94%인 경우 screening test

▶ 비만 위험도의 screening test

① 가족력 : 심혈관질환, 총 콜레스테롤 상승, DM

② 소아의 고혈압

③ 혈청 cholesterol 200 mg/dL ↑

④ BMI ↑ : 전년도에 비해 BMI가 두 단위 이상↑

⑤ 과체중과 비만에 대한 관심도

▶ 소아 비만의 감별진단

소아 비만의 감별진단	
내분비 질환	Cushing 증후군 갑상샘 저하증 고인슐린혈증 성장호르몬 결핍 시상하부 기능이상(hypothalamic dysfunction) Prader–Willi 증후군 Stein–Leventhal 증후군(polycystic ovary) 가성 부갑상샘 저하증 1형(pseudohypoparathyroidism)
유전질환	Turner 증후군 Laurence–Moon–Biedl 증후군 Alström–Hallgren 증후군
기타	Cohen 증후군, Carpenter 증후군

7. 합병증

- 성인 비만 가능성

① 소아 비만의 심한 정도

② 청소년기 이후의 비만

③ 가족 내 성인 비만이 많을 때

(1) 심혈관질환 : Hypertension, cholestetol↑, TG↑, LDL↑, VLDL↑, HDL↓

(2) Hyperinsulinemia

(3) GB stone

(4) 골격이상 : 내반슬, 내반경골, 대퇴 골두 골단 분리증, Blount 질환

(5) Pseudotumor cerebri

(6) 폐질환 : Pickwickian syndrome, 폐기능이상

(7) 기타 : 수면 무호흡증

소아, 청소년 비만의 동반 질환	
심혈관계 질환	고혈압, 이상지질혈증
내분비계	고인슐린혈증/인슐린 저항, 당뇨병, acanthosis nigricans, 사춘기와 초경이 빠르다.
위장관	지방간염(steatohepatitis), 위식도 역류, 복통, 담석
폐질환	Pickwickian 증후군, 수면 무호흡, 폐기능이상
근골격계	외반슬, Blount 질환, 골관절염, slipped capital femoral epiphysis
신경계	반복 두통, pseudotumor cerebri

★8. 치료

(1) 식사조절

★(2) 꾸준한 운동

- 초고도 비만아 : 수영은 체중이 부하되지 않아서 초고도 비만아도 할 수 있는 운동이다.

- 체질량지수 85~95 백분위수의 소아 : 체중 부하 운동(weight bearing exercise)으로 경쾌하게 걷기, 계단 오르기, 인라인 스케이트, 라켓볼, 스키, 줄넘기, 술래잡기, 에어로빅 등을 한다.

- 체질량지수 95~97 백분위수 비만아 : 자전거, 팔을 쓰는 에어로빅(체조), 쉬엄쉬엄 걷기 등을 권장한다.

- 체질량지수 97 백분위수 이상 : 천천히 걷기, 누워서 하는 훈련, 앉아서 하는 에어로빅 등으로 체중이 부하되지 않는 운동부터 시작하여 운동의 강도를 높인다.

(3) 인지 행동 치료와 가족 중심 치료

(4) 수술과 약물

VIII 총정맥영양(TPN; Total Parenteral Nutrition)

1. 적응증

4~5일 이상 입으로 영양공급을 적절히 할 수 없는 환자

> **+ 총정맥 영양이 필요한 경우**
>
> - 4~5일 이상 입으로 영양 공급을 적절히 할 수 없을 때
> - 최근 평소 체중의 10% 이상의 감소가 있으면서 장관기능이 없을 때
> - 장관 영양으로는 손실량 또는 필요량을 보정할 수 없을 때

> **+ 소아에서 총정맥영양의 적응증**
>
> - 괴사 장염, 영아의 난치성 만성 설사
> - 위장관 수술을 받은 신생아, 미숙아 중환자 치료 시
> - 위장관루(fistula), 짧은 창자(Short bowel) 증후군
> - 염증성 장질환, 만성 거짓 장폐쇄 증후군
> - 유미흉 및 유미 복수, 급성 신부전
> - 간이식을 기다리고 있는 급성 간부전, 조혈모세포 이식을 받은 환자
> - 심장 수술 전 영양 상태가 나쁜 경우, 화상
> - 신경성 식욕부진증, 암환자의 영양관리
> - 수술 전후의 영양관리

2. 방법

20~30% 농도로 사용하며 카테터 끝을 상대정맥(SVC)이나 우심방 외곽에 위치

- CPN : Central Parental Nutrition
- PPN : Peripheral Parental Nutrition

  (혈전정맥염과 감염 Cx 적으나 지방용액을 함께 쓰더라도 80 kcal/kg/일 이상의 칼로리 공급이 어려움. 그러므로 2주 이내의 단기 TPN시 사용)

3. 합병증

1) 지방 투여시 부작용(1% 미만)

호흡곤란, 알레르기, 구토, 발열, 어지럼증, 흉통, 고지혈증, 응고질환, 혈소판감소증

2) 패혈증

- TPN 시 38.5℃ 이상의 고열이 있을 때 정맥염, 폐렴, UTI, 복부, 패혈증 등 국소적 원인이 있는지 살펴야 한다.
- m/c : *Staphylococcus epidermidis, Staphylococcus aureus, Candida albicans*

- Tx : Catheter 감염 의심되는 경우 vancomycin을 포함시키고 gentamycin이나 다른 G(-)에 듣는 항생제를 추가하며 균배양과 감수성 검사가 나올 때까지 기다린다. 열이 수시간 내에 떨어지거나 국소적 원인이 발견되면 TPN을 다시 시작
- 명백한 원인 없이 열이 계속되거나 진균감염이 있는 경우, catheter 제거 고려. Catheter를 제거한 경우에는 항생제를 5~7일간 투여하고 환자가 최소한 3일간 열이 없고 균배양이 음성이면 새로운 catheter를 시술

3) TPN 시작 후 황달 없이 AST, ALT, ALP등이 5배 이상 상승하는 경우

대개 일시적이어서 TPN 중지 안해도 된다.→ 지속적으로 상승시 감염, 총 칼로리의 과잉, 필수 지방산이 부족한 지방유탁액의 부족 등과 관련

4) cholestasis

- 저체중, 미숙아, 2주 이상 TPN, sepsis, 높은 농도의 아미노산 사용 시
- cholestasis가 계속되면 10% 미만에서 cirrhosis, portal HTN이 와서 사망
- Tx : 가능한 한 정맥영양을 줄이고 경구로 영양을 공급증가- TPN에서 구리와 망간을 제외- 정맥 수액 용액을 차광- 많은 양과 적은 양의 아미노산을 교대로 투여

5) 미숙아의 경우 주로 칼슘과 인의 부족에 기인하여 osteopenia, fracture, rickets 등이 보고

총정맥영양의 합병증		
1. 카테터 관련 기계적 합병증	2. 감염 및 패혈증	3. 대사성 합병증
• 기흉 • 혈흉 • 심장 눌림증(cardiac tamponade) • 공기 색전증 • 카테터 혈전 • subclavian artery 손상 • subclavian hematoma	• 정맥 영양 용액 오염 • 수액 세트 오염 • 카테터 감염 • 패혈증	• 고혈당증 – 저혈당증 • 대사성 산증 – 필수 지방산 결핍증 • 비타민 결핍증 – 미량원소 결핍증 • 담즙 정체성 간질환 – 지방간 • 구루병 – 뼈 감소증(osteopenia)

5 예방 소아과학

Power Pediatrics

 예방의 개념

1) **1차예방법**

어떤 병이나 상황이 일어나기 전에 미리 조치를 취하는 것.

ex. 예방접종, 사고 예방에 대한 대책

2) **2차예방법**

어떤 상황을 빨리 발견하여 진전되지 않도록 조기에 효과적인 치료나 대책을 강구하는 것

ex. 정기검진, 선별검사(screening)

3) **3차예방법**

이미 어떤 병이 있거나 특수한 상황이 있는 환아에서 그 병이 호전되거나 또는 악화되지 않도록 예방조치를 취하는 것.

ex. 류마티스 열에 한번 걸린 환아에게 재발하지 않도록 페니실린 주사

II 출생 전 예방

출생 전 임산부에 대한 지도

  ⑴ 적절한 영양

  ⑵ 약물에 대한 주의사항

  ⑶ 감염병, 방사선에 대한 주의사항

  ⑷ 유전상담

  ⑸ 모유영양에 대한 예비교육

  ⑹ B형 간염, 혈액형, 성병에 대한 예비검사

III 출생 후 예방

  ⑴ 신생아에 대한 양호

☆⑵ 예방접종 : 고농도의 장기간 스테로이드로 치료받는 아이는 생백신을 맞아서는 안된다.

  ⑶ 영양지도

  ⑷ 손상예방

  ⑸ 치아 및 구강위생

- 유치라 해도 관리를 게을리해서는 안됨. 아이를 잠재우기 위해 우유나 과일주스가 들어있는 젖병을 물리는 것은 금기.
- 3세가 되면 치과를 방문하여 치과의사와 어린이 사이에 좋은 관계를 맺어주는 한편, 올바르게 이를 닦는 방법을 가르치도록 한다.
- 3세 이전의 소아는 식사 후 거즈로 이를 닦아주고, 학령 전 어린이는 보호자가 1분 간씩 칫솔질을 해줌. 초등학생은 스스로 이를 닦도록 지도.

IV 정기적 건강검진

(1) 연령에 따라 진행되는 정상적인 발육과정

(2) 일어나기 쉬운 장애의 유무

(3) 예방접종

(4) 영양상태

1) 신생아 대사 질환 검사

선천성 갑상샘 기능저하증, Phenylketonuria 등을 screening

2) 시력 및 청력검사

- 시력 : 3세 이전 : 부모 문진으로(부모가 물체를 움직일 때 아기가 눈으로 쫓아 초점을 맞추는지)- 3세 : 시력표를 사용하여 객관적 검사
- 청력 : 4세 때 객관적인 청력검사
  (장애를 일으킬만한 위험인자가 있는 경우 신생아 때 청력검사 시행)최근에는 출생 직후 모든 신생아에서 청력선별검사가 권장

3) 혈압

3세 이상에서는 1년에 1회씩 측정

4) 빈혈에 대한 검사

- 생후 9개월 : 혈색소, Hct검사(철결핍, 빈혈 유무 판단, 미숙아의 경우 생후 1주, 9개월에 검사)
- 월경을 하고 있는 소녀

5) 소변검사

각 시기(영아, 유아, 청소년)에 한번 정도 요검사

6) 콜레스테롤

위험인자가 있는 소아대상

6 소아의 치료원칙

Power Pediatrics

 일반요법

II 약물요법(Drug therapy)

1. 소아 약물요법의 일반적 특징

2. 약물요법의 일반적인 주의사항

(1) 해당약물을 사용하는 이유가 확실해야 한다.

(2) 해당약물의 작용기전을 알아야 한다.

(3) 적정 초기 용량을 알고 약물 반응의 모니터링을 통하여 이를 조정할 수 있어야 한다.

(4) 관련된 독성이나 부작용을 알고 있어야 한다.

(5) 효과적인 투여방법을 고려해야 한다.

(6) 해당약물에 대한 환아의 특이체질 여부를 파악해야 한다.

(7) 사용가능한 약물 중 비용-효과 측면을 고려해 처방하도록 한다.

(8) 장기간 투약하는 경우, 환자가 과연 처방대로 복용하고 있는지 순응도를 알아보아야 한다.

Kidney	Liver
• Polar Drug • 신장에서 직접 배설 • 반감기보다 더 자주 주지만 않으면 체내에 축적되지 않는다. Aminoglycoside Cephalosporin Digoxin Furosemide Penicillin Phenobarbital (25%)	• Non-Polar Drug • 간에서 대사된 후 신장으로 배설 • 자주 투약 시 혈중에 축적되어 중독을 일으킬 수 있다. Acetaminophen Alcohol Caffeine Phenobarbital (75%) Phenytoin Salicylate Theophylline

- 혈장 단백과 결핍하지 않은 유리 약물만이 조직세포 내로 들어갈 수 있으므로 혈장단백과 많이 결합하는 약물은 혈관 내에 많이 분포하고 조직으로는 상대적으로 적게 분포한다.

- 대사 : 간에서 주로 일어난다.

- 배설 : 신장에서 주로 배설(영유아에서는 신기능이 저하되어 있기 때문에 aminoglycoside, ampicillin, furosemide 등 주로 신장을 통하여 배설하는 약물의 소실시간이 연장된다.

3. 약물의 체내 동태(Pharmacokinetics)

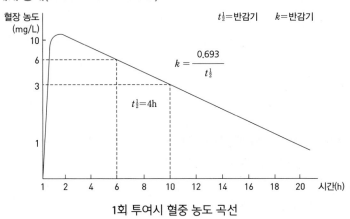

1회 투여시 혈중 농도 곡선

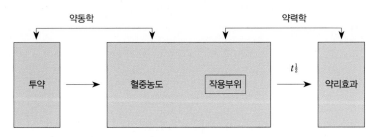

약물의 효과 발현과정

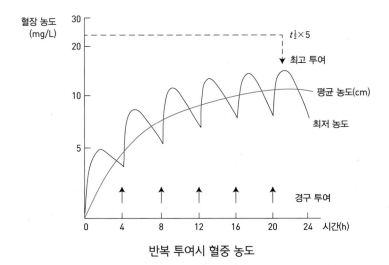

반복 투여시 혈중 농도

약물을 일정한 시간 간격으로 투여했을 때 반감기의 4~5배 이후에 해당하는 시점에서 약물의 평균 혈중 농도는 일정한 항정 상태(steady state)가 된다.

▶ **약물의 용량이나 투여 횟수에 영향을 주는 인자**

- 약물의 흡수, 대사, 배설
- 환자의 신기능
- 약물 투여 방법
- 환자의 간기능

4. 치료적 약물 모니터링(Therapeutic Drug Monitoring)

- 약물의 혈중 농도 측정은 약물요법 조절에 유용

  ex) digoxin, theophylline, phenobarbital : 혈장 농도와 치료 효과가 비교적 잘 부합

  cf. insulin, anticoagulant : 약물의 약리학적 효과로 판단하는 것이 더 중요
- 약물의 적정 혈장 농도(therapeutic range) : 대부분의 환자에서 독성을 나타내지 않으면서 치료효과를 나타내는 농도의 범위

5. 신생아기의 약물요법

1) 약동학적 특징

① 흡수 : 경구 투여된 약물의 흡수는 성인에 비해서는 저하되어 있으나 불규칙해서 예측이 어렵다. 그러나 피부를 통한 흡수는 오히려 상대적으로 항진.

② 분포 : 신생아 체액 분포는 체중의 70%로 성인보다 높은 편(성인 60%). 그러나, 혈장 단백 결합증은 저하되어 있어 유리 약물의 농도는 상대적으로 높은 편. 신생아에게 Sulfa제와 같이 혈장 단백질과 결합력이 높은 약을 투여하면 혈장단백과 결합되어 있는 indirect bilirubin이 유리되어 핵황달의 위험성 증가

③ 대사 : glucuronyl transferase의 활성 저하 → 약물처리 능력저하

  ex. 성인에서 헤모필루스 인플루엔자 감염 시와 동일한 체중당 용량의 Chloramphenicol은 체중만을 고려해 투여한 결과

  → gray baby syn.(구토, 호흡곤란, 수유곤란, gray cyanosis)

④ 배설 : 신생아의 GFR은 성인의 30~40% → 소변으로 대사되는 약물의 배설속도 저하

  cf. 신기능의 점차적인 성숙 : GFR은 5~6개월 : 성인의 90%

    2세 : 성인과 동일

2) 약력학적 특징

- 신생아기에는 약물에 대한 반응이 다르다.

  ex. digoxin에 대한 조직의 반응 저하로 동일한 약효를 얻기 위해서는 상대적으로 높은
  약물 농도가 요구한다.

- 약물에 따른 감수성의 차이로 Tubocurarine에 대한 감수성은 성인에 비해 ↑.
  succinylcholine에 대해서는 덜 예민하게 반응

6. 소아의 약용량(Drug dosage)

1) 연령

- 일반적으로 치료용량의 영역이 넓은 비교적 안전한 약물에서 사용
- 같은 연령이라도 체중차이가 많이 나는 경우에는 약물농도 차이 큰 단점

2) 체중

- 흔히 사용, 쉽게 계산 가능
- 불합리한 점 : 체중 kg당 계산한 약용량이 나이가 어릴수록 너무 적어지기 쉽고 나이
  가 많을수록 (또는 비만아인 경우) 너무 많아지기 쉽다.
- → 쓸 수 있는 최대량을 알고 있어야 하고, adult dose를 넘는 경우는 없어야 한다.

3) 체표면적

☆ • 생리현상, 대사과정은 체표면적에 비례 → 약용량을 계산하는 데는 가장 정확한 지표
- 체표면적 당 약용량이 알려진 경우 체표면적 환산표나 공식으로 체표면적을 구함

$$\text{소아 용량} = \frac{\text{소아의 체표면적}}{1.8} \times \text{성인용량 (체표면적당 약용량이 알려져 있지 않은 경우)}$$

7. 투약의 경로

1) 경구(oral)

☆ • 가장 바람직한 방법
- 특수 코팅되거나 서방형 알약이나 캡슐을 단단히 가루로 만들거나 까서 먹이는 것은
  약물의 흡수에 큰 변화 줄 수 있다.
- 약물을 음식과 같이 투여하는 경우 약물의 흡수 속도를 떨어뜨리기는 하지만, 전체 흡
  수량에는 영향을 주지 않기 때문에 음식과 같이 투여하는 것도 고려할 수 있다.

2) 주사(parenteral)

- 통증 준다. 주사 부위 붓거나 혈종 일으키거나 주변 신경 손상 유발 가능
- 부작용의 발현 빠름
- 피하주사나 근육주사는 순환장애나 부종이 있을 때는 흡수가 잘 안 된다.근육주사의 경우, 아기의 질병, 근육의 발달 상태나 혈액순환에 따라 흡수 속도나 정도가 매우 크게 영향을 받음

3) 기타

- 좌약의 형태
- 직장에서의 흡수는 직장 내의 혈관분포나 장운동 및 질환 또는 대변 상태, 투여 후 변을 보게 되는 경우 등에 따라 흡수가 부정확할 수 있다.
- 연고 크림 : 소아 피부는 성인에 비해 얇고 상대적으로 체중당체표면 커서 흡수 항진 될 수 있음.

III 기타 흔히 사용되는 약

1. 해열제(antipyretics)

- 해열제는 진통의 역할도 있음
- Acetaminophen, Ibuprofen, Aspirin 등이 사용 → COX 억제제

1) Acetaminophen (Tylenol)

- 소아과에서 가장 흔히 사용되는 해열 진통제, 항염증 작용 없음
- 용량 : 1회 10~15 mg/kg, 4~6시간 마다(최대 용량 60 mg/kg/일).
- 부작용 : 다량 복용 시, 간의 괴사(해독제 : N−acetylcysteine)

2) Ibuprofen (Brufen)

- 해열진통 작용과 항염 작용
- 용량 ┌ 해열제 : 1회 5~10 mg/kg, 4~6시간마다(최대량 40 mg/kg/일)
  └ 류마티스관절염 : 1일 30~70 mg/kg/(보통량 50 mg/kg/일, 1,600 mg/m²/일),
  　　　　　　　　3~4회 분복
- 부작용 : 복통, 구역, 위장출혈, 발진, 신기능장애

3) Aspirin (Acetylsalicylic acid; ASA)

★(1) 현재는 Kawasaki's ds의 경우 외에는 해열제로 추천되지 않는다(∵Reye 증후군 유발).

　(2) 부작용 : 위장장애, 출혈경향, 발진, 신염, 간장애, 기관지 천식, 발작유발

★(3) 사용금기

　　① virus 감염(특히 수두, 인플루엔자 때)
　　② 출혈경향이 있거나 수술을 받게 되는 환자
　　③ aspirin 복용 후 위의 통증이 심한 환자
　　④ 천식환자
　　⑤ 미숙아나 신생아

2. 진통제 (Analgesics)

- Opium계 진통제 : 가장 널리 쓰이는 진통제로 경구 또는 주사(IM, IV)로 줄 수 있다.
- Fentanyl
  - 합성 opium으로 morphine보다 75~125배 강력

– 부작용이 적음 : hypovolemia, 선천 심질환, 두부외상에도 사용

– 빨리 주입하거나 과용량 시 → 무호흡, 느린 맥 발생

3. ACTH 및 부신피질 스테로이드(corticosteroids)

1) 적응증

여러가지 염증, 알레르기 질환에서 증상을 완화

(1) 생리적 보충

- 부신피질기능부전증 : Waterhouse–Friderichsen 증후군, Septic shock, Addison 병
- 뇌하수체저하증
- 최근 1~2년 내에 부신피질호르몬 치료를 받은 사람으로서 스트레스를 받게 되는 경우

(2) 약물학적 사용

- 소염작용 : 류마티스열, 피부질환, 안질환
- 항체 형성 억제 : 신증후군, SLE
- 혈당 상승 효과
- 칼슘 배설
- 부신기능억제
- 여러가지 요인이 복합적으로 오는 질환 : 천식, ITP, 용혈빈혈, 궤양대장염
- 기타질병 : 백혈병, 악성종양

(3) 진단목적

- 부신피질의 예비력
- 쿠싱증후군(부신피질증식증에 의한)

2) 효능비교

부신피질 스테로이드의 효능 비교		
약명	항염 효과 (antiinflammatory effect)	Na 보류 효과 (sodium–retaining effect)
Hydrocortisone	1	1
Cortisone	0.8	1
Prednisone	4~5	0.4
Methylprednisolone	5~6	minimal
Triamcinolone	5~6	minimal
Dexamethasone	25~40	minimal
Betamethasone	25	minimal
Fludrocortisone	15~20	300~400

3) 사용 중단 시

(1) 경미한 질환, 적은 양만 사용할 때에는 주간에만 사용. 48시간 용량을 격일로 아침에 한번씩 투여

(2) 장기간 스테로이드 사용 환자 수술시, 스테로이드 투여

(3) 감염에 대한 저항력 저하 및 감염 증상을 불분명하게 masking 한다.

(4) 장기간 사용 시 저염식 및 K 투여

(5) 갑자기 중단 말고 서서히 줄임; 호르몬 투여 중단 후 수일동안 부신피질 기능저하

(6) 반발 현상(rebound effect); 약을 중단하면 전에 있던 질환이 다시 이전의 상태로 되돌아간다든지, 병의 활동성이 더 증가하는 경우. 일시적인 것이며 며칠이 지나면 전의 상태로 되돌아간다.

4) 부작용

(1) 내분비성 대사성 변화 : 고혈딩, 딩뇨병, 고혈압, hypernatremia, hypokalemia, hypochloremic alkalosis, hypocalcemia, 지방침착 증가, Cushing 증후군

(2) 음성질소 평형(negative nitrogen balance) : uric acid, creatinine, amino acid의 배설 증가, 성장 저지(growth arrest), 골다공증

(3) 위장관 증상 : 식욕항진, 위궤양의 조성 또는 악화, 위장관 출혈, 췌장염, 지방간

(4) 혈액변화 : 림프구 감소, 호산구 감소, 다핵 백혈구증가, 혈소판 증가, 적혈구 증가

(5) 면역력 및 감염에 대한 저항 감소
진균 감염의 발생 증가, 결핵 악화 또는 활성화, 상처회복의 지연

(6) 신경, 정신성 변화 : 쾌감, 흥분, 정신병적 행동, 간질발작, 뇌압상승

(7) 기타 : 다모증, 여드름, 백내장, 녹내장, 심비대, 단백뇨

5) 사용금기

(1) 고혈압

(2) 당뇨병

(3) 심부전증

(4) 바이러스 감염 : 수두, 단순 포진시

(5) 위장관 궤양 : 궤양성 대장염은 제외

(6) 활동성이며 치료를 받지 않고 있는 결핵균 감염

(7) 골다공증

(8) 정서적으로 불안한 환자

7 수분 및 전해질 평형

Power Pediatrics

 소아의 생리적 특징

1. 성인과의 차이점

(1) 체중에 비해 성인보다 총체액이 많다.

(2) ECF의 비중이 성인에 비해 크다.

(3) 성인에 비해 HCO_3^-는 낮고 K^+는 높다.

(4) 체표면적, 칼로리 소비량, 수분 필요량이 체중에 비해 크다.

(5) ISF가 10% 더 많다(영아).

★2. 신생아 · 영아에서 수분 · 전해질 대사의 불리한 점

(1) 성인에 비하여 체표면적, 칼로리 소비량, 수분 필요량이 체중에 비해서 크다.

　→ 수분 turn over가 빠르다(dehydration시 성인에 비하여 더 큰 영향을 받게 된다).

(2) 신장의 조절기능저하

　① 농축 능력 저하 : 성인의 1/2정도 (700 mOsm/L)

　② 신생아에서 같은 양의 용질(solute)을 배설하는데 더 많은 양의 물이 필요함.

　　→ 신생아 고단백식일시 dehydration 일어남.

　③ 암모니움(NH_4^+), 인산염(phosphate) 배설 능력 제한; 신생아에서 소량의 H^+의 부담

　　만 있어도 acidemia가 빨리 생기고 오래 지속됨.

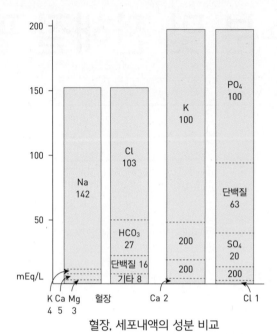

혈장, 세포내액의 성분 비교

Acid-base disorder(산-염기 대사 이상)

1. Buffer mechanism

① bicarbonate buffer system : HCO_3^-

② non-bicarbonate buffer system : Hb inorgarnic or organic phosphate protein 등

2. 신장 · 호흡기계의 완충기전

Henderson-Hassellbalch 공식

$$pH = 6.10 + \log \frac{[HCO_3^-]}{S \times PaCO_2} = 6.10 + \log \frac{24}{0.03 \times 40} = 6.10 + \log 20 = 6.10 + 1.30 = 7.40$$

$$\therefore pH \propto \frac{신장[HCO_3^-]}{폐 \, PaCO_2}$$

만일 HCO_3^-가 감소하면 $PaCO_2$는 20 : 1의 비를 유지하기 위하여 감소한다.

반대로 HCO_3^-가 증가하면 정상 비를 유지하기 위하여 $PaCO_2$가 증가한다.

▶ Base excess : $PaCO_2$ 40 mmHg, 온도 37℃에서 정상 pH를 회복하는데 필요한 base의 양

pH를 정상으로 하는데 필요한 $NaHCO_3$(mEq) = negative base excess × 0.3 × 체중(kg)

BE(-) : metabolic acidosis, BE(+) : metabolic alkalosis

구분	원인	임상예	혈액의 성분 변화* pH HCO$_3^-$ PaCO$_2$ BE
대사성 산증 (metabolic acidosis)	ECF의 H$^+$ 증가 ECF의 HCO$_3^-$ 소실	케톤산(기아, 당뇨병), lactic acid (1차성 또는 2차성 lactic acidosis) 소화관을 통하여 (설사) 신장을 통하여(renal tubular acidosis)	↓↓(↓)↓
대사성 알카리증 (metabolic alkalosis)	ECF로부터의 H$^+$의 소실 ECF의 외인성 HCO$_3^-$ 증가	HCl의 소실(구토) 신장으로의 소실(이뇨제 사용) Mineralocorticoid 과잉 K$^+$ 대신 H$^+$ 분비가 증가는 경우 (potassium depletion-hypokalemia) NaHCO$_3$ 과다 투여	↑↑(↑)↑
호흡성 산증 (respiratory acidosis)	폐포의 환기 부족 (hypove-ntilation, PaCO$_2$ 증가)	흉곽의 질환(호흡근 마비, 흉곽 기형) 호흡 중추의 장애(약, 두부 외상) 내인성 폐질환(심한 폐기종, 천식, 폐부종)	↓(↑)↑(↑)
호흡성 알카리증 (respiratory alka-losis)	과다 환기 (hyperventilation, PaCO$_2$ 감소)	심인성 과호흡 　(psychogenic hyperventilation) 호흡 중추의 자극 　(salicylate, 종양, 심한 간질환)	↑(↓)↓(↓)

* ()는 보상 반응 방향을 나타낸다.* metabolic인 경우 화살표 방향 같다.

▶ Anion gap (음이온 차)$=Na^+ - (HCO^-_3 + Cl^-)=140-(24+104)=12$

＊ 정상치 : 12 ± 4

1) 음이온 차가 증가하는 대사성 산증

diabetic ketoacidosis, 구토, 기아, 탈수, lactic acidosis (쇼크, 순환부전, 선천성 효소이상), salicylate 중독, 신부전

2) 음이온 차가 정상인 대사성 산증

Renal tubular acidosis, 신부전증의 일부 (hyperkalemic RTA), 설사, spironolactone, Cl^- 함유 약제, HCl, NH_4Cl, 아미노산 제제

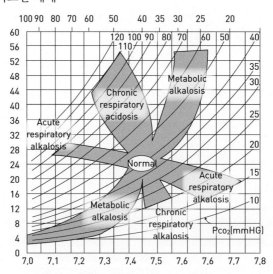

Acid-base nomogram (Cogan MG, Rector FC)

수액요법(Fluid Therapy)

1. 수액량의 산출

1일 유지량+이미 소실한 양+계속 소실하고 있는 양

1) 유지량(Maintenance requirement)

- 1일 수분유지량 = $100\,mL/100\,kcal$
- 열이 있을 때에는 1℃ 상승하는데 대하여 불감 수분 손실이 약 10% 증가

1일 수분 소비량(mL/100kcal)	
구분	**소비량**
불감 수분 손실 (Insensible water loss)	45
피부	30
폐	15
땀	10
소변	50
대변	5
Oxidation에서 생기는 수분	−10

유지량		
체중	**1일 수분 유지량**	**투여 속도**
< 10kg	100mL/kg	4mL/kg/h
11~20kg	1,000mL+(체중−10kg)×50mL/kg	40mL/h+2mL/kg/h×(체중−10kg)
20kg이상	1,500mL+(체중−20kg)×20mL/kg	60mL/h+1mL/kg/h×(체중−20kg)

하루 최대 수액 유지량은 2,400 mL이며, 최대 투여 속도는 100mL/시간이다.

2) 이미 소실한 양(Antecedent deficit) = 탈수%×10×kg(원래체중)

(1) 탈수의 정도(원래 체중 − 입원시 체중)

$$= \frac{\text{원래체중−입원시 체중}}{\text{원래체중}} \quad \text{그러나, 임상소견으로 추정함.}$$

$$\rightarrow \text{원래체중} = \text{입원시체중} \times \frac{100}{100-\text{추정되는 탈수(\%)}}$$

☆ 탈수의 정도와 임상소견 (영아, 등장성 탈수)			
구분	경증	중등도	중증
capillary refill*	정상	±2초	>3초
혈압 저하	−	±	++
맥박 상승	±	+	++ 약함
체중감소	3~5%	6~9%	≥10%
피부 turgor	↓	↓↓	↓↓↓
점막건조	경도	현저히 감소	바싹 마른다
소변량	정상 또는 감소	감소	무뇨
소변 비중	상승	> 1,020	현저히 상승
의식	정상	흥분 or 기면	기면, 혼수
BUN 증가	±	+	++
대천문	정상	함몰	현저히 함몰
안구	정상	함몰	현저히 함몰
눈물	나온다	감소	안나온다

* 엄지손톱 끝을 누른 뒤 다시 붉게 될 때까지 걸리는 시간

☆ (2) 탈수의 형

구분	등장성(Isotonic)	저장성(Hypotonic)	고장성(Hypertonic)
Plasma Na (mEq/L)	130~150	< 130	> 150
병력	설사, 구토, 기아, intestine fistula, suction	심한 발한, Na$^+$ 소실 (예: adrenogenital syndrome 뇌성 Na$^+$ 소실, 만성 설사)	salt가 많은 용액 섭취, salt 중독, 신기능 미숙 신생아
온도 Skin tugor 감촉	냉 ↓ 건조	냉 ↓ 끈적끈적하다	냉 or 온 정상 밀가루 반죽 같다(doughy)
일반 상태	무욕(apathetic) 활발하지 못하다	무욕 활발하지 못하다 혼수	흥분
맥박	빠르고 약하고 작다	빠르고 약하고 작다	어느정도 빠르기는 하나 긴장도는 좋다
혈압	저하	매우 저하	정상 or 약간 저하
	0.33% NaCl	0.45% NaCl	0.2% NaCl

3) 계속 소실하고 있는 양(Ongoing loss)

환자가 입원하고 나서도 설사, 구토, 위장관의 흡입 등으로 계속 수분 및 전해질을 소실하고 있을 때는 될 수 있는 대로 그 양을 정확히 측정하여 보충해주어야 한다.

4) 수액요법 중에 필요한 검사

- 활력징후 : 맥박, 혈압
- 수분균형, 소변 배설량, 체중 : 정확한 input과 output의 계산
- 진찰 : 수액 투여가 너무 많으면 부종, 폐울혈 발생
- 전해질 : 크레아티닌 수치상승, 혈청 K 농도 2.5mEq/L 이하 일때 K 추가 투여

2. 수액요법의 실제

1) 심한 탈수증일 때의 수액요법

	Phase I(초기급속수액)	Phase II(다음 23시간)	Phase III(1~2일)
목적	순환부전과 신기능의 회복	ECF와 산–염기 평형의 회복	체내 K^+의 회복
수액 용량	• 20mL/kg($400mL/m^2$)을 20분~1시간 내에 정맥내로 빨리 주사	• 수액량 : 이미 소실된 양+1일 유지량 : 등장성, 저장성 탈수–23시간 동안 주사 : 고장형 탈수는 2일 이상 천천히 주사	
주사 용액	• N/S나 Ringer's lactate 같은 ECF 형전해질 용액을 사용 * Ringer lactate : 대사알칼리증이 있 는 경우 금기 • 환자가 collapse상태일 경우 plasma, 5% albumin이나 plasma expander를 10mL/kg 줄 수 있다.	• 이뇨가 시작되면 K^+를 20~40mEq/L 정도로 보충, 2~3일에 걸쳐 서서히 보충 • 5% dextrose + 1/2 NS	• 용액은 유지요법에 쓰는 용액을 쓰면 된다.(D5+1/2NS)

cf. phase II에서 수액의 주입속도

① Isotonic dehydration : 계산한 수액량 중 phase I에서 준 양을 감하고 23시간 동안 균등하게 주사

② Hypotonic dehydration : 첫 8시간 동안 총량의 1/2주고 나머지 1/2을 다음 16시간에 준다.

③ Hypertonic dehydration : 2일간에 걸쳐서 좀더 서서히 준다(상대적 수분 중독증 위험 때문)

▶ 수액요법의 실례 (검은색 표시)

ex. 3개월 된 여아가 4일간 설사, 탈수증상보여 입원함. 입술이 마르고 6시간 동안 소변을 보지 못함

- 원래 체중 6kg, 입원시 5.4kg
- 적혈구용적률 45%, BUN 25mg/dL, Na^+ 138mEq/L, Cl^- 105mEqL, tCO_2 20mEq/L, 혈압 70/40mmHg

  − Phase I

　탈수의 형 및 정도 : $(6\,\text{kg} - 5.4\,\text{kg}) \times 6\,\text{kg} \times 100 = 10\%$

　→ 중등도 ~ 중증 등장성 탈수증

　$20\,\text{mL} \times 6\,\text{kg} = 120\,\text{mL}$의 0.9% NS를 20분 이상에 걸쳐 빠르게 IV, 필요시 반복

  − Phase II

　필요 수액량 = 소실량 + 유지량 + 계속 소실량 − 1기 투여량

　소실량 : 600 mL

　유지량 : 100 mL × 6 kg

　계속 소실량 : 관찰

　1기 투여량 : 120 mL

　필요 수액량 = $600 + 600 - 120 = 1{,}080\,\text{mL}$

　D5 + 1/2NS 1,080 mL/23hr로 투여

3) 산증에 대한 치료

- 경한 경우($HCO_3^- \geq 15\,\text{mEq/L}$) → 수액요법 시 저절로 교정
- 심한 경우 → sodium bicarbonate를 가지고 교정. 대개 5 mEq/L정도 올려준다.
- 순환부전증상이 없는 경우 Phase I은 생략 가능
- 경구수액요법으로 대체 가능

4) 심한경우

　→ sodium bicarbonate로 5 mEg/L 정도 올려준다.

　　필요한 bicarbonate의 양(mEq) = 5 mEq × 체중(kg) × 0.5 = negative BE × BW × 0.3

　cf. 8.4% sodium bicarbonate 1 mL안에는 1 mEq의 bicarbonate가 들어있다.)

Disturbance of Electrolyte Metabolism(전해질 대사 이상)

고칼륨혈증의 응급치료			
기전	약물	용량	최대 효과 도달 시간
역치 전위 감소	10% calcium gluconate	0.5mL/kg, 심전도 모니터하면서 7∼8분에 걸쳐 정맥주사한다. Digoxin을 쓰는 경우에는 30분에 걸쳐 주사한다.	<5분
K⁺의 세포 내 이동	포도당과 인슐린	포도당 0.5∼1.0g/kg+인슐린1U/3g 포도당, 30분에 걸쳐 정맥주사한다.	30∼60분
	Salbutamol	5µg/kg, 15분간 정맥주사 또는 2.5∼5.0mg nebulizer를 한다.	2∼4시간
	NaHCO₃	산혈증이 있을 때 1.5∼2.0mEq/kg, 5∼10분에 걸쳐 정맥주사한다. 효과가 일시적이다.	30분

- K^+ 주사요법상의 주의사항

  1) KCl의 농도 : 40mEq/L 까지

  2) 최대 주입 속도 : 0.5mEq/kg/hr

  3) 심전도 감시 : 3∼6시간 마다 혈청 K^+농도를 측정하면서 EKG 감시

  4) 이뇨가 시작된 후 보충

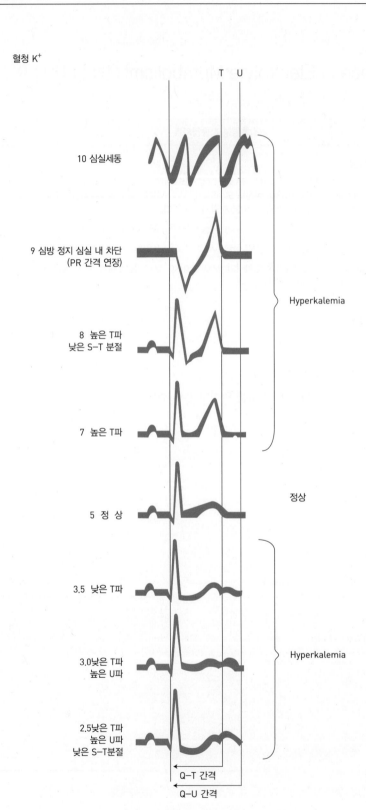

칼륨의 혈청 농도와 심전도의 변화

유전

Power Pediatrics

 염색체

질병을 초래할 수 있는 유전학적 요인

1) 염색체이상

핵형분석(karyotyping)으로 수적, 구조적 이상진단

2) 단일 돌연변이 유전자

멘델식 유전방식(AD, AR, X-linked)

3) 환경적 요인과 상호작용을 하는 다발성 돌연변이 인자(multiple mutant gene)

쌍생아, 가족연구

4) 세포질(cytoplasmic) 또는 사립체(mitochondrial) 유전

모계유전[Ex, 사립체근육병증(mitochondrial myopathies), 유전시각 신경병증(Leber heredi-tary optic neuropathy: 사립체 DNA 돌연변이)

Ⅱ 성결정

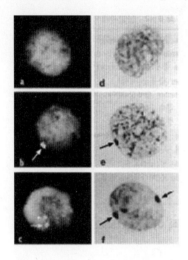

[Y-chromatin(왼쪽)과 X-chromatin(오른쪽)]
a : 음성, b : 1개, c : 2개, d : 음성, e : 1개, f : 2개

Barr 소체의 수 = X 염색체수 − 1(A)

→ 0인 경우 : 정상남자, 45,X의 핵형을 가진 Turner Syndrome

　1인 경우 : 46,XX정상여자 또는 47,XXY를 가진 Klinefelter 증후군

Y chromatin (Y염색질 또는 Y소체)의 수 = Y염색체의 수

　1개 : 정상적인 46,XY

　2개 : 47,XYY증후군

III 염색체 이상

염색체 핵형 표기법의 예	
46,XY	정상 남자
46,XX	정상 여자
47,XX, +21	21 세염색체(Down 증후군)남자
47,XY, +18	18 세염색체(Edwards 증후군)여자
47,XY, +13	13 세염색체(Patay 증후군) 남자
45,XX, −14, −21, t(14q21q)	표현형은 정상이나 14와 21번 염색체의 중심 융합형 전위 보인자 여자
46,XY, −14, t(14q21q)	전위형 Down 증후군남자(14과 21번 장완의 중심 융합형)
46,XY, −21, t(24q21q)	전위형 Down 증후군여자(24과 21번 장완의 중심 융합형)
46,XY, del(5p) 혹은 5p−	묘성 증후군 남자
46,XY, r(19)	19 윤상 염색체를 가진 남자
45,X	Turner 증후군(여자)
46,X, i(Xq)	X염색체 장완의 등완 염색체를 가진 여자
46,XY, fra(X)(q27.3)	fragile X 증후군 남자
47,XXY	Klinefelter 증후군(표현형 남자)
47,XXX	Triple X 또는 super female 증후군(표현형 여자)
46,XY / 47,XXY	XY/XXY mosaic Klinefelter 증후군
46,XX / 47,XXX	XX/XXX mosaic triple X 증후군

1. 수적이상

(1) 배수성(euploidy) : n=23개, 2n=46개(정상) 3n. 4n

(2) 이수성(aneuploidy) (A) : trisomy, monosomy : 세염색체가 홑염색체보다 흔함. 감수분열
이 잘못되어 생식세포 내로 염색체가 하나 더 들어가거나 하나 적게 들어가서 발생

ex. 상염색체(Down's syndrome). 성염색체(Turner's syndrome, 45,X) triple X 증후군
(47,XXX), Klinefelter 증후군(47,XXY)

(3) mosaicism 수정란 분열과정의 비분리→ 한 수정란에서 유래한 한 개체 내에 두 가지
(또는 2이상) 계열의 세포가 나타나는 것

(4) 일반적으로 염색체 이상증후군에서 예후가 비교적 좋은 경우는 다음과 같다.

① 성염색체 이상이 상염색체 이상보다 예후 좋다.

② 수적 이상에서 염색체의 수가 1개 더 첨가된 것이(특히 작은 염색체) 여러 개 첨가
된 것 보다 예후 좋다(결실도 마찬가지).

③ mosaicism은 정상세포 비율이 클 수록 증상도 경하고 예후도 좋다.

2. 구조이상

(1) 전위(translocation) : 가장 흔한 형태로 파손되어 떨어져 나온 염색체의 부분이 다른 염
색체에 융합한 것

(2) 결실(deletion) : 염색체의 단완, 장완으로부터 일부분이 파열되어 소실

⑶ 윤상염색체(ring chromosome) : 한 염색체의 양 끝이 결실된 후 양끝이 서로 재융합되어 형성된 결실증후군의 한 형태

⑷ 등완염색체(isochromosome) : 염색체 중심절이 세로로 분열하지 않고 가로로 분열하여 2개의 단 완 또는 장완의 등완염색체가 된 것

⑸ 전도(inversion) : 1개의 염색체에서 2개의 파열된 부분이 전도되어 유전자의 순서가 거꾸로 바뀐 것

⑹ 삽입(insertion or shift) : 염색체의 일부가 잘려 다른 염색체에 끼여들어간 것을 말하며, 그중에 서도 동일한 염색체 내에서 일어난 것을 shift라고 한다.

⑺ 중복(duplication) : 한 염색체의 일부가 잘려 다른 염색체에 끼여 들어간 것.

※ 염색체 핵형분석의 임상적 적응

⑴ 아기측

① 염색체이상 증후군을 의심하게 하는 생김새, 특히 얼굴, 손, 발

② 애매모호한 성기(ambiguous genitalia)

③ 사망원인이 불분명 하거나 다발성기형을 가진 사산아

④ 2개 이상의 심한(major)선천성 기형이나 다발성 기형 가진 유아

⑤ 기형을 동반한 신경학적 결손 있는 경우

⑥ 가족중 염색체전위, 중복, 결실 있는 경우

⑵ 산모측

① 35세 이상의 고령임산부

② 염색체 이상아를 분만했던 임산부

③ 원인없이 3번 이상 자연유산 한 임신부

  • 산전진단 : 재태 9~11주 – 융모막 융모 채취

    재태 14~16주 – 양수천자

IV 염색체 이상에 의한 임상증후군

1. 상염색체 이상 증후군(autosomal aberration syndrome)

수적이상 : trisomy syndrome이 m/c

★1) Down증후군(trisomy 21 syndrome)

- m/c trisomy syndrome(생존출산아 약 600~800명당 1명)
- M : F=1 : 1, 인종차이(−)
- 산모연령 증가할수록 빈도 상승

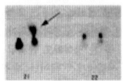

(a) 21삼체형   (b) 14/21 전위형   (c) 21/21 전위형

다운 증후군의 여러 가지 핵형

(1) 염색체 이상

21 Trisomy 47,XX(XY), +21	전위형다운증후군 46,XX(XY), −14, t(14g21g) 46,XX(XY), 21, t(21g21g)	mosaic 다운증후군

다운증후군의 약 95%
(비분리형
: non-disjunction)
21번 염색체가 정상보다 1
개 더 많다.
	• 다운증후군의 약 4%
	• 46개의 정상염색체 수(전위로 인한 것)
	• 대개는 배우자(gamate) 형성시 새로 전위가 발생
	• 약 1/2에서는 표현형은 정상이나 균형 전위를 가진 부모로부터 유전−
	  반드시 부모 염색체 분석을 실시
	• 부모 중 한명이 21/21 전위형 보인자→ 자녀의 100% 다운증후군
	• 45,XX(XY), −14, −21, t(14q21q) : 14번, 21번 염색체의 중심융합형
	  전위 보인자인 부모의 핵형14번과 21번 염색체의 전위, 즉 t(14q21q)
	  의 핵형을 가진 보인자 부모의 자녀가 다운증후군이 될 경험적인
	  이환율은 어머니가 전위를 가진 경우 10%, 아버지 쪽이 전위인 경우는
	  2% 미만이다.
		다운증후군의 약 1%

⑵ 증상

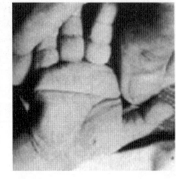
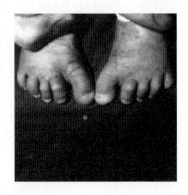

(a) Down 증후군 환아의 전형적인 얼굴   (b) 손바닥(simian line)   (c) 발

다운 증후군

▶ 다운증후군 환아 동반할 수 있는 합병증

   — 지능저하, 특이한 안모와 손발이 특징적

   — 신생아 다운증후군 – 근력저하, 짧고 덧살 많은 목, brachydactyly, 손바닥에 원선

   — 약 40%에서 선천성 심기형 동반 : 심실중격 결손, 방실관 결손

   — 2~3%에서 십이지장 폐쇄 동반

   — Risk증가 : 백내장, 결막염, 청력장애, 감염(특히 호흡기감염 : T–림프구 기능이상 때문)

   — 위식도역류, 원발성폐고혈압, 폐쇄성 수면무호흡

   — 안과문제(사시, 근시, 백내장, 눈물샘 장애에 의한 결막염)

   — 청력장애(신경난청, 잦은 중이염으로 전도난청) 호흡기 감염(T–림프구 기능이상)

   — 백혈병 : ALL은 정상 ×15, AML은 정상 ×12, 신생아기가 지나면 ALL이 많다.

   — 고령의 다운 증후군 환자에서는 백내장, DM, 후천성 갑상샘질환

   Atlanto–axial subluxation, 백혈병, 간질, Alzheimer disease 이환율 증가

   ※ Down 증후군에서 호발하는 질환

⑶ 진단

   • 임상증상으로 95% 이상에서 의심 가능

   • 산전진단; 35세 이상 임산부 – 융모막 채취나 양수천자 통한 염색체 분석 권함

   • 35세 이하 – 산전 선별검사 : 임신부의 AFP 감소, unconjugated estriol 감소, hCG 증가

⑷ 치료 : 특수치료, 없으나 Carey에 의한 건강유지를 위한 지침

   ① 6개월 이내 심장검진

② 8개월 이내 청력검사

③ 갑상샘기능저하증에 대한 신생아 선별 검사와 주기적인 T_4, TSH검사

④ 1, 4세에 안과적 검진 실시

⑤ 3세 이후에 목의 신전과 굴곡시의 경부 측면 방사선 검사 실시

⑥ 정기예방접종 실시

2) Edwards 증후군(trisomy 18 syndrome)

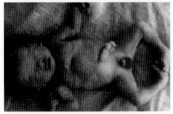 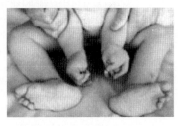 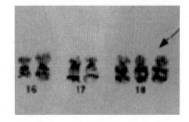

(a) 전신 모습   (b) 특이한 손발 모양   (c) 핵형

Edwards 증후군

- 2nd m/c 상염색체 삼체성 증후군(1/8,000)
- M : F = 1 : 4
- 거의 모두가 심장기형을 지님
- 95%가 1세 이내에 사망하고 약 10% 만이 1년 동안 생존, mosaic인 경우는 오래 살 수도 있다.
- 어머니의 연령이 높을수록 발생빈도 증가
- 재발률은 낮음

(1) 핵형 : 47,XX (or XY), +18, 전위형 및 mosaic형

(2) 임상증상

- 지능저하, 특이한 안모와 손발의 특징적 모양(집게손가락이 가운데손가락 위에, 새끼손가락이 넷째 손가락 위에 덮인 손모양)
- 짧고 뒤로 굴곡된 큰 발가락, 발바닥이 배 밑같이 생긴 흔들의자 바닥발(rocker-bottom feet) or 첨족
- 심장기형– VSD, PDA
- 신장기형– 말굽신장
- 피문이상(simple arch)

3] Patau증후군(trisomy 13 syndrome)

M : F = 1 : 1(어머니 고령일수록 빈도 높다). 재발율은 낮다.

상염색체 수적 이상 증후군(Trisomy syndromes)		
증후군/백형	빈도	증상
Down(21 Trisomy) 47,XX(XY), +21 : 95% transloc. : 3~4% 46,XX(XY), −14, t(14q21q) 46,XX(XY), −21, t(21q21q) mosaicism : 1~2%	1:800 남 : 여 = 1 : 1	근력 저하, 둥글고 납작한 얼굴, 납작한 후두골, 안검열 외상방 경사, 양안 격리증, 내안각 췌피, 사시, Brushfield 반점, 혀 내밈, 혀의 유두 비대 및 주름진 혀, 높은 구개궁, 작고 불규칙한 치아, 변형 귀, 납작코, 넓고 짧은 목이 덧살, 신 기형(40%), 소화기계 기형(5%, 십이지장 폐색, 쇄항, 선천성 거대 결장증, 제대탈장), 작은 음경, 잠복 고환, 원선, 작고 넓은 손, 새끼손가락의 단일 굴곡선, 만지증, 피문 이상(ulnar loop), 엄지와 둘째 발가락 사이의 큰 틈, 지능 저하
Edwards(18 Trisomy) 47,XX(XY), +18 46/47 mosaicism	1:8,000 남 : 여 = 1 : 4	근긴장 증가, 후두골 돌출, 소안구증, 작은 입, 구순 및 구개열, 좁은 입천장, 소악증, 낮은 변형귀, 익상경, 심 기형, 짧은 흉골, 넓은 유두 간격, 횡격막 탈장, 기관 식도루, 단일 제대 동맥, 마제신, 작은 골반, 잠복 고환, 고관절 외전 장애, 서혜부나 제대 탈장, 손가락의 굴곡 변형, 바다표범 발증 (phocomelia), 손톱의 형성 부전, 피문 이상, 지능 저하, 저출생 체중
Patau(13 Trisomy) 47,XX(XY), +13 46/47 mosaicism	1:20,000 남 : 여 = 1 : 1	모세 혈관종, 작은머리증, 구순 및 구개열, 소안구증, 낮은 변형 귀, 소악증, 전전뇌(holoprosencephaly), 무취뇌(arrhinencephaly), 중앙부 두피 결손, 결손증(colobomata), 농아, 단일 제대 동맥, 제류(omphalocele), 심 기형, 다낭신, 쌍각 자궁(bicornuate uterus), 잠복 고환, 다지증, 합지증, 손톱의 형성 부전, 원선, 손가락의 굴곡 변형, 뒤로 굴곡된 엄지, rocker−bottom feet, 심한 지능 저하, 발육 부전
8 Trisomy 47,XX(XY), +8	1:25,000~50,000 남 : 여 = 불명	긴 얼굴, 돌출된 이마, 기형적 두개골, 낮은 귀, 사시, 뭉툭한 코, 두터운 아랫입술, 높은 구개궁, 구개열, 수악증, 심기형(20%), 요로 기형, 좁은 골반, 척추 이상, 슬개골 형성 이상, 관절 운동 장애, 손과 발바닥의 깊은 금, 지능 저하
9 Trisomy 47,XX(XY), +9 46/47 mosaicism	불명 남 : 여 = 2 : 1	작은 머리증, 돌출된 이마, 깊고 꺼진 눈, 돌출된 귀, 두터운 콧날, 물고기같은 입, 소악증, 비정상 두개골 유합, 심기형, 요로 기형, 선천 고관절 또는 슬관절 탈구, 손톱의 형성부전, 만지증, 합지증, 원선, b와 c 삼차(triradii) 결손, 지능 저하
22 Trisomy 47,XX(XY), +22	불명	작은머리증, 안검열의 외하방 경사, 소악증, 구개열, 쥐젖(skin tag), 낮은 변형귀, 심기형, 끝이 가늘고 뾰족한 손가락, 하지 기형, 심한 지능 저하

2. 염색체결실증후군

1] 묘성증후군(Cri−du chat syndrome, 5p− 증후군)

- 5만 ~ 10만명당 1명
- 5번 염색체의 단완결실
- 14%에서 표현형은 정상
- 고양이 울음소리가 특징

2] Wolf−Hirschhorn syndorme (4p− 증후군)

3) De Grouchy syndrome (18q- 증후군)

소두증, 근력저하, 양안격리증 및 눈의 함몰, 결손증 등

3. 성염색체 이상 증후군(sex chromosome aberraton syndrome)

★1) Klinefelter 증후군

- 47,XXY, 표현형은 남자
- 남성 생식샘 저하증(hypognadism)의 m/c
- 고령산모와 관련
- 빈도 1,000 : 1

(1) 증상 : 키크고(환관증), 여성형 유방, 2차성징 발현(-), 고환 작고 무정자증(불임) 피문소견은 적은 융선수가 특징

(2) 검사소견

① 세포유전학 검사 : 대부분 핵형이 47,XXY와 48,XXXY, 또는 모자이크 현상으로 46,XY/47,XXY

X염색체수 많을수록 지능박약 정도 심함

② 성염색질 검사 : 성염색질(+), Barr 소체 1개(XXY) or 2개(XXXY)

③ X선상 radio-ulnar dysostosis

④ 호르몬 이상 및 고환의 생검 소견

★2) Turner증후군(Gonadal dysgenesis)

- 가장 흔한 홑염색체 중 하나, 표현형은 여성, 생존여아 4천명당 1명, 산모의 고령과 관계없다.
- 핵형은 45,X가 50% 정도(X염색체 단완결실 : 난소기능에 영향 없다. X염색체 장완결실 : 난소 발달 부전 초래)

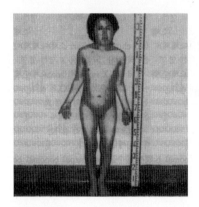

(a) 전신 모습

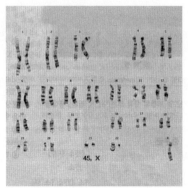

(b) 핵형

Turner 증후군

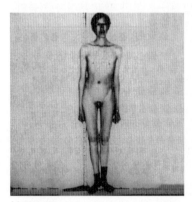

(a) 전신 모습

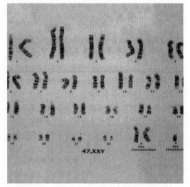

(b) 핵형

Klinefelter 증후군

- 대부분은 불임이며, 지능은 대개 정상 또는 약간의 학습장애

  (1) 흔한 임상 소견

  - 1/3의 환아 : 손, 발등 림프부종; 목의 덧살; 익상경 – 신생아기 진단 가능
  - 1/3의 환아 : 단신(성장호르몬으로 치료) – 소아기에 진단 가능
  - 1/3의 환아 : 생식샘 형성 장애 → 2차 성징없음 – 사춘기에 진단 가능
  - 2차 성징은 90%에서 일어나지 않음 → 여성 호르몬 치료
  - 대부분 불임
  - 지능은 대개 정상이나 약간의 학습장애 있음

⑵ 검사소견

① Barr소체(−)

② 세포유전학 검사 : 57%에서 45,X 그 외 46,X, i(Xq)의 isochromosome, 45,X/46,XX, 45,X/46,XX/47,XXX의 mosaicism 등이 있다.

③ X선 검사 : 4th metacarpal bone or metatarsal bone의 저형성 및 짧음.

골연령은 정상 또는 약간 지연

④ 5~10%에서 Y염색체 지님 → gonadoblastoma(성선모세포종) 발생 가능성 높음

⑤ 호르몬 이상(FSH↑) 및 동반질환

4. 취약부위(fragile site)

1) Fragile X 증후군

- 성염색체 열성 유전
- X 염색체 장완의 말단 : Xq 27.3
- 남아 1 : 2,000, 여아 1 : 1,000
- 지능저하의 가장 큰 원인(남성 30%, 여성 10%가 이 증후군)
- 남아 : 지능 저하, 큰 과환, 긴 얼굴, 튀어나온 턱, 크고 뚜렷한 귀
- 여아 : 대게 다양한 정도의 지능저하

2) Huntington 병 : 4q 16.3 부위

3) 근육긴장 퇴행위축 : 19q 13.3 부위

V 유전형식

1. 단일돌연변이 유전자에 의한 질환

1) 상염색체 우성

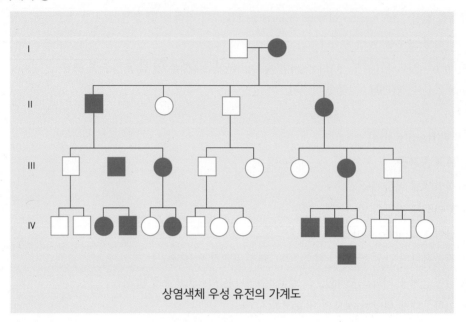

상염색체 우성 유전의 가계도

- 가계특성

  ① 부모 중 한명이 환자일 때 자손에게 전달

  ② 남녀 모두에게 나타남

  ③ 환자의 자손에게 전파될 확률은 50%, 즉 환자 형제의 발병률은 1/2

  ④ 자연 돌연변이에 의해서 정상부모로부터 질환을 가진 자손이 태어날 수 있음.

  ⑤ 세대를 건너뛰지 않고 모든 세대에서 나타난다.

- 대표적 질환 − achondroplasia

        − Marfan 증후군

        − Tuberous sclerosis

        − neurofibromatosis

        − Huntington's chorea

        − Familial hypercholesterolemia

        − Crouzon(두개골 조기유합증)

2) 상염색체 열성

- 가계특성

⭐① 세대를 건너뛰어 나타남

② 평균적으로 양쪽 모두 heterozygote인 부모에서 출생하는 자녀들의 1/2은 보인자,

1/4은 환자

③ 근친결혼시 발생 빈도 높음

④ 남녀 모두에게 나타남

- 대표적 질환 – 대부분의 유전대사이상질환

① 유전대사이상질환 :

Ⓐ 당질대사 이상 : 당원축적증, 갈락토오스혈증,

Ⓑ 아미노산 대사 이상 : 페닐케톤뇨증, 호모시스틴뇨증, 단풍당뇨증, 윌슨병,

Niemann−Pick병

Ⓒ 지질대사 이상 : Gaucher병, Tay−Sachs병, Niemann Pick병, 이염성백질 장애

Ⓓ 기타 : 윌슨병, Hurler 증후군

② 혈액질환 : 판코니빈혈, 낫적혈구 빈혈

③ 신경근 질환 : Werdnig−Hoffmann병, ataxia telangiectasia

④ 내분비 질환 : 선천 부신과다형성

⑤ 피부질환 : 색소건피증, 외배엽형성 이상

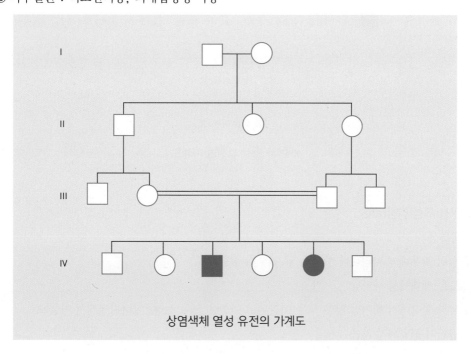

상염색체 열성 유전의 가계도

3) X-연관성(반성)열성으로 유전되는 질환

  • 가계 특성

  ★① 남자에게 주로 증상, 여자에게는 아주 드물게 증상 나타남

    ② 남자 환자에게서 태어난 딸들은 모두 보인자, 아들은 정상이다. 즉 아버지에서 아들로 직접 유전되지 않는다.

    ③ 어머니가 보인자인 경우 남아의 50%가 발병, 여아의 50%가 보인자 됨. 즉, 보인자가 임신시 이환된 남아를 출생할 확률은 25%

    ④ 세대를 건너 뛰어 환자가 발생될 수 있다(보인자인 어머니를 통해 질환이 전달).

  • 대표적 질환 : 혈우병 A, B, Duchenne형 진행성 근육퇴행위축증, Hunter 증후군, Lesch-Nyhan 증후군, glucose-6-phosphate-dehydrogenase 결핍증, Bruton 무감마글로불린혈증

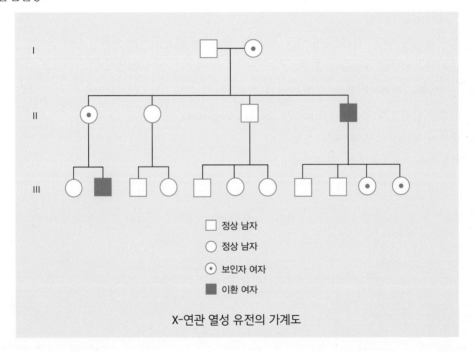

X-연관 열성 유전의 가계도

4) X-연관성 우성유전(rare)

  • 가계특성

  ★① 남녀 모두에게 나타나나 증상은 남자가 더 심함

    ② 모든 세대에서 나타남

  ★③ 남자 환자에서 태어난 딸은 모두 이환되고 아들은 모두 정상. 아버지에게서 아들로 질환이 전달되지 않음

- 대표적 질환
  - 저인산구루병
  - incontinentia pigmenti 증후군

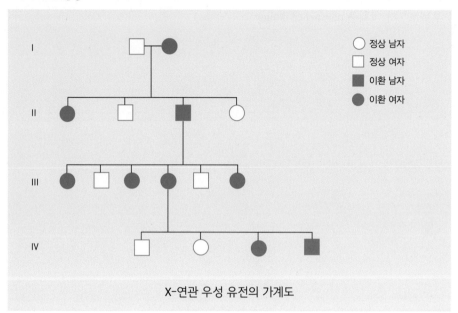

○	정상 남자
□	정상 여자
■	이환 남자
●	이환 여자

X-연관 우성 유전의 가계도

2. 다인자 유전

단일 유전자로 인하여 유전되는 형태와 차이점

① 일차친족(형제, 부모, 자매)에서 재발된 확률이 단일유전자 질환보다 빈도가 낮다 (2~10%).

② 재발률은 질환의 빈도와 관계됨

③ 일부 질환에서는 남녀 발생빈도에 차이가 있다. 이때 발생빈도가 낮은 성에서 발병한 경우 다음 세대에서 재발할 확률이 더 크다.

④ 일란성 쌍생아에서 모두 동일기형 가지는 것은 아니나 이란성 쌍생아에서보다는 빈도가 크다.

⑤ 이환된 가족 수가 많을수록 재발될 확률이 높아진다.

⑥ 기형이 심할수록 그 질환이 자손에게 전달될 확률이 크다.

질환 : ┌ 신경관 결손, 구개열, 구순열, 선천성 고관절 탈구 ┐ 등 선천기형
　　　 └ 선천성 비후성 유문협착증 ┘

관상동맥심질환, 알레르기, 당뇨병, 본태성 고혈압증, 정신 분열증 → 성인기 질환

3. 비전형적 유전형식

　① 생식샘 혼합형(gonadal mosaicism)

　② 유전체 각인 genomic imprinting

　③ 한쪽 부모로부터 이체증 uniparental disomy

VI 유전 상담

1. 목적

(1) 어떤 기형이나 유전성 질환이 발생했을 때 다음 아이에서의 재발위험성 결정

(2) galactosemia, cystic fibrosis, Hermansky–Pudlak syndrome 같은 유전성 질환을 가지고 태어날 위험성 추정

→ 태어난 직후 진단과 치료를 신속히 시작할 수 있도록

(3) 유전성이 심한 장애를 가지고 태어날 아기의 출생을 산전 진단을 통해 예방

2. 상담시간에 포함되어야 할 정보

(1) 상세한 가족력을 수집하여 가능한 한 많은 환자의 가족들의 성별, 나이, 건강상태를 포함한 광범위한 가계도의 작성

(2) 환자와 가족들이 병원기록지로부터 정보수집

(3) 산전력, 임신력, 분만력의 기록

(4) 질환에 관한 지식과 정보의 검토

(5) 환자와 가족의 정밀한 진찰

(6) 현재 가능한 진단적 검사를 이용한 진단의 확인

(7) 자조모임에 관한 정보(support group)

9 유전 대사 질환

Power Pediatrics

 총론

1. 유전성 대사질환

특정 유전자의 돌연변이로 유전자의 산물인 단백의 변화에 의하여 초래되는 질환을 통틀어 지칭

ex. 어느 효소에 이상

(1) 그 효소에 의해 대사되어야 할 물질이 그대로 신체에 축적

→ 축적물에 독성이 있으면 인체의 기능 장애(특히 뇌가 장애를 받기 쉬우며, 선천 대사 이상증의 많은 질환에서 심한 지능 장애가 자주 나타난다).

(2) 생리적인 중요한 물질 결핍

선천 대사 이상증의 원인, 진단 및 치료		
정상 대사 $A \rightarrow B \rightarrow C \rightarrow D \rightarrow E$ 이상 대사 $A \rightarrow B \quad C \quad D \quad E$ $\downarrow$ B'		
진단법	물질 축적의 증명	효소 활성의 저하	물질 형성 장애의 증명
증상 발현의 원인	유해한 중간 대사 산물의 축적	생리적인 중요한 물질의 결핍
치료 방법	유해한 중간 대사 산물의 축적을 예방하는 식이요법 및 약물요법	생리적으로 중요한 물질의 결핍을 보충하는 보충요법

- 유전성 대사 질환의 특징

① 연령별로 발생하는 질환의 종류가 다르다.

② 대부분 AR 유전 → 부모가 정상이라 하더라도 형제자매 간에 발생

③ 여러 장기 및 기관 침범

④ 동일한 유전성 대사 질환이라 하더라도 유전자형, 잔존 효소 농도에 따라 임상증상
   의 경중이 다양

⑤ 임상증상이 대부분 특징적이지 않다 → 특정 질환 의심할 단서 이용해 진단에 접근

⑥ 대부분 기형을 동반하지 않는다(최근 여러 기형에서 생화학적 발병기전 밝혀짐).

⑦ 진단을 위해서는 어떤 시료를 사용할지, 어떤 대사물질을 검사할 것인지, 어떤 검
   사가 필요한지, 어느 검사실에서 가능한가를 고려해야 함.

2. 유전대사질환이 의심되는 환자의 병력청취

① 산전 병력 ② 출생력 ③ 가족력 ④ 발달력 ⑤ 증상, 징후

3. 유전성 대사 질환의 임상 증상

1) 신생아기

- 신생아 패혈증 증상과 동일하거나 실제로 함께 동반
- 출생 시에는 정상이나, 수유 2~3일후 원인 모르는 기면 상태, 수유 거부, 구토, 경
  련 등 비특이적 증상 → infection, pyloric stenosis 등과 감별진단.
- 진단 : 유기산뇨증, 요소 회로계 대사 질환, 아미노산 대사 장애, 갈락토오스혈증,
  비케톤 고글리신혈증
- 유전대사질환은 원칙적으로 출생 시에 기형을 동반하지 않으나 예외도 있다.

2) 신생아기 이후 아동기

- 신생아기 급성 증상에서 생존 또는 저농도의 잔존 효소로 증상이 늦게 발현
- 급성 대사성 스트레스 있을 때 다음의 증상 발현 가능

  ※ ┌ ① 신경학적 증상으로 주로 원인 모르는 정신지체와 전반적 발달 장애, 의식의
     │   변화, 진행성 기능저하, 경련, 운동실조 및 정신과적 장애
     │ ② 급성 질환이 있을 때의 특이한 냄새
     │ ③ 간헐적인 원인 모르는 구토, 산혈증, 케톤혈증이 없는 저혈당
     │ ④ 간비장비대, 골격계의 변화
     │ ⑤ 신결석 및 요로 결석
     │ ⑥ 백내장, 망막의 색소 변성, 청력 장애
     │ ⑦ 혈전증
     └ ⑧ 선천성 기형 및 이상한 얼굴모양

4. 유전성 대사질환의 진단

1) 소변검사를 이용한 유전성 대사 질환의 감별질환

질환	FeCl₃	DNPH	Nitroprusside	Nitrosonaphthol	CTAB	Reducing substance
PKU	+	+	−	−	−	−
MSUD	+	+	−	−	−	−
Organic acidemia	+	+	−	−	−	−
Galactosemia	−	−	−	+	−	+
Homocystinuria	−	−	+	−	−	−
Tyrosinemia	+	−	−	+	−	+
MPS	−	−	−	−	+	−

2) 냄새와 색깔로 알 수 있는 질환

    (1) PKU : 땀과 소변에서 쥐오줌냄새 (musty)

    (2) Maple syrup urine disease : 소변에서 단 냄새

    (3) Tyrosinemia : 몸에서 양배추 냄새 (∵ methionine 대사산물)

    (4) Isovalenic acidemia : 소변에서 발 고린내 같은 냄새

    (5) Alkaptouria : 소변이 검다 (알칼리 첨가시 더 빠르게 검게 변한다).

3) 혈액검사

    CBC, ABGA, glucose, ammonia, Ca/Mg, lactate 등

    uric acid, 혈장의 아미노산농도, acyl carnitine

    말초혈액도말표본 상에서 vacuolated lymphocyte.

4) 출생 전 진단

    양수, 배양하지 않은 양수세포, 배양한 양수 세포, 질을 통해 채취된 태반 융모 등을 이
용하여 효소활성 측정

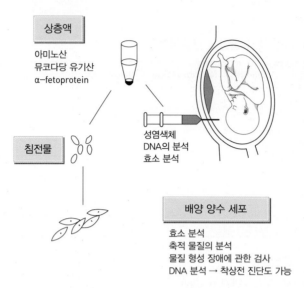

유전성 대사 질환의 출생 전 진단 방법

5. 유전성 대사 질환의 치료

1) 급성 대사성 장애의 치료 원칙

　(1) 원인이 밝혀질 때까지 수유를 금지

　(2) 특별한 경우(젖산 혈증이 심한 경우)를 제외하고는, 10% 포도당 용액을 점적하여 충분한 열량을 공급

　(3) Shot-gun Tx.로서 multivitamin을 대량 공급

　(4) 동반된 감염 치료 위해 항균제 투여가능

　(5) 고암모니아혈증이나 대사성 산혈증이 있으면 적극적 치료(혈액투석, 복막투석)

2) 유전성 대사 이상증의 치료

유전성 대사 이상증의 치료		
I. 전구 물질의 제한 (식이 요법)	페닐케톤뇨증 단풍 당뇨증 호모시스틴뇨증 고암모니아혈증 갈락토오스혈증 가족성 고콜레스테롤혈증 Wilson병	저페닐알라닌식 루신, 아이소루신, 발린 제한식 Cystine 첨가, 저 methionine 단백 제한식 무유당, 무 갈락토오스식 콜레스테롤 제한식 구리(Cu) 제한
II. 결손 물질의 보충	유당 분해 효소 결핍 갑상샘호르몬 합성 장애 21-hydroxylase 결손증 당원병 I형	유당 분해 효소 제제 투여 L-thyroxine 투여 Hydrocortisone, mineralocorticoid 투여 생옥수수 전분 가루 투여

유전성 대사 이상증의 치료		
III. 축적 물질의 제거	Wilson병 가족성 고콜레스테롤혈증	D-penicilamine 투여 Cholestyramine 투여
IV. 효소 보충 요법	Gaucher병 Fabry병 Hurler 증후군 Pompe병	Glucocerebrosidase 정주 α-galactosidase A 정주 α-L-Iduronidase 정주 α-glucosidase 정주
V. 조효소 보충 요법	호모시스틴뇨증 Methylmalonic acidemia Lactic acidosis	Pyridoxine 투여 Cobalamin (B$_{12}$) 투여 Thiamine, riboflavin 투여
VI. 유전자 치료	Adenosine deaminase 결핍	유전자 치료
VII. 장기 이식	Cystinosis Wilson병 당원병 I형 요소 회로 대사 이상 I형 tyrosinemia Adrenoleukodystrophy Hunter 증후군 I형 Gaucher 병	신장 이식 간 이식 간 이식 간 이식 간 이식 조혈 모세포 이식 조혈 모세포 이식 조혈 모세포 이식
VIII. 발증 유발 약물 회피	G6PD 결손증	acetanilide phenacetin aminopyrine sulfa제 등 회피
IX. Albinism	햇빛 노출에 주의	

☆6. 신생아 유전성 대사 질환 선별 검사(Screening)

생후 3~7일경에 신생아의 발뒤꿈치에서 채혈

1) screening의 임상적 의의

　(1) 방치하면 중대한 비가역적 뇌손상초래

　(2) 조기에 발견하여 치료하면 장애 방지가능

　(3) 임상증상으로는 조기진단 곤란 → 환자의 발생 빈도가 높고 효율적이고 경제적인 선
　　별검사방법이 있는 질환들은 신생아기에 선별검사 시행

2) Guthrie 검사 : 고초균 이용 → 혈중 아미노산 측정

　(1) PKU

　(2) Homocystinuria

　(3) Maple syrup urine disease

3) Galactose 혈증 : 대장균을 이용한 Paigen법과 Beutler법

4) 효소 비색법 : PKU, Maple syrup urine disease, Galactosemia

5) tandem mass spectrometry

6) 신생아 screening test로 mental retardation을 예방할 수 있는 질환

> (1) PKU (1 : 53,000(한국))
> (2) Homocystinuria
> (3) Galactosemia (1 : 60,000)
> (4) Urea cycle의 대사 이상(고암모니아혈증) 등
> (5) Congenital hypothyroidism (cretinism) (1 : 4,000)
> (6) Maple syrup urine disease
> (7) Histidinemia
>
> ★ ※ 우리나라에서 의무적으로 신생아 screening을 하는 것
> (1) Congenital hypothyroidism (1 : 4,000)
> (2) PKU (1 : 53,000)

II 아미노산 대사 이상

☆1. 페닐케톤뇨증(Phenylketonuria; PKU) AR 유전

1) 특징

phenylalanine hydroxylase의 활성의 선천적 저하

(phenylalanine ↑ − tyrosine ↓)− 상염색체열성유전질환

2) 증상(phenylalanine과 그 대사산물 축적이 원인)

- 구토, 습진
- 담갈색 모발, 흰 피부색(색소결핍) ⎤ 영아기
- 정신운동 발달지연
- mental retardation → 생후 1년까지 치료 시작하지 않으면 IQ 50이하로 저하. 그러나 생후 1개월 이내에 치료를 개시하면 승상 발현 없음
- ☆ 땀과 소변에서 쥐오줌 냄새

3) 검사 소견

- 혈중 phenylalanine 상승($\geq 20\,mg/dL$)

  cf. tyrosine : 정상, tetrahydrobiopterin (BH_4) : 정상
- Urine (phenylpyruvic acid 배설)+10% $FeCl_2$ 염화제이철 용액을 떨어뜨리면

  ☆→ 녹색 침전 형성(신생아기에는 false negative 가능)(phenylpyruvic acid양이 적음)
- Guthrie test or 효소 비색법 : 신생아기 선별검사
- 치료지연시 뇌파이상 소견
- 혈중 페닐알라닌이 지속적으로 $4\,mg/dL$ 이상 : 비정상
- 진단기준 $\geq 20\,mg/dL$: 고전적 PKU

  $4 \sim 20\,mg/dL$: 양성 고페닐알라닌 혈증

4) 치료

- 혈중 페닐알라닌치가 $10\,mg/dL$ 이상 시 진단 즉시 저페닐알라닌 특수 분유

  (생후 1개월이내 치료 시작하면 뇌장애없이 정상 발육 가능)
- 6세까지는 페닐알라닌이 소량으로 들어있는 식품과 페닐알라닌 제거분유를 섭취하는 저페닐알라닌 식이요법으로 혈중 페닐알라닌 $2 \sim 6\,mg/dL$로 유지. 이후 식사제한을 조금 낮춰도 된다.

• 사춘기부터 평생동안 혈중 농도 3~15mg/dL 유지

5) 모성 PKU

PKU 산모는 태아 장애 예방 위해 임신 전부터 저페닐알라닌식이

→ 전 임신 기간 중 혈청 phenylalanine 치를 ≤6mg/dL 유지해야

2. 단풍당뇨증(Maple syrup urine disease) AR 유전

1) 특징 : α-ketoacid dehydrogenase의 장애

→ Leucine, isoleucine, valine (branched a.a)과 그로부터 유래된 α-ketoacid 축적

→ <u>심한 신경학적 증상</u>

2) 증상 : 신생아 초기부터 심한 증상

• 생후 3~5일경부터 수유 곤란, 구토, Moro 반사의 소실, 경련, 호흡장애, 발육장애

• 치료하지 않으면 생후 수주~수개월 이내 사망

3) 검사소견

• 혈장 leucine, isoleucine, valine 증가

• Urine + dinitrophenylhydrazine 시약 첨가 시 → 황색 침전 형성

• 소변에서는 단 냄새가 특징적, 단풍당밀과 흡사

4) 진단

• Guthrie test와 효소비색법으로 신생아기 선별검사

• 혈장 Ile, Leu, Val의 증가 · 소변에서의 특이한 냄새

5) 치료

• 생후 가능하면 조기에 저 leucine, isoleucine, valine분유로 치료 시작

  → 증상 개선되어서 정상 발육 가능

• 중증 → 복막투석, 교환수혈 실시

• 치료목표 Leu : 80~200μmol

  　　　　　Ile : 40~90μmol

  　　　　　Val : 200~425μmol

3. Homocysteine 뇨증(Homocystinuria) AR 유전

1) 특징

   cystathionine 합성효소의 장애, 상염색체 열성

2) 증상

   정신신경증상(m/c) – 지능장애(m/c), 경련, 보행장애

   안증상 – 수정체 탈구, 시력장애, 근시, 백내장

   그 외 골다공증, 안면발적, 가늘고 숱이 적은 모발, 혈전형성 경향(→사망원인 되기도)

   지능 장애, 안증상의 빈도↑, 사지와 체간이 길고, 심잡음과 수정체 탈구→ Marfan 증후

   군과 감별진단이 필요

3) Dx

   Guthrie 법으로 신생아기에 선별검사 실시요중 Homocysteine ↑, 혈중 Methionine 치↑,

   요 Nitroprusside 반응(+)

4) 치료

   비타민 B_6 대량 투여효과 없으면 cystine을 첨가한 저 methionine식과 betaine을 투여

4. 고타이로신혈증(Tyrosinemia, Tyrosinosis)

1) I형

   - fumarylacetoacetate hydrolase 효소 결핍
   - 간경화와 신성 구루병 초래
   - 급성형
     - 생후 6개월 이내
     - 발열, 구토, 설사, 발육지연, 체중감소, 간비대, 황달, 저혈당, 출혈경향
     - methionine의 대사산물 → 양배추 냄새
     - 2세 이전에 간부전 사망
   - 만성형 : 1세 이후 증상 나타남, 10세 이전 사망

2) II형

   각막 궤양, 수족의 각화증, 정신지체

3) 검사소견

소변 Millon 반응이 강함

5. 백색증(Albisim)

1) 전신백색증

- 피부, 모발, 홍체에 색이상
- 햇볕에 약함, 홍반, 심한 눈부심(photophobia), 눈 떨림

2) 눈 백색증

눈의 색소 결손만 나타남

3) 부분 백색증

눈은 정상, 피부와 모발에 부분적 색소 결손

6. Alkapton뇨증(Alkaptonuria)

Homogentisic acid oxidase의 선천 결핍증

1) 증상

- 소변의 이상 : 방치시 흑색으로 변함,
  알칼리 첨가시 빠르게 흑색으로 변함
- 조직 갈변증 : 20세 이후에 각막과 귓바퀴에 최초로 나타남, 외이의 연골이 청회색,
  약간 비후
- 골관절염 : 성인에서 나타남
- 순환기 증상 : 판막 장애, 동맥류

2) 검사 소견

- 당뇨와 혼동
- 소변에 알칼리를 첨가 → 흑색으로 변함

III 탄수화물 대사 이상

간에 주로 축적되는지 아니면 근육에 주로 축적되는지에 따라 간형 글리코겐증(liver glycogenosis)과 근육형 글리코겐증(muscle glycogenosis)으로 나뉜다.

★1. 당원 축적병(Glycogen storage disease)
- 간형 글리코겐증
  - 제1형 당원 축적 질환(von Gierke disease) (A)-AR 유전

1) 특징
간, 신, 장점막의 glucose-6-phosphatase 결핍(glucose-6-phosphate → glucose)

2) 증상
- 신생아기 : 저혈당, lactic acidosis보일 수 있음.
- 대개 3~4개월경 : 간종대(but 간수치는 정상), 저혈당성 경련 발작
- doll-like face : 볼에 지방 침착되어 얼굴 통통해져
- 사지는 상대적으로 가늘고 키작음
- 멍이 잘 들거나 코피가 잘 난다(← 혈소판 응집 이상).
- gout : 사춘기 전후(← 고요산혈증 지속)
- TG↑ : 췌장염의 빈도↑

3) 검사소견
- Hypoglycemia (공복시 저혈당이 주된 증상)
- lactic acidosis
- Hyperuricemia, Hyperlipidemia

4) 진단 : Glucagon이나 Epinephrine투여 → glucose는 변화없고, Lactic acid는 상승
- 확진 : liver biopsy (→효소 활성도 저하)
  - → 글리코겐과 지방으로 간세포가 전반적으로 크고 lipid vacuole이 현저 섬유화는 rare
- 최근 : DNA 분석(liver biopsy 불필요)

5) 치료

- 목적 : 지나치게 다량의 에너지를 섭취하여 간에 글리코겐으로 축적되지 않게 + 적절한 에너지를 섭취하여 저혈당 예방
- glucose 이외의 포도당류(fructose, galactose)는 피하고, 소량으로 자주 식사
- Allopurinol : uric acid ↓
- 출혈성 경향 유의

2. 갈락토오즈(Galactose) 대사 이상 (AR)

- **Galactosemia (Galactose-1-phosphate uridyl transferase 결핍증)**

1) 특징

Galactose-1-phosphate uridyl transferase결핍

(galactose-1-phosphate → glucose-1-phosphate)

2) 증상 : 황달, 간비대, 구토, 저혈당, 경련발작, 늘어짐, 보챔
- 잘 먹지 못함, 체중이 잘 늘지 않음, 아미노산뇨증
- 백내장, 초자체 출혈
- 간기능 악화, 간경변증, 복수, 비장비대, 지능저하
- 대장균에 의한 패혈증 잘 동반 (진단에 주의!)

3) 진단

신생아 집단 검진(대장균을 이용한 Paigen법과 Beutler법)

4) 치료 : 식사에서 갈락토오스 제거
    → 대개의 Sx. 개선되나 여성의 경우 난소기능부전으로 인하여 1차 또는 2차 무월경이 오며, 발달장애, 학업성취장애 등이 가능

IV 금속의 대사 이상

• Wilson's disease

1) 특징

- AR유전 (유전자는 13번 염색체 장완에 위치)
- ceruloplasmin의 결핍 (Cu를 필요한 곳으로 이동시키지 못함)
- 3가지 중요한 임상적 징후
  ① 간경화, 만성활동성 간염, 전격간염 등 간질환
  ② 대뇌 기저핵에 구리 침착으로 오는 신경장애
  ③ 각막내 구리 침착으로 생기는 Kayser-Fleischer 고리(K-F ring)이다.

2) 증상 → 간, 뇌, 신장, 각막 등에 구리 침착

- 발현시기에 따른 임상양상
  Ⓐ 어린 나이에 발병 : 간손상이 우세한 증상 - 간종대, 간염, 전격성 간부전등
  Ⓑ 15세 이후 발병 : 신경학적 증상이 우세(basal ganglia degeneration)
    - intention tremor, 구음장애, 근긴장이상, 학습능력 악화, 행동 변화 등
- Kayser-Fleischer's ring : 간질환이 있는 젊은 환자에서는 없으나 신경학적 증상이 있는
  환자에서는 항상 존재
- hemolytic anemia, Fanconi syn, 관절염, hypoparathyroidism, 진행적인 신부전

3) 진단

- 혈청 ceruloplasmin ↓
- 질병 초기 : 혈장 free Cu ↑, 소변내 배출 Cu ↑, 혈청 Cu ↓, 간 조직내 구리 농도↑
- 세극등 검사 : Kayser-Fleischer's ring 관찰

4) 치료

- 약물 : D-penicillamine, trientine, 아연
  (고전적으로 D-penicillamine이 주로 쓰여 왔으나 TOC가 최근 trientine으로 바뀌었다)
- 구리 섭취를 하루 1mg이하로 유지
- 갑각류, 초콜릿, 간, 버섯, 조개, 밤, 건조 과일 또는 채소 등의 식품섭취는 피한다.

V 포르피린증

- Heme 생합성 과정의 효소들의 부분적 또는 완전한 결핍에 의해 발병
- 유전되거나 2차적 발생
- Heme 합성이 가장 활발한 간과 골수의 효소결핍으로 주로 나타남

▶ 급성 간헐 포르피린증(Acute intermittent porphyria=AIP)

- Porphobilinogen deaminase (PBGD)의 부분적 결핍 또는 효소 활성 감소
- AD 유전
- F > M
- 환경적 요인과 관련(영양상태, 약물, 스테로이드 등)
- 임상양상 : ┌ 복통(m/c), 오심, 구토, 변비, 설사
              ├ 복부팽만, 장폐쇄, 붉은 포도주색 소변
              └ 빈맥, 고혈압, 열, 발한, 안절부절, 떨림
- 진단 : ┌ 적혈구내 PBGD 활성 감소
       ├ 소변내 PBG, ALA ↑
       └ 면역학적 분석, DNA 분석
- 치료 : ┌ 적절한 영양 섭취
       ├ 악화 약물 금지
       ├ dextrose 정맥주사
       └ 호르몬 치료

정맥내에 hematin을 주사하는 것은 초기 상태를 감소시키는 효과적인 치료방법

VI 지질 대사 이상

1. 사립체 지방산 산화 장애(Disorders of mitochondrial fatty acid β-oxidation)

- 사립체에서 행해지는 지방산 베타 산화에 관여하는 여러 효소, 조효소들의 장애
  - → acetyl-CoA가 최종 산물로 생성되지 못함

1) 임상증상

- 반복적인 Reye증후군의 임상상, 가족력
- 근육약화, 심근증, 근육통, 마이오글로빈뇨, 횡문근융해
- 금식, 감염과 스트레스에 의해 혼수상태 및 의식의 변화, 저혈당, 간기능 변화
- 영아 급사 증후군의 드문 원인

2) 진단

- tandem mass spectrometry
- 특정효소 결핍을 확인함

3) 치료

- 충분한 열량 공급
- 대량의 수용성 비타민 복합체 IV
- Carnitine을 투여
- 금식은 금물

2. 초장쇄 지방산 대사 장애(Disorders of very long chain fatty acids)

- peroxisome의 대사 장애
  - peroxisome 형성 X : 기능이 전반적으로 소실(Zellweger syndrome)
  - peroxisome 기능 소실

1) Zellweger 증후군

- 신생아 초기의 심한 근무력증, 높은이마, 넓은 숫구멍, 얼굴 중부 형성장애
- ACTH 자극에 대한 부신의 반응이 감소됨

2) 부신 백색질 장애(Adrenoleukodystrophy : ALD)
- X 연관 ALD : 초기 발육 정상, 5~12세에 증상

  신경학적 증상 선행, 자폐증, 주의력 산만, 보챔, 구음장애, 연하장애 등

  식물인간이 됨
- 영아형 ALD : 출생 즉시 또는 직후에 경련등의 증상, 2세이전 사망

3) Refsum병

3. 지방 단백 대사 및 수송의 장애

1) 고지혈증과 고지질단백혈증
- 2차성 고지혈증을 배제한 후 진단
- 200mg/dL 이상 TG

2) 가족성 고콜레스테롤혈증

소아기에 가장 흔한 고지질단백혈증

1) 임상증상 및 검사 소견
- 관상동맥의 동맥경화증, 아킬레스건 부위의 황색종, 각막의 arcus cornea
- 총 콜레스테롤 > 250mg/dL, LDL-콜레스테롤 > 200mg/dL

2) 치료
- 콜레스테롤이 낮은 식사
- cholestyramine이나 cholestipol resin을 사용하여 장간 순환을 막음

3) 저콜레스테롤혈증과 연관된 질환들
  (1) 저알파 지방 단백혈증(Hypoalphalipoproteinemia)
  - 지질의 농도는 정상, HDL-콜레스테롤이 10백분위수 미만
  - 검사상 Apo A-1이 30% 미만
  (2) 무베타 지질단백혈증

4. 지질 침착 질환

1) Gaucher 병

β-Glucosidase 결손에 의하여 세망 내피 계통에 sphingolipid의 일종인 glucocerebroside의 축적

(1) 1형 Gaucher (type 1, Non-neuronopathic, 성인형)

- m/c
- 비장비대, 간비대, 뼈경화증이 잘 나타남
- 유대인에게 많음

(2) 2형 Gaucher (type 2, Acute neuronopathic)

- 심한 비장비대, 간비대
- 3~6개월 사이에 나타나는 경우가 많음
- 사시, 안면 근육의 약화, 연하장애 등 뇌신경이상 → 근무력증
- 경련 발작을 보일 수 있고 1~2세 사망

(3) 3형 Gaucher (type 3, Juvenile Gaucher disease)

- 가벼운 비장비대 외에는 수년간 정상적 → 간대성 근경련 발작이 나타나고 빈도 증가
- 조화운동불능, 근육 강직, 지능 저하 → 침대에 누워있는 상태

10 면역학

Power Pediatrics

 서론

1) Mononuclear cell
 ┌ lymphocyte ┌ B cell (Ab. mediate immunity, humoral immunity)
 │   │   : Ag. stimulation에 의해 Ab. secreting plasma cell이나 memory B cell로 분화
 │   ├ T cell (cell-mediate immunity) ┌ TH cell (helper T cell, CD4+) : 다른 T cell을
 │   │   │   activation
 │   │   ├ TS cell (suppressor T cell, CD8+) : 다른 T cell을
 │   │   │   suppression (excessive reaction 방지)
 │   │   └ TC cell (cytotoxic T cell, CD8+) : intracellular
 │   │   parasite (virus), tumor cell(파괴)
 │   └ NK cell : large granular lymphocyte로서 viral infected cell이나 tumor cell 파괴
 └ Monocyte - Macrophage : non-specific immunity : 식작용(가장 먼저, 가장 강력히)

2) Polymorphonuclear cell ┌ Basophil
                          ├ Eosinophil
                          └ Neutrophil

1. T lymphocyte

- 가슴샘(thymus)은 재태 주령 4주경에 제3 아가미주머니(branchial pouch)에서 유래 →
  재태 주령 12주경에 성숙된 가슴샘 조직상 → 영, 유아기에 점차 커졌다가 사춘기부
  터 위축 → 재태 8주경 가슴샘에 T세포의 전구세포가 처음으로 운집

- 20주에 항원과 결합할 수 있는 T세포가 나타남 : 미숙아에서도 피부이식 거부 반응
  나타남.

- TH 1 세포 : 주로 IL - 2와 IFN-γ를 생성, 세포독성 T세포와 지연 과민 반응을 유발

- TH 2 세포 : IL-4, IL-5, IL-6, IL-13을 생성, B세포 반응과 알레르기 감작을 유발

2. B lymphocyte

1) 골수, 말초림프기관, 편도선이나 소장의 Peyer's patch에서 분화

   → pro−B cell → pre−pre−B cell → pre−B cell → mature B cell

2) B세포의 발달과정은 크게 두 단계로 나뉨

   (1) 항원의 자극없이 일어나는 항원의존 과정으로 면역글로불린 유전자의 재배열과 세포 표면 단백의 발현이 일어난다.

   (2) 항원의 자극에 의해 성숙 B림프구가 plasma cell이나 memory cell로 분파

3) 재태기간 중 B세포가 면역글로불린을 생성, 분비할 수 있는 능력을 가지고 있음에도 불구하고 태아 림프기관에 형질세포가 나타나는 것은 재태주령 20주 이후

4) plasma cell은 5가지의 immunoglobulin으로 분화

   • IgM : 분자량이 커서 태반통과 못하며 주로 혈액내에 존재 (주로 G(−)에 대한 방어)

   • IgG : 몸안의 모든 채액 내에 존재(IgG1, IgG2, IgG3, IgG4) polysaccharide Ag.에 대한 Ab.는 주로 IgG2 (주로 G(+), virus에 대한 방어)

   • IgA : 혈액내에도 존재하나 위장관, 호흡기계, 비뇨생식기의 분비물과 같은 체외 분비물에 존재 (IgA1, IgA2), 제대혈에 없고 7~8세경 성인치에 도달

   • IgE : 체내와 체외 분비물에 주로 존재하고 기생충에 대한 방어 역할, 알레르기 반응 유발

   • IgD

5) 태아기 13주부터 혈중에 나타나서 20주에 각종 항체 분비

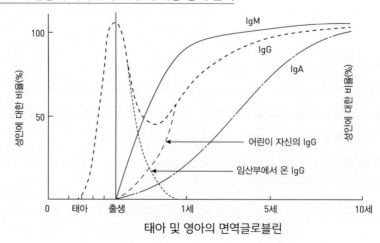

태아 및 영아의 면역글로블린

3. 태아 및 영아의 면역글로불린

1) IgG

- 재태 주령 12주부터 태반을 통하여 태아로 이행 but IgG2는 상대적으로 저하되어 polysaccharide 항원에 대한 저항력 저하
- 모체로부터 얻어진 IgG 항체는 생후 6~8개월 동안에 소실
- 이식 거부에 관여
- polysaccharide 항원에 대한 항체생성은 2세 이후에 가능
- 7~8세 경에 성인치에 도달

2) IgM

- 분자량이 커서 태반을 통과하지 못해 태아로 이행되지 못한다. 출생 시 신생아의 혈중 IgM이 증가되어 있으면 이는 선천성 감염을 의미 (esp. G(−))
- 신생아는 태어난 직후 IgM 항체를 생성하기 시작하여 생후 6일에는 혈중 IgM 항체가가 급속히 증가하며 생후 1세경에 성인 항체가에 도달한다.
- 항원에 노출되었을 때 1차적으로 생성되는 항체

3) 미숙아는 만삭아에 비해 산모의 IgG를 적게 가지고 있어 병원체에 대한 저항력이 낮다.

→ 성인 혈중치 도달하는 시기

- IgM : 1년
- IgG : 7~8세경
- IgA : 7~8세경

Ⅱ 면역결핍증 (Immunodeficiency)

1. 면역결핍증에 대한 조기진단이 필요한 경우

(1) 두 번 이상의 전신적 세균성 감염(sepsis, myelitis, meningitis 등)

(2) 1년에 3회 이상의 심한 호흡기 또는 다른 부위의 세균성 감염
(cellulitis, OM, lymphangitis 등)

(3) 비전형적인 부위의 감염 (liver abscess, brain abscess 등)

(4) 비전형적 병원균에 의한 감염(*Aspergillus, Serratia marcescens, Nocardia, Burkholderia cepacia* 등)

(5) 소아에서 흔한 병원균에 의한 감염이지만 증상이 비정상적으로 심한 감염이 발생하는
경우

2. 빈도

- 1/10,000명(B cell 결함 55%, T cell 결함 25%, phagocyte 결함 18%, complement 결함 2%)
- 80% 이상이 소아연령 (많은 경우에 X-linked 이므로 환아 70%가 남자)

3. 증상

- m/c Sx. : 잦은 감염 (주로 호흡기 감염)
- 바이러스, 진균, 일부 세균 감염은 세포면역결핍 환자가 체액성 면역결핍환자보다 일
찍 나타남
(임산부의 세포면역이 태아에 전이될 수 없음)
- 대부분의 면역결핍증 환자에는 지속적이거나 반복적인 또는 합병증(부비동염, 만성
중이염, 기관지염)을 동반하는 심한 세균성 감염을 동반
- 특히 호흡기 감염은 기관지염, 폐렴, 기관지확장증 등으로 진행하여 결국 많은 수에
서 호흡부전으로 사망

4. 진단

1) 가족력

2) 감염 종류

- 항체 결핍 : G(+)
- 세포면역결핍 : virus, fungus, 원충류, mycobacteria, 기타 기회감염
- 중성구 결핍 : 비전형적인 균에 의한 감염
- C6, C7, C8 결핍 : *Neisseria* 감염

3) 병력

- T cell 결핍 : 생후 6개월 내에 증상발현
- IgA 결핍증과 분류불능형 면역결핍증은 18개월 이전에는 발생하지 않는다.
- 항체 결핍 : 생후 6개월 이후 증상발현이 발생
- 과거력 : 중성구의 장애시 제대탈락지연, 상처회복지연이 발생, DiGeorge 증후군에서 저칼슘혈증 경련, Wiskott-Aldrich 증후군에서 혈소판감소증과 습진이 영아기에 나타남

4) 진찰 소견

항체 또는 세포면역결핍 시 반복되는 인후염에도 불구하고 경부 림프절, 아데노이드, 편도선이 발견되지 않는다.

- 만성 중이염, 만성 기침, 설사, 간비장 비대
- 모세혈관 확장성 조화 불능 운동, 만성 습진, albinism

기본 검사	정밀 검사	특수 검사
B cell deficiency IgG, IgM, IgA 농도 Isoagglutinin치 Schick test 기존 항체치 (예 : *H. influenzae*, 　　*S. pneumoniae*, 　　tetanus, diphtheria)	B cell 산정 IgD, IgE 농도 특정 항체 생성능(예 : typhoid, 　　pneumococcal polysaccharide) 측면 인두 방사선 촬영	림프절 생검 B 세포 phenotyping 시험관 내 항체 생성 검사 특정 항체에 대한 항체 생성능 　: φκ KLH
T cell deficiency 림프구 수 및 형태 흉선 크기(X선 사진) 지연성 피부반응검사 : Trichophyton, mumps, *Candida*, tetanus toxoid	T cell 산정 　림프구 증식 반응 : mitogens, antigens, 　allogeneic cells T 세포 subset 산정 　(예 : Th/Ts ratio)	Flow cytometry Enzyme 측정(예:ADA, PNP)
Phagocytic cell deficiency 백혈구수 및 형태 NBT test IgE 농도	접합물질분석 (CD11b/CD18, selectin ligand) 유전자변이분석	유전자변이분석 효소측정: MPO, G6PD
Complement deficiency CH_{50} 활성 C_3 농도 C_4 농도	Complement activity 측정 : Classical 및 alternative Component 측정 : 　immunochemical 또는 functional Inhibitor 측정 : 　immunochemical 또는 functional	

5) 검사

(1) 체액면역기능검사

(2) 세포면역검사

(3) 식세포계검사

(4) 보체계검사

구분	연 령	IgG (mg/dL)	IgA (mg/dL)	IgM (mg/dL)	IgE (mg/dL)
혈청	신생아	600~1,670	0~5	6~15	0~7.5
	1~3개월	218~610	1.3~53	11~51	–
	4~6개월	228~636	4.4~84	25~60	–
	7~9개월	292~816	11~106	12~124	–
	10~18개월	383~1,070	27~169	28~113	–
	2세	423~1,184	35~222	32~131	137±147
	3세	477~1,334	40~251	28~113	–
	4~8세	540~1,700	48~535	20~112	251±167
	9~14세	570~1,570	86~544	33~135	330±212
척수액	정상	3±1	0.4±0.5	0	
	화농성 감염	9	4	4	
	Virus성 감염	4	1	0.5	
분비액	초유(colostrum)	10	1,234	61	
	이하선 타액(자극 후)	0.036	3.9	0.043	
	혼성 타액(자극 없이)	4.86	30.4	0.55	
	소장액(jejunum)	34	–	70	

면역결핍증의 발병시기	
신생아기	Reticular dysgenesis, Severe combined immunodeficiency, DiGeorge 증후군
2~6개월	선천 agammaglobulinemia, Mucocutaneous candidiasis
6~24개월	일과성 hypogammaglobulinemia, Chronic granulomatous disease, Wiskott–Aldrich 증후군
소아기	Ataxia–telangiectasia, IgA 결핍증
사춘기 이후	C1 esterase inhibitor 결핍증, C5~C8결핍증, Common Variable immunodeficiency

III 체액성 면역결핍증(B cell deficiency, Humoral immunity)

1. 범저감마글로불린증(Panhypogammaglobulinemia)

1) 정의

IgG, IgA, IgM 항체가 모두 선천적으로 생성되지 않는 질환

2) 유전

- 반성유전(X-linked, Bruton type), AR or sporadic
- B lymphocyte의 X 염색체 (Xq22)에 존재하는 Bruton tyrosin kinase (btk) 유전자의 mutation

3) 임상 증상

- ☆ 모체로부터 물려받은 항체가 소멸되는 생후 6~9개월부터 세균성 감염이 빈발(폐렴구균, 포도상구균, *H. influenzae*)
- 농가진, 결막염, 중이염, 부비동염이 흔하게 나타나며, 폐렴, 패혈증, 농흉, 관절염 등의 중증 감염이 반복
- 반복되는 호흡기계 감염으로 기관지확장증, 폐 섬유증, 폐성심(cor pulmonale) 등이 합병되어 이로 인해 사망
- 자가면역질환이 잘 동반 (RA), 종양의 발생빈도가 높다(특히 림프종).
- 바이러스 감염에 대한 저항력은 정상 : 예외로 간염바이러스, echovirus, coxsackievirus, poliovirus와 같은 enterovirus에 대한 저항력 저하

4) 진단

- Hx. : 반복되는 중증 감염과 가족력
- P/Ex. : 전신의 림프절 결여 (특히 tonsil, adenoid, 말초 림프절의 결여)
- ☆ Lab. : IgG, IgA, IgM이 모두 표준치의 95%이하로 저하
  (특히 total Ig.의 농도 <100mg/dL)
- Schick test(+) : DPT나 *H. influenzae* 접종 후 Ab. 생성 안됨
- ☆ T림프구의 수와 세균의 비를 비롯한 세포면역검사는 normal
- 유세포분석검사 : 순환B 림프구의 결핍을 확인
  → 분류불능형면역부전증, 고IgM 증후군, 일과성 저감마글로불린혈증과 구분됨

5) 치료

☆ • 면역글로불린을 정기적으로 충분히 공급하여 감염 예방 : 매 3~4주 마다 면역글로불린을 약 400~500mg/kg 정주하여 400mg/dL 이상의 혈중 IgG 농도 유지

• 감염 시 적절한 항생제 투여, 경우에 따라 TMP-SMX 예방적으로 투여

• 10세 이상의 환자는 매년 폐기능 검사

2. 분류 불능형 면역 부전증(Common Variable Immunodeficiency)

1) 빈도

• Bruton type의 저감마 글로불린혈증보다 발병연령이 늦어 주로 10대나 20대에 발병

• 남 · 여 균등하게 발생

2) 원인

• IgA 결핍증 환자의 가족중에서 관찰되며, 일부 IgA 결핍증 환자는 후에 범저감마글로불린혈증이 동반되어 IgA 결핍증과 동일한 유전자 결함이 의심

• Phenytoin, D-penicillamine, Gold, sulfasalazine과 같은 약물에 의하여 유전적 감수성을 가진 사람에게 면역결핍증이 유발된다고 추정

3) 임상증상

• 범저감마글로불린혈증과 임상양상이 매우 유사

• 반복되는 화농성 세균성 감염으로 인한 만성 부비동염, 폐렴, 기관지확장증

• 특히 50~60대 여자 환자에서 lymphoma 발병률이 정상인의 400배

4) 검사

• Bruton type의 저감마글로불린혈증과 달리 혈액에서 B cell이 관찰

그러나 B cell이 plasma cell로 분화가 안되거나, plasma cell이 항체를 생성하지 못하거나, 생성된 항체가 분비되지 못하는 경우가 관찰

• T cell의 수는 정상이나 기능이 약간 저하

5) 치료

• 지속적으로 3~4주마다 면역글로불린의 투여

• 감염시 항생제 치료

3. 영아의 일과성 저감마 글로불린혈증
(Transient hypogammaglobulinemia of Infancy)

- B cell의 수가 정상인 영아에서 일시적으로 나타나는 항체 결핍증
- 생후 3~6개월부터 나타나서 6~18개월 지속됨
- 발열, 기관지염 등 감염이 빈발하는 경우가 있으나 치명적이지 못하다.
- 대개 2~3세경에 항체생성이 정상으로 돌아옴에 따라 증상이 모두 없어진다.
- 이 기간 동안은 예방접종을 피해야 한다.
- 증상이 있을 경우에만 저감마글로불린혈증에 준해서 면역글로불린을 주사

4. 선택적 IgA 결핍증(Selective IgA deficiency)

- ☆ 가장 흔히 볼 수 있는 면역결핍증(발생빈도 1/333)
- 혈청 내에 IgA에 대한 항체 포재(환자의 44%)
- 호흡기, 위상관, 비뇨기에 빈번한 감염
- 다른 항체결핍증과 같이 세균감염이 빈발하지만 바이러스 감염은 적다.
- IgA 포함된 혈액제제 수혈 시 치명적인 아나필락시스 유발 가능
- ☆ 면역글로불린 투여는 필요 없음(혈청 IgG는 충분하므로)
- ☆ 감염이 있는 경우 항생제 투여

5. 반성 유전성 림프계 증식 증후군
(X-linked lymphoproliferative syndrome, Ducan syndrome; XLp)

- EBV에 의한 감염 증상이 비전형적으로 매우 심하거나 치명적
- 3가지 중요한 임상증상
    - ① 심한 전염성 단핵구증(50%)
    - ② 악성 B세포 림프종(25%)
    - ③ 저감마글로불린혈증(25%)

6. 고 IgM 증후군

- 혈청 내 IgM의 농도는 증가/정상이면서 IgG, IgA, IgE는 현저히 저하됨
- IgM에서 다른 항체형 전환과전에 이상
- 여러 유전자의 결함에 의해 발생 : 유전자에 따른 적절한 치료 필요함

1) CD40 ligand (CD154) 유전자 변이

- 남아에서 발생
- IgG와 IgA가 현저히 저하
- 항CD40 항체와 Cytokine들과 배양시 IgG나 IgA를 생성
- 편도가 매우 작으며 림프절이 만져지지않고 심한 중성구 결핍증 동방
- 생후 6개월~2세 사이에 중이염, 부비동염, 폐렴, 편도샘염과 같은 세균감염이 반복적 발생
- B 림프구 수는 정상
- 치료 : 조혈모세포 이식, 정맥주사용 면역글로불린을 정기적 투여, G-CSF(중성구 감소증)

2) NEMO (Nuclear Factor κB Essential Modulator) 유전자 변이
3) AID (Activation Dependent Cytidine Deaminase) 유전자 변이

- 혈중 B림프구는 정상
- 항 CD40 항체와 Cytokine들과 배양해도 IgG나 IgA를 생성하지 못함
- 중성구 감소증은 적음
- 당뇨병, 다관절염, 자가 면역성 간염, 용혈 빈혈, 면역성 혈소판감소증, 크론병, 만성 포도막염

4) CD40 유전자 변이
5) UNG (Uracil DNA Glycosylase) 유전자 변이

IV 세포성 면역결핍증(T cell deficiency, Cell-mediated mmunodeficiency)

⭐1. 가슴샘 저형성증(thymic hypoplasia, DiGeorge syndrome)

- 임상증상이 심함
- 궁극적으로 혼합형 면역결핍이 나타남
- 바이러스, 진균, 원충류, mycobacteria나 그람음성균에 의한 감염
- 비교적 병원성이 약한 바이러스에 의해서도 치명적인 감염
- 폴리오, 홍역, BCG등 생백신에 의해서도 감염 가능

1) 원인

태생기 초기에 제 3,4 아가미주머니의 이형성증(dysplasia)에 의하여 흉선과 부갑상샘의 무형성(aplasia) 또는 형성저하증(hypoplasia)이 나타나는 질환이다.

2) 유전

22번 염색체의 이상 (microdeletion of 22q11.2)이 95%의 환자에서 발견

⭐3) 동반질환

대혈관의 기형(우측 대동맥궁), 식도폐쇄, bifid uvula, 선천성 심장병(ASD, VSD), 짧은 인중, 안구격리, antimongoloid slant to eye, 하부소악, 이개 변형(notched)

4) 증상

⭐ • 생후 24시간내에 일어나는 hypocalcemia에 의한 convulsion이나 tetany (m/c)
- 신생아기 직후에 bacteria, virus, fungal infection이 일어난다. 그러나 항생제치료에도 불구하고 계속 악화 (특히 만성적인 점막의 candidiasis, pneumonia, diarrhea)
  - Partial DiGeorge : 흉선과 부갑상샘의 형성부전(hypoplasia), 감염이 문제가 되지 않으며 정상적인 성장
  - Complete DiGeorge : fungus, virus, *Pneumocystis jirovecii* infection, GVHD의 빈발

5) 검사소견

⭐ • 말초혈액의 lymphocyte의 절대수 감소, 혈청 면역글로불린 농도는 대개 정상
  그러나 IgA↓, IgE↑, 지연성 피부반응
- Ca↓, P↑, PTH↓
- Chest X선 : 흉선음영이 없다.

6) 치료

☆ • Hypocalcemia : 10% Ca gluconate 정주. 점차 oral로 변경(보통 비타민 D나 PTH을 같이 투여)

☆ • 면역결핍 : 가슴샘, 조혈모세포이식(14주 이내의 태아 흉선을 복부 직근막이나 복강 내에 이식)

• 생균 예방접종이나 전혈수혈을 피하며 수혈이 필요한 경우에는 반드시 방사선 조사

• 항체생성에 이상이 있는 경우 면역글로불린 투여

V 복합 면역결핍질환 (Combined B&T cell disease)

BMT를 하지 않으면 영아기나 소아기 초기에 사망

- T림프구와 B림프구의 기능이 동시에 결여
- 각종 감염이 영아 초기에 빈발

1. 중증 복합 면역결핍증 (Severe Combined Immunodeficiency; SCID)

1) 정의

- 모든 획득면역기능이 없으며 대부분의 경우 NK cell도 결여
- 알려져 있는 어떤 면역결핍 질환보다도 심한 결핍

2) 원인

여러 유전자의 변형

3) 유형

① 반성유전 중증 복합 면역결핍증 : m/c SCIDT

T cell, NK cell 비율 낮고

B cell의 비율 높다.

② 상염색체 열성 중증 복합면역결핍증

③ reticular dysgenesis

4) 증상

☆ • 출생 후 수개월내에 설사, 폐렴, 중이염, 피부감염 등이 나타난다.
- 초기에는 성장이 정상이나 반복되는 감염과 설사에 의해 성장저하
- *Candida albicans*, *Pneumocystis jirovecii*, 수두, 홍역, parainfluenza 3, CMV, EBV에 의한 감염이 흔하다. 이로 인하여 사망한다.
- 수혈이나 골수이식시 GVHD의 확률이 높다.

5) 검사소견

- Lymphocyte deficiency, 특히 ADA (adenosine deaminase) 결핍환자(SCID의 15%)는 lymphocyte < $500/mm^2$
- Thymus는 매우 작으며(<1g) 대개 흉곽내로 이동하지 못하여 목에 위치한다.

6) 치료

BMT을 시행하기는 하나 어렵다.

2. 복합 면역결핍증(Combined immunodeficiency : CID)

- T 세포 기능이 저하되어 있기는 하나 존재함
- 유전적 결험이 다양함

1) Purine nucleoside phosphorylase (PNP) 결핍

2) 연골 톨 형성 저하증

3) 주조지 적합 복합체 항원의 발현 장애

4) Omenn 증후군

5) Wiskott-Aldrich 증후군

☆(1) 유전 : X-linked recessive

X-염색체에 있는 lymphocyte와 macrophage 계통의 세포에서만 발현되는 Wiskott-Aldrich syndrome Protein (WASP) 유전자(Xp11, 22-11, 23)의 변이

(2) 임상증상

☆① 아토피 피부염

☆② 감염에 대한 감수성

☆③ 혈소판감소 자반증을 주 증상으로 하는 성염색체 열성질환

- 10대 이후까지 생존하는 경우는 드물며 감염, 출혈, EBV에 의한 악성종양이 사망의 주된 원인

(3) 검사소견

- IgA↑, IgE↑, IgM↓, IgG 정상이거나 약간 저하 (IgG2 농도는 정상)
- polysaccharide Ag.에 대한 항체면역반응이 저하되어 isohemagglutinin 생성과 polysaccharide 백신 접종후의 항체생성이 저하
- T cell의 비율은 감소, Mitogen에 대한 림프구의 반응도 다양하게 감소

(4) 치료

☆ - BMT : curable

- Splenectomy : BMT가 불가능한 상태에서 혈소판의 감소를 방지

6) 모세혈관 확장성 조화운동불능(Ataxia telangiectasia)

　(1) 유전

　　• AR

　　• 11번 염색체(11q 22~23)에 위치하는 DNA dependent protein kinase인 ATM 유전자
　　　의 변이

　　　→ 방사선 조사에 대한 감수성↑, DNA repair 기능 ↓

　　　　(→ 주로 lymphoreticular 계통이며 adenocarcinoma와 같은 종양도 나타난다).

　(2) 증상

　　• 운동실조증(ataxia) : 걷기 시작한 직후에 나타나고 나이기 들수록 더 진행해서 10~
　　　12세에는 걷는 것이 어려워진다.

　　• 모세혈관 확장증(telangiectasia) : 반복되는 폐경환자의 80%에서 나타난다.

　　• 만성 sinopulmonary 질환, 악성종양, 항체면역, 세포면역결핍증

　(3) Lab.

　　• IgA↓ (50~80%), IgE↓, IgG2↓, 총IgG↓

　　• T−cell과 B−cell의 mitogen에 대한 증식반응 저하

3. 선천 면역 이상

1) Interferon−gamma receptor 1과 IL−12 receptor B1 변이

2) 고 IgE 증후군

　(1) 유전 : AD, AR 두가지 형태

　(2) 증상 : *S. aureus*에 의한 반복되는 폐렴 → pneumatocele 생김

　　　: 전형적인 아토피 습진과 다른 가려운 피부염

　(3) 검사 : 혈청 IgE ↑↑, IgD↑, IgG, A, M 농도는 정상, 호산구 ↑

　(4) 치료 : Penicillinase−resistant penicillin의 장기간 투여가 필요, 특정 경우에 항진균 제제
　　　의 투여도 필요, 항체 결핍 시에는 IVIG

VI 식세포 이상증 (Disorder of the Phagocytes)

1. 만성 육아종 질환 (Chronic Granulomatous Disease of Childhood)

1) 정의

☆ B & T lymphocyte의 기능은 정상이나 phagocyte의 미생물 살해기능저하로 심한 감염이 반복적으로 발생하는 질환

2) 원인

NADPH oxidase의 기능장애

3) 유전

남아에서는 대부분 X−linked recessive (여아에서는 AR)

4) 임상양상

- 반복적이거나 비전형적인 림프절염, 간농양, 여러 곳의 골수염, 반복적인 감염의 가족력
- ☆ *S. aureus* (m/c)와 같은 catalase 양성 세균에 의한 비전형적인 감염 (catalase 음성이며, hydrogen peroxide를 생산하는 세균인 *Streptococcus, H. influenzae* 등은 감염의 원인이 되지 않는다.)
- 폐렴, 림프절염, 피부염 등이 m/c

5) 진단

- ☆ NBT (nitroblue tetrazolium test) : screening
- ☆ DHR test (dihydrorhodamine 123을 이용한 유세포 검사) : more sensitive

6) 치료

- ☆ BMT가 알려져 있는 유일한 치료법이다.
- 감염 예방을 위해 IFN−γ, TMP−SMT을 매일 경구투여

2. Chediak-Higashi 증후군

1) 유전양상

상염색체 열성

2) 임상증상

- 중성구의 탈과립 장애 → 세포질 내에 과립구들의 융합의 증가
- 피부에 모발 및 털에 백색증(albinism) : melanosome의 병적인 응집 때문
- 감염에 취약 : 특히 황색포도상구균(*S. aureus*)
- 진행성 말초신경병 : 지각, 운동신경 이상, 운동실조 등

3) 진단

모든 유핵 혈액 세포 Wright 염색이나 peroxidase 염색 시 거대 과립존재

4) 치료

- 대량의 아스코르빈산 (비타민 C)
- 근본 치료는 BMT

11 신생아 질환

Power Pediatrics

 출생 전 관리

1. 고위험 임신(high-risk pregnancy)

유산, 태아사망, 조산, 자궁 내 성장 지연, 태아 또는 신생아 질환, 선천성 기형, 지능발달
지연 및 기타 기형을 발생시킬 수 있는 요인을 가지고 있는 임신(10~20%가 고위험임신)

① 유전적 인자 : 염색체 이상, 선천성 기형, 유전적 대사질환, 지능발달지연, 동일 혈
족의 가족적 질환

② 모체의 인자 : 10대, 40세 이상의 임신부, 특히 초임부에서

→ 태아의 자궁 내 성장 지연, 태아곤란증 및 자궁내 사망의 위험증가

③ 산과적 인자

- 분만 24시간 이전의 조기양막 파열 : 태아 감염의 위험, 미숙아 출생위험 증가.
지연된 분만은 태아의 저산소증의 위험을, 급속분만은 신생아 가사와 ICH의 위
험을 증가시킨다.

- 분만 시 모체에 시행한 마취나 진통제 부여 : 모체, 태아 모두에 영향을 미칠 수
있어 저환기로 인한 모체의 저산소혈증, 또는 경막외 마취로 인한 저혈압은 심
각한 태아 저산소증과 쇼크를 일으킬 수 있다.

- 태반의 분리, 제대의 비정상 착상, 제대압박 : 태아 무산소증에 의한 뇌손상의
위험.

- 제왕절개술 : 수술을 필요로 했던 산과적 상황, 모체의 마취와 관련된 문제

✚ **고위험 임신과 연관된 인자**

1. **경제적 인자**
   빈곤, 실업, 의료 보험 미가입자, 산전 관리 불이행.

2. **문화–행동적 인자**
   교육 수준이 낮은 층, 건강관리의 소홀, 산전 관리의 부적절 또는 부재, 흡연, 음주, 약물 중독, 16세 이하 또는 35세 이상의 임신부, 미혼, 짧은 기간 동안의 빈번한 임신, 주위의 도움을 받을 수 없는 임신부, 신체적 또는 정신적 스트레스 상태, 흑인

3. **생물학적–유전적 인자**
   저체중 출산아 또는 미숙아 분만의 과거력, 신장 대비 저체중, 임신 중 체중증가 불량, 너무 작은 키, 영양실조, 근친결혼(상염색체 열성?), 세대 간의 영향, 유전 질환(선천 대사 장애)

4. **산과적 인자**
   제왕절개 분만의 과거력, 불임의 과거력, 불임 시술에 의한 임신, 재태기간 지연, 분만 지연, 분만의 과거력(뇌성마비, 지능 박약, 분만 손상, 선천 기형), 태아의 위치 이상(둔위), 다태 임신, 조기 양막 파수, 감염(전신, 양수, 양수 외, 자궁 경부), 전자간증 또는 간증, 자궁 출혈(태반 조기 박리, 전치 태반), 임신력(초산 또는 5회 이상의 경산부), 자궁 또는 자궁 경부 기형, 태아 질환, 태아 성장 이상, 특발 조기 진통, 인위적 조산, 모체 혈청 α–fetoprotein이 높거나 낮은 경우

5. **내과적 질환**
   당뇨병, 고혈압, 선천 심질환, 자가면역질환, 낫적혈구 빈혈, TORCH 감염, 임신 중의 수술 또는 손상, 성병, 모체의 과응고 상태

태아나 신생아에게 영향을 끼치는 모체의 질환		
모체의 질환	태아 및 신생아에게 미치는 영향	기전
쓸개즙 정체	미숙아 분만	원인 불명 : E형 간염의 가능성
청색증형 심질환	자궁 내 성장 지연	태아로의 산소 운반 저하
당뇨병		
경증	과체중아, 저혈당증	태아 고혈당증–고인슐린혈증
		초래 : 인슐린이 성장 촉진
중증	성장 지연	혈관질환, 태반 부전증
약물 중독	자궁 내 성장 지연, 신생아 금단 증상	약물의 직접적 효과, 식사 불량
풍토병 갑상샘종	갑상샘 저하증	요오드 결핍
Graves병	일과성 신생아 갑상샘 중독증	갑상샘 자극 항체의 태반 통과
임신성 헤르페스	수포 발진	원인 불명
부갑상샘항진증	신생아 저칼슘혈증	모체 칼슘이 태아로 유입되어 태아의 부갑상샘을 억제
고혈압	자궁 내 성장 지연, 자궁 내 태아 사망	태반 부전증, 태아 저산소증
특발 혈소판감소	혈소판감소증	모체의 비특이적 혈소판 항체의 태반 통과
자반병		
동종 면역 호중구 감소증	호중구 감소증 또는 혈소판감소증	모체 감작 후 특이적 항태아 호중구 또는 혈소판 항체의 태반 통과
또는 혈소판감소증		전이
악성 흑색종	태반 또는 태아 종양	
중증 근무력증	일과성 신생아 근무력증	아세틸콜린 수용체의 면역글로불린의 태반 통과
근육긴장 퇴행위축	신생아 근육긴장 퇴행위축,	유전
	선천 구축, 호흡곤란	
비만증	거대아증, 저혈당증	원인 불명
페닐케톤뇨증	작은머리증, 정신 지연	phenylalanine치 상승
자간증, 전자간증	자궁 내 성장 지연, 호중구 감소증	자궁 태반 부전, 태아 저산소증, 혈관 수축
	또는 혈소판감소증, 태아 사망	
신 이식	자궁 내 성장 지연	자궁 태반 부전
Rh 면역	태아 빈혈, 저 알부민혈증, 태아 수종,	태아의 항원에 대한 항체의 태반 통과
	신생아 황달	
낫적혈구성 빈혈	미숙아 분만, 자궁 내 성장 지연	태아 저산소증을 일으키는 산모의 낫적혈구화
전신 홍반 루푸스	선천성 심차단(congenital heart block), 발진, 빈혈, 호중구 감소증, 혈소판감소증	태아 심장, 적혈구, 백혈구, 혈소판에 대한 항체
Thrombophilia(가족성)	사산, 성장 지연	자궁 태반 순환의 혈전증

태아나 신생아에게 영향을 주는 모체 감염		
감염	전파경로	결과
세균		
Group B streptococcus	자궁경부	패혈증, 폐렴
Escherichia coli	자궁경부	패혈증, 폐렴
Listeria monocytogenes	경태반	패혈증, 폐렴
Ureaplasma urealyticum	자궁경부	폐렴, 수막염
Mycoplasma hominis	자궁경부	폐렴
Chlamydia trachomatis	질	결막염, 폐렴
Syphilis	경태반, 질	선천 매독
Borrelia burgdorferi	경태반	미숙아, 태아 사망
Neisseria gonorrhoeae	질	결막염, 패혈증, 수막염
Mycobacterium tuberculosis	경태반	미숙아 태아 사망 선천 결핵
Granulocytic ehrlichiosis	경태반	패혈증
바이러스		
Rubella	경태반	선천 풍진
Cytomegalovirus	경태반, 모유(드묾)	선천 cytomegalovirus 감염 또는 무증상
Human immunodeficiency virus	경태반, 질, 모유	선천 AIDS
Hepatitis B	질, 경태반, 모유	신생아 간염, 만성 B형 간염 항원 보균자
Hepatitis C	경태반	신생아 간염, 만성 보균자(드묾)
Lymphocytic choriomeningitis	경태반	태아, 신생아 사망, 뇌수종, 맥락망막염
Herpes simplex type 2	경태반, 질	선천 HSV, 신생아 뇌염, 파종 viremia
Varicella–zoster	경태반(초기)	선천 기형
	경태반(후기)	신생아 수두
Parvovirus	경태반	태아 빈혈, 태아 수종
Coxsackievirus B	분변–구강	심근염, 수막염, 간염
Poliomyelitis	경태반	선천 회색질 척수염
Epstein–Barr virus	경태반	기형(?)
Rubeola	경태반	유산, 태아 홍역
기생충		
Toxoplasmosis	경태반	선천 toxoplasmosis 또는 무증상
Malaria	경태반	유산, 미숙아, 자궁 내 발육부전
Trypanosomiasis	경태반	선천 Chagas 병
진균		
Candida	자궁경부	패혈증, 폐렴, 발진
Prion		
Creutzfeldt–Jakob 병	경태반 초유	가설적 경로, 장기간의 자료는 없음

양수 과다증과 양수 과소증 : 고위험임신의 징조

- 정상임신에서 양수의 양 : 임신 34주까지 10mL/일 이하의 속도로 증가, 그 이후에는 천천히 감소함
- 만삭시 양수의 양 : 500-2,000mL
- 임신 제3기 양수의 양이 2,000mL 이상 → 양수과다증

  500mL이하 → 양수과소증
- 양수 과다증 : 조발성 진통, 태반조기 박리. 태아신경근 기능부전, 태아가 삼킨 양수의 재흡수를 방해하는 위장관 폐쇄와 연관.
- 양수 과소증 : 선천성기형, 자궁내 발육지연, 심한 신기형, 태아 배뇨를 방해하는 약물과 관련
- 고위험 임신 확인
  - 임신 15~18주에 임산부 혈청 α-fetoprotein의 측정
    * 증가 : 90%에서 신경관 결여를 진단, 다태임신, 절박유산 등등 진단가능
    * 감소 : 부적절한 재태기간 산출, trisomy 18, 21, 자궁내 성장 지연

| 양수 과소증과 양수 과다증에서 흔히 동반되는 질환 ||
양수 과다증	양수 과소증
선천 기형 　무뇌증 　뇌수종 　식도기관루 　십이지장 폐쇄 　척추 갈림증 　구개열 및 토순 　낭종 샘모양 종양 폐기형 　가로막 탈장 증후군 　연골 무형성증 　Klippel-Feil 증후군 　18, 21- 세염색체 증후군 　TORCH 　태아 수종 　다발 선천 기형 기타 　당뇨병 　태아-태아 수혈(recipient) 　태아 빈혈 　다뇨성 신질환 　신경 근육 질환 　비면역 태아 수종 　유미흉 　기형종 특발성	자궁 내 발육 부전 태아 기형 태아-태아 수혈(donor) 양수 누출 신형성 저하증(Potter 증후군) 요관 폐쇄 Prune-belly 증후군 폐형성 저하증 Amnion nodosum Indomethacin Angiotensin-converting enzyme inhibitors 거짓 장 폐쇄

2. 태아 곤란(fetal distress)

※ 분만 전 태아곤란증

- 주요원인 : 자궁태반부전증(uteroplacental insufficiency)
- 자궁 내 성장 지연, 태아 저산소증, 태아 혈관 내 저항의 증가로 인한 혈류장애, 호흡/대사 산증
- 분만 중 태아 두피 모세혈관 혈액검사 : pH와 혈액가스 분석
  - 정상 : pH 7.33 →7.25까지 감소
  - < pH 7.25 : 태아 곤란을 강하게 암시, pH 7.20 이하일 경우에는 추가 검사
- 분만 시 탯줄 혈액 채취
  - < pH 7.0 : 소생술 필요, 각종 기관의 합병증 위험
- 태아 심박수 분석 : NST (nonstress test), CST (Contraction stress test)
  - NST : 태동에 따른 태아 심박수 증가를 탐지
  - CST : 자연적, 유두자극, 옥시토신자극에 의한 자궁수축에 따른 태아 심박수 탐지
- 지속적 태아 심박수 감시 : 태아의 상태를 가늠

태아의 심박동 수 이상	
심박동 수 파형(Heart rate pattern)	임상적 특징, 원인 및 의의
기저 심박동수(Baseline heart rate)	임신 말기에 있어서 태아 심박동 수의 정상 범위는 120~160회/분
서맥(Bradycardia)	태아 심박동 수가 120회/분 미만 : 태아 저산소증, 국소 마취제 및 β−아드레날린차단제(propranolol 등)의 태반 통과, 선천성 심 차단
빈맥(Tachycardia)	태아 심박동 수가 160회/분 이상 : 태아 저산소증의 초기, 모체의 발열, 모체의 갑상샘항진증, 모체의 β−교감 신경 작용 약 또는 아트로핀 치료, 태아 빈혈, 태아 부정맥
박동과 박동 사이 변화 감소 (Decreased beat−to−beat variability)	심박동수의 변화가 >5회 /분이면 안심할 수 있으나, ≤5회/분이면 태아 곤란증 (태아 가사)과 신생아 가사의 발생 빈도가 높다. 또 모체의 narcotic analgesics, 황산 마그네슘, 아트로핀, diazepam, promethazine 투여시 나타날 수 있다.
조기 심박수 저하 (Early deceleration)	태아 두부의 압력으로 인한다. 태아 심박 동수의 파형은 심박동수의 저하가 자궁 수축과 동시에 나타나며, 반복성, 동시성이 있다. 임상적으로 중요성은 없다.
후기 심박수 저하 (Late deceleration)	자궁 태반 부전증으로 인한 태아 저산소증을 의미한다. 심박동수의 파형은 자궁 수축이 정점일 때 저하가 시작되어 서서히 기저 심박동수로 회복된다. 후기 심박수 저하는 일반적으로 모체의 저혈압 또는 과도한 자궁 수축으로 인한다.
불규칙 심박수 저하 (Variable deceleration)	제대 압박으로 인하여 제대 정맥혈의 관류와 산소 공급 감소로 인한 태아 저산소증을 의미한다. 파형은 불규칙하고 다양하게 나타난다. 태아 심박동 수의 저하가 급격하게 일어났다가, 급격하게 기저 심박동수로 회복되는 것이 특징이다.

3. 임산부의 질환과 태아(Maternal Disease and Fetus)

1) 감염성 질환(Infectious disease)

- 심한 전신 증상 가진 대부분의 모체감염 : 유산, 사산, 조산 초래

- 모체의 감염의 심한 정도와 관계없이 태아에게 감염되어 심각한 후유증을 남기며, 이러한 태아는 자궁내 성장 지연을 나타낸다.

2) 비감염성질환(Non-infectious disease)

- 모체의 당뇨 : 태아의 장기비대(organomegaly), 췌장의 β-세포의 비후와 비대를 초래, 신생아의 대사이상 유발(조절되지 않은 산모 - 임신 36주 이후에 태아 사망 빈도 높음)
- 산모의 당뇨병 : 심혈관계 및 기타 기형의 위험요인이 됨
- 임신중독증, 만성고혈압, 신질환 : 부당경량아, 미숙아, 자궁내 사망 증가
  (∵ 태반자궁 관류의 감소에 의한 것으로 추정)

4. 임산부의 약물사용 및 방사선 노출과 태아

- FDA 약품분류
  - Category A : 사람에서 실험한 결과 위험이 없는 것으로 판정된 약품(예 : multivitamin)
  - Category B : 동물 실험 결과 위험이 없거나 약간의 위험이 있는 것으로 판명되었지만 사람에서는 적절한 연구나 확증이 안된 약품(예 : Penicillin)
  - Category C : 동물실험에서 결정적인 위험이 있는 것으로 판명이 되었지만 사람에서는 적절한 연구가 안된 약품 또는 동물이나 사람에서 아직 유효한 결과를 얻지 못한 약품 (예 : Furosemide)
  - Category D : 위험(부작용)이 있지만 약제를 투여하여 얻는 장점이 생명에 대한 위험보다 큰 약품(예 : Streptomycin)
  - Category X : 동물과 사람에게 실험한 결과 장점보다 위험이 더 많은 것으로 증명이 되어 임신 중에 사용이 금지된 약품(예 : isotretinoin)

- 임신 중 방사능 노출
  - ① 진단 목적의 검사 : 태아에게 유전적 이상 초래 가능성이 적음
  - ② 직업상 노출
    - ㉠ 임신 40주 : 5mGy까지 허용
    - ㉡ 200~500mGy : 중추신경계 영향(소뇌증, 정신지연, 자궁내 성장지연 등을 초래)
    - ㉢ 100mGy 이상 노출 : 임신 중절 권유

모체에 투여시 태아와 신생아의 구조나 기능에 해로운 영향을 끼칠 수 있는 약물	
Accutane (isotretinoin)	얼굴 및 귀의 기형(facial–ear anomalies), 심질환
Alcohol	태아 알코올 증후군(기형, 자궁 내 성장 지연)
Aminopterine	유산, 기형
Amphetamine	선천성 심질환, 자궁 내 성장 지연, 금단 증상
Azathioprine	유산
Busulfan (myleran)	성장 지연, 각막 혼탁, 구개열, 난소와 갑상샘 및 부갑상샘의 형성 부전
Carbamazepine	이분 척추(spina bifida), 신경 발달 지연
일산화탄소	대뇌 위축, 소두증, 발작
Chloroquine	난청
흡연	저출생 체중아
Cocaine/crack	소두증, 저출생 체중아, 자궁 내 성장 지연, 행동 장애
Cyclophosphamide	기형
Danazol	남성화
Dicumarol	태아 출혈 및 사망, 코의 형성 부전
Lithium	청색증성 심질환(Ebstein 기형), 거대아
6–Mercaptopurine	유산
Methyl mercury	Minamata병, 소두증, 난청, 실명, 정신지체
Methyltestosterone	남성화
Misoprostol	관절구축증(arthrogryposis), 뇌신경병증(Möbius형), 첨내반족(equinovarus)
Norethindrone	남성화
Penicillamine	이완성 피부 증후군(cutis laxa syndrome)
Phenytoin	기형, 자궁 내 성장 지연, 신경 모세포종, 출혈(비타민 K결핍)
Polychlorinated biphenyl	피부 변색–비후, 박리, 저출생 체중아, 여드름, 발달 지연
Progesterone	남성화
17–α–ethinyl testosterone (Progestoral)	남성화
Quinine	유산, 혈소판감소증, 난청
Stilbestrol	질 선암종(vaginal adenocarcinoma)
Streptomycin	난청
Tetracycline	골성장 지연, 치아 착색 및 법랑질의 형성 부전, 백내장, 사지 기형
Thalidomide	단지증(phocomelia), 난청, 기타 기형
Toluene	두개 안면 기형, 미숙아, 금단 증상, 근긴장 과도
Trimethadione, paramethadione	유산, 기형, 정신지체
Valproate	이분 척추, 신경 기능 장애
비타민 D	판상부 대동맥 협착증(supravalvular aortic stenosis), 고칼슘혈증

모체에 투여시 태아와 신생아의 구조나 기능에 해로운 영향을 끼칠 수 있는 약물	
Acebutolol	자궁 내 성장 지연, 저혈압, 서맥
Acetazolamide	대사성 산증
Amiodarone	서맥, 갑상샘 저하증
마취제(휘발성)	중추신경계 억제
부신피질호르몬	부신피질부전
Aspirin	신생아 출혈, 임신 기간 연장
Atenolol	자궁 내 성장 지연, 저혈당증
Ammonium chloride	산증(acidosis) : 임상적으로는 불명료
Bromides	발진, 중추신경계 억제, 자궁 내 성장 지연
Captopril, enalapril	심혈관계 불안정, 일과성 무뇨성 신부전, 양수 과소증
Mepivacaine의 미추 마취 (caudal–paracervical anesthesia)	서호흡(bradypnea), 무호흡, 서맥, 경련
중추신경계 억제제 (narcotics, barbiturates, tranquilizer)	중추신경계 억제, 근긴장 저하
Cephalothin	Coombs 검사 양성 반응
Cholinergic agent (edrophonium, pyridostigmine)	일과성 근쇠약
Fluoxetine	일과성 신생아 금단 증상, 근긴장 과도 기형
Haloperidol	금단 증상
Hexamethonium bromide	마비성 장폐쇄
Ibuprofen	양수 과소증
Imipramine	금단 증상
Indomethacin	핍뇨, 양수 과소증, 장천공
Iodides	신생아 갑상샘종(goiter)
Isoxsuprine	장폐쇄, 저칼슘혈증, 저혈당증, 저혈압
납	지적 기능(intellectual function) 감퇴
Magnesium sulfate	호흡 억제, 태변 전(栓), 근긴장도 저하
Methimazole, propylthiouracil	갑상샘종, 갑상샘 기능저하증
Morphine 및 유도체	금단 증상
Naphthalene, nitrofurantoin	용혈 빈혈(G–6–PD 결핍아에서)
Oxytocin	고빌리루빈혈증, 저나트륨혈증
Phenobarbital	출혈성 질환(비타민 K 결핍), IQ 감퇴, 진정(sedation)
Primaquine	용혈 빈혈(G–6–PD 결핍아에서)
Propranolol	저혈당증, 서맥, 무호흡
pyridoxine	발작
Reserpine	졸음(drowsiness), 비점막 출혈, 체온 불안정
Sulfonamides	핵 황달, G–6–PD 결핍아에서 용혈
Sulfonylurea	난치의 저혈당증
교감 신경 흥분제(tocoytic–β agonist)	빈맥
Thiazides	신생아 혈소판감소증(드물게 나타난다)

5. 태아 질환의 진단

1) 초음파검사(Ultrasonography)

- 태아 기형진단
  - 초음파로 진단 가능한 태아기형

    수두증, 무뇌증. 척추갈림증(spina bifida), 샘창자 폐쇄, 가로막 탈장, 신장무발생 (renal agenesis), 방광 출구 폐쇄, 선천성 심질환, 사지기형, 엉치꼬리뼈 기형종, 림프물주머니(cystic hygroma), 배꼽탈출(Omphalocele), 배벽갈림증(gastroschisis), 수종 (hydrops)

  - 목덜미 반투명 음영(nuchal pad thickening, nuchal translucency) : 염색체 이상 질환 의심

2) 양수천자

(1) 임신 : 15~16주 모체의 복벽을 통하여 시행 1-2주 이내에 검사 결과를 알 수 있다.

(2) 적응증 : 태아적아구증, 염색체이상 유무 확인

(3) 양수분석

- 신경관 결손(AFP 상승),
- 부신성기증후군(17-ketosteroid, pregnanetriol 치 상승)
- 갑상샘질환
- X-연관성 유전질환 : 혈우병, 진행성 근 디스트로피(progressive muscular dystrophy) 양수내 세포 이용

3) 융모막 융모생검(chorionic villus biopsy)

(1) 임신 9~13주 시행

(2) 임신 제1기에 양수 천자를 대신하여 이용할 수 있는 산전 진단 방법

(3) 조기에 임신 중절 여부를 결정하는데 도움

4) 탯줄천자(Cordocentesis, percutaneous umbilical blood sampling : PUBS)

- 혈색소, 혈소판, 림프구 DNA, 산소분압, pH, 이산화탄소 분압, 유당치 측정 태아혈액이상, 유전 질환, 감염, 태아 저산소증 진단 또는 직접 수혈 또는 약물투여

5) 태아경 검사(Fetoscopy)

(1) 양수경 검사(Amnioscopy)

⑵ 모체의 복벽을 통하여 굴곡성 내시경을 자궁 내로 진입시켜 시진하는 검사로 태아의 기형을 조기에 진단 가능

⑶ 용도

① 태아의 기형을 조기에 진단.

② 혈색소병, 혈우병 및 혈소판감소증의 진단에 필요한 혈액을 배꼽정맥에서 채혈

③ 태아 장기 생검을 통한 여러가지 질환을 진단

⑷ 태아 사망 초래할 수 있는 단점

6) 모체혈액 선별검사(maternal serum screening)

- Triple screen (Quad screen + inhibin A)
  - AFP (α-fetoprotein), 비포합형 estriol (uE3), hCG (human chorionic gonadotropin)
  - 임신 제2기초에 시행-다운증후군, 18번 삼염색체(trisomy 18), Turner 증후군 및 삼배성(triploidy) 등의 질환 예측
  - 모체내의 AFP 상승 : 신경관 결손, 식도폐쇄, 장 폐쇄, 배꼽탈출, 요로폐쇄, 신기형, 선천성 피부결손

    AFP 감소 : Down 증후군, 태아 사망, 제태 기간의 과다 산정

II 정상 신생아

1. 신생아 진찰

1) 신생아 진찰의 특징

- 초진은 가능한 빨리 실시, 고위험 신생의 경우 분만실에서 초진
- 24시간 내에 두 번 또는 그 이상의 자세한 진찰
- 퇴원하기 전 반드시 마지막 진찰이 필요
- 맥박(120~160회/분), 호흡수(30~60회/분), 체온, 체중, 키, 머리 둘레 및 기타 이상을 기록
- 눈 : 아기를 안고 머리를 앞뒤로 기울이면 자연적으로 눈을 자주 뜨게 된다. 이 수기는 미로반사(labyrinthine reflex) 및 경부반사(neck reflex)에 의하여 안검을 강제로 뜨게 하는 것보다 눈을 보는데 더 효과적이다.

2) 진찰 방법

조용하고 안정되어 있을때 복부 촉진, 심장의 청진 후 다른 진찰 시행

(1) 전신 모습

- 능동적. 수동적 근육의 긴장도와 특별한 자세 기록
- 발목 또는 턱의 간대 근경련(myoclonus) - 흔히 나타남

☆(2) 피부

- 암적색, 자색 - 혈관 운동신경 불안정, 말초혈액 순환 완만
- 손발에 청색증 - 손발이 차가운 경우
- 얼룩덜룩한 점(mottling) - 중증의 질환/ 피부 표면 온도의 일시적 변화
- 이마에서 치골까지 붉고 반은 창백(harlequin) 색조 - 일시적 상태
- 창백 : 가사, 빈혈, 쇼크
- 해면 혈관종(cavernous hemangioma) : 깊고 파란색의 덩어리 - DIC, 국소 기관 방해
- 요천골 척추 위의 털 : 척추 갈림증(occult spina bifida), 동로(sinus tract), 종양을 시사
- 독성 홍반 : 생후 1~3일경 홍반위에 작은 수포 농포성 구진 - 일시적 현상으로 더 위험 한 수포 질환과의 감별
- 양막대(aminotic band) : 피부, 사지, 얼굴, 몸통을 분열

(3) 두개골

- 변형(mold) : 첫째 아기인 경우 심함
- 앞숫구멍(anterior fontanel) : 열려져 있으며 연하고 편평

- 시상 봉합(sagittal suture) : 가까이 두정골에서 말랑말랑한 부분이 가끔 발견됨
- 무뇌수두증(hydroanencephaly)/수두증(hydrocephaly) :
  어두운 방에서의 투조법(transillumination), 뇌초음파, 뇌 MRI
- 지나치게 큰 머리 : 수두증, 축적증, 뇌거대증, 신경피부 증후군, 선천 대사이상 의심

(4) 얼굴

- 눈구석주름, 양안 격리증, 소안구증, 긴 인중, 낮게 위치한 귀를 관찰
- 얼굴이 비대칭적 : 7번 뇌신경 마비, 입의 한쪽 끝의 감압 근육 형성 저하증

(5) 눈

- 아기를 안고 머리를 앞뒤로 기울이면 자연적으로 눈을 뜸 : 미로 반사, 경부반사
- 홍채 : 결손증, 이색증 관찰
- 지름 1cm 이상의 각막 : 선천녹내장 의심
- 양안의 적색반사 확인

(6) 입

- 연구개, 경구개 : 완전한 구개열/ 점막하 구개열인지 조사
- 왕성한 침 분비는 없으며 혀는 비교적 크다.
- 혀주름띠(frenulum)가 짧은경우 잘라줄 수 있다.

(7) 폐

- 30~60회/분
- 정상 호흡음 : Bronchovesicular sound
- 역행 운동 : 횡격막 호흡 – 흡기 동안 가슴의 부드러운 앞쪽이 안쪽으로, 배는 튀어나옴
- 힘들어 하는 호흡(labored breathing) : 호흡곤란 증후군, 폐렴, 기형, 폐의 기계적 장애
- 호기시 구슬픔 울음소리, 그렁거림(grunting) : 잠재적인 중증의 심폐질환
- 콧방울(alae nasi) 벌렁거림, 늑간근 및 흉골의 함몰 : 폐병변

(8) 심장

- 맥박 : 90~174회/분
- 심초음파 검사 : 의미 있는 심질환시 시행할 검사

(9) 복부

- 간 : 늑골하 2cm에서 촉지
- 비정상적인 복부종괴 : 초음파 검사
- 신장의 병변 : 신생아기 복부 종괴의 m/c – 수신증, 다낭 신장 형성 장애
- 배꼽 탈출(omphaocele) : 복벽 결손이 탯줄을 통해 발생

- 배꼽염 : 배꼽 주위 조직의 급성 염증
- 복벽, 복막, 배꼽정맥, 문맥정맥, 간으로 전파 가능
- 배꼽 혈관 : 2개의 동맥, 1개의 정맥(1개의 동맥시 신기형 위험 증가)

(10) 항문

- 태변 : 생후 12시간 내에 나옴
- 쇄항 : 항상 겉으로 보이는게 아님, 새끼손가락이나 직장관을 넣어서 알아본다
  (방사선 검사 필요)

☆ Timing of Selected Primitive Reflexes			
Reflex	**Onset**	**Fully Developed**	**Duration**
Palmar grasp	28 wk	32 wk	2~3 mo
Rooting	32 wk	36 wk	Less prominent after 1 mo
Moro	28~32 wk	37 wk	5~6 mo
Tonic neck	35 wk	1 mo	6~7 mo
Parachute	7~8 mo	10~11 mo	Remains throughout life

① Moro 반사 : 바로 누운 아이를 30°정도 머리를 들어 순간적으로 뒤로 떨어뜨린 후 바로 검사자의 손으로 받쳐주면 아이는 양 팔을 외전(abduction)하며 쭉펴고(extension), 엄지손가락은 구부리는(flexion) 동작에 이어서 양팔을 구부려 내전(flexion, adduction)하는 양상을 보임

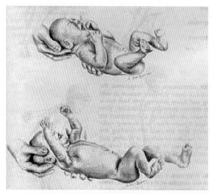

- 재태기간 28-32주경에 나타날 수 있고, 37주면 완전히 발달
- 대칭적(symmetric)이며, 생후 5~6개월간 지속
- 비대칭적인 경우 : 쇄골 골절(clavicle fracture), 상지신경손상(brachial plexus injury), 편마비(hemiparesis) 등을 의심
- 만삭아에서 모로(Moro) 반사 소실 : 중추신경계의 심각한 기능 장애

② 비대칭 긴장경 반사(asymmetric tonic neck reflex) : 바로 누워 있는 아이의 머리를 잡아 한쪽으로 돌리면 얼굴이 향하는 쪽 굴근의 긴장이 사라져 팔과 다리를 펴게 되고, 반대쪽의 사지는 굴곡.

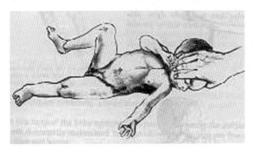

- 재태기간 35주에 나타나고 출생 후 1개월에 가장 발달
- 생후 6-7개월간 보일 수 있음.
- 비정상–머리를 한쪽으로 돌렸을 때의 자세에서 그대로 멈춰 변화를 보이지 않는 경우(obligatory tonic neck response)

③ 파악 반사(grasp reflex)
- Palmar grasp reflex – 아기의 손바닥에 검사자의 손가락이나 물건을 놓으면 움켜쥐며, 빼려고 하면 더욱 세게 됨
  : 재태기간 28주에 나타나기 시작, 32주에 완전히 발달, 출생후 2–3개월 간 나타남.
- Plantar grasp reflex : 생후 9개월경에 소실.

④ Rooting reflex, 흡철 반사(sucking reflex) 및 연하 반사(swallowing reflex)

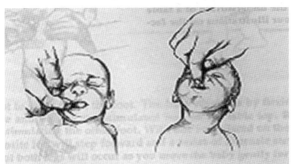

- 신생아가 젖을 빠는데 중요한 반사들
- Rooting reflex : 뺨이나 입술의 한쪽에 부드러운 자극을 주면 고개를 그쪽으로 돌리는 반응

⑤ 보행 반사(stepping and walking reflex) : 아기를 바로 세워 들고 발바닥을 닿게 하면, 체중을 약간 지탱하면서 몇 걸음 걷는 양상. 생후 2~4개월에 소실

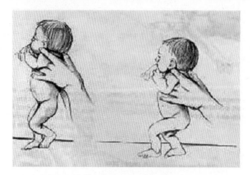

⑥ Placing reflex : 아기를 세운 자세로 들고 발등을 책상 모서리에 닿게 하면 그 다리를 구부려 발을 책상 위로 올려놓는 듯한 반응. 생후 2개월에 소실

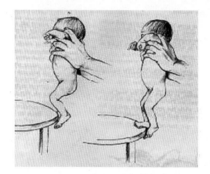

⑦ 심부전반사(Deep tendon reflex) : Ankle clonus는 10회까지 나타남

⑧ Babinski 반사 : 발가락이 벌어지는 양상

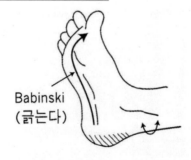

⑨ Positive support : 아이의 겨드랑이 붙잡아 세워 바닥에 발이 닿도록 하면 아이가 체중을 지탱하려고 다리를 펴는 반응. 생후 1~2개월에 소실

⑩ Crossed extension : 바로 누운 아이의 한쪽 다리를 펴서 붙잡아 고정시키고 발바닥에 아픈 자극을 주면 반대쪽 다리를 구부렸다 펴면서 내전(adduction)하여 마치 아픈 자극을 제거하려는 것처럼 보이는 반응. 생후 1~2개월에 소실

⑪ Truncal incurvation reflex : 출생 직후 나타나며, 생후 1~2개월경 소실됨.

3) 신생아 정상소견
- 호흡수 : 평균 30~40회/분(60이상이면 심폐질환이나 대사질환의심)
- 맥박수 : 평균 120~140회/분
- 혈당 : 출생 시 55~60 mg/dL → 1~3시간까지 감소하여 가장 낮은 값→ 다시 상승하여 생후 3~24시간에 40~45mg/dL의 혈당치를 유지한다.
- Hb : 14~20 g/dL
- reticulocyte : 3~5%
- WBC : 10,000~20,000/mm³(neutrophils : 45~55%, lymphocyte 45~30%). 혈소판은 성인과 같다. 혈액량 : 출생 시 85mL/kg → 생후 1개월 75mL/kg

3) 내분비계-뇌하수체의 tropic hormone들은 태반을 통과하지 못하지만, 갑상샘호르몬은 태반통과
① 선천성 갑상샘 기능저하증 : 5%만이 출생 시 임상 증상이 나타남. 생후 2~3개월까지도 임상적으로 기능저하 증상이 나타나지 않을 수도 있음. 생후 초기(6주 이내)에 치료를 시작해야 성장장애가 초래되지 않음→ 신생아기의 선별검사가 반드시 필요
② 출생 수일 후에 남아나 여아에서 유방이 커짐 : 태반을 통하여 넘어온 모체의 estrogen 영향
③ Witch's milk : 모체의 prolaction작용으로 신생아에서 젖이 나옴
이런 현상은 저절로 소실되므로 치료할 필요가 없다.

2. 신생아의 관리

관리원칙 : 최대한도의 주의깊은 관찰(maximum observation)과 최소한도로 손을 대는것 (minimal handling)

1) 분만실에서의 관리

- 머리를 약간 낮춘 자세로 뉘어 놓아 점액 등이 구강, 코로부터 중력에 의해 흘러내리게 한다.
- 첫 호흡을 하기 전에 분비물을 입, 인두, 코 순서로 흡입시켜 제거해 주어야 함.
- 구개나 후두를 가제로 닦아 내는 것은 몸 속에 상처를 내거나 아구창이 생기게 하며, 익돌 궤양 또는 드물게 상악 골수염 및 눈뒤 농양을 동반한 치아의 감염을 유발할 수 있음.
- 제왕절개로 태어난 아기의 위는 질식분만으로 출생한 아기보다 더 많은 양수가 있으므로, 위액의 기도내 흡입을 방지하기 위하여 위관(gastric tube)으로 비워주어야 함.

☆ <Apgar score>

저산소증– 산혈증이 있어 출생 후에 소생술이 필요한 신생아를 알아내는 데 실제적인 방법

- 신생아 사망이나 뇌성마비를 예견할 수는 없음

  1분 점수 : 출생 직후 소생술의 필요성을 의미

  5, 10, 15, 20분 점수 : 신생아가 성공적으로 소생될 가능성을 가리킴

  20분 후의 Apgar 점수가 0~3이면 높은 사망률과 이환율이 예견

Apgar 채점 기준			
증상	0	1*	2
심박동수	없다	< 100	≥ 100
호흡	없다	느리거나 불규칙하다	양호, 잘 운다
근력(muscle tone)	늘어져 있다	사지를 약간 굴곡	활발히 움직인다
자극에 대한 반응* (카테터를 콧속에 넣어 반응을 본다)	반응 없다	얼굴을 찡그린다	기침을 하거나 재채기
피부의 색깔	청색 또는 창백	동체는 홍색, 손발은 청색	전신이 분홍색(pink)

☆ * 구인두를 깨끗이 하고 난 후에 검사한다. 신생아가 출산된 후 1분에 채점한 점수가 10점 만점에 0~3점이면 즉각적으로 소생술을 시행해야 한다.

Apgar 점수에 영향을 끼치는 요인	
거짓 양성 (태아 산증 저산소증 없음 : 낮은 Apgar 점수)	거짓 음성 (산증 있음 : 정상 Apgar 점수)
미숙 진통제, 마취제, 진정제 Magnesium sulfate 급성 뇌 손상 난산 선천 근병증 선천 신경병증 척수 손상 중추신경계 기형 폐기형(가로막 탈장) 기도 폐쇄(후비공 폐쇄) 선천 폐렴 및 패혈증 이전에 태아 가사의 episodes (회복된) 출혈–혈액량 감소	산모의 산혈증 태아 고 catecholamine치 소수의 만삭아

2) 신생아실에서의 관리

(1) 신생아실의 환경

- 온도 : 24℃

- 습도 : 50-60%

- 60 foot candle 정도의 밝기

- 80 dB이하의 조용한 분위기

(2) 신체의 계측

- 생체 활력과 체중, 신장, 두위, 흉위, 복위

- 체온 : 액와에서 잼. 처음 2~3일은 4시간마다, 이후 8시간마다 측정. 액와 체온의
  정상 범위 : 36.5-37.4℃

(3) 눈의 관리

- 임균(gonococcus) 감염 방지 : 신선한 1% 질산은 용액을 몇 방울 정도 눈에 점안, 생
  리식염수로 씻어낼 경우 염산은염의 침착이 생기므로 금기

- *Chlamydia* 결막염 : 0.5% erythromycin 또는 1.0% tetracycline 안연고를 점안

(4) 탯줄의 관리

- 배꼽 동맥이 1개인 경우 : 선천성 기형(특히 비뇨기계)이나 염색체 이상(18 trisomy)
  의 빈도가 높음 : 저출생 체중아이거나 사망률이 높음

- 배꼽염 방지 : bacitracin 연고, triple dye 중 하나를 배꼽이 떨어질 때까지 매일 발라
  줌(2주 이내에는 떨어짐)

(5) 피부의 관리

- 신생아는 체온 등이 충분히 안정될 때까지 피부를 닦지 않는 것이 좋음.
- 출생 직후의 목욕은 체온 저하와 피부 감염증의 위험을 높임.
- 신생아실 출입과 신생아 질환 때마다 손을 씻는다.
- 배꼽이 떨어져 나가면(1~2주) 욕조에서 목욕 가능

(6) 영양법

- 모유 영양 : 아기가 젖을 빨려고 하면, 되도록 일찍부터 빨리기 시작(한쪽 젖을 석어도 5분간 수유). 보통 2~3시간 간격 or 아기가 젖을 빨고 싶어하면 시간에 구애받지 않음.
  머리를 약간 낮춘 자세로 바로 눕혀 흡인을 예방
- 인공 영양 : 정상 만삭아에서 4시간 이내에 증류수를 먹여 보고(15mL가량), 괜찮으면 우유를 먹이기 시작(처음 200mL. 15mL 정도 씩 증량)

(7) 비타민

비타민 K : 신생아 출혈성 질환을 방지하기 위해 출생 직후 1mg을 근육 주사,
다량을 정맥주사하면 고빌리루빈혈증이나 핵황달 초래 가능.
생후 2주 후부터 비타민 A, C, D를 주기 시작.

(8) 약물과 모유 영양

- 항고혈압제 : 안전하기는 하나, 모유 영양 시는 주의
- 산모에 진정제 투여 : 아기도 진정됨
- 모유의 의학적 금기 사항 : HIV 감염, 초기 CMV 감염, HBV 감염(HBIG와 HB vaccine을 받을 때까지)

약물과 모유 영양		
절대 금기	피하거나 주의 깊게 투여	대체로 안전하지만 주의해서 투여
Antineoplastic agents	Amiodarone	Acetaminophen
Amphetamines	Anthroquinones (laxatives)	Acyclovir
Bromocriptine	Aspirin (salicylates)	Aldomet
Clemastine	Atropine	Anesthetics
Cimetidine	Birth control pills	Antibiotics (tetracycline 제외)
Chloramphenicol	Bromides	Antithyroid (methimazole 제외)
Cocaine	Calciferol	Antiepileptics
Cyclophosphamide	Cascare	Antihistamines*
Cyclosporine	Danthron	Antihypertensive/cardiovascular
Diethylstilbestrol	Dihydrotachysterol	Bishydroxycoumarin
Doxorubicin	Extrogens	Chlorpromazine*
Ergots	Ethanol	Codeine*
Gold salts	Metoclopramide	Digoxin
Heroin	Metronidazole	Dilantin
Immunosuppressants	Narcotics	Diuretics
Iodides	Phenobarbital*	Fluoxetine
Lithium	Primidone	Furosemide
Meprobamate	Psychotropic drugs	Haloperidol*
Methimazole	Reserpine	Hydralazine
Methylamphetamine	Salicylazosulfapyridine	Indomethacin, other nonsteroidal
Nicotine (smoking)	(Sulfasalazine)	antiinflammatory drugs
Phencyclidine (PCP)		Methadone*
Phenindione		Muscle relaxants
Radiopharmaceuticals		Prednisone
Tetracycline		Propranolol
Thiouracil		Propylthiouracil
		Quinolones
		Sedatives*
		Theophylline
		Vitamins
		Warfarin

*진정(sedation)에 대해 관찰요망

(9) 다생아

다태 임신시 태반의 이상으로 탯줄의 난막 부착, 단일 양막과 모체의 임신 중독증 빈도 증가. 조산, 저출생 체중아, 자궁 내 성장지연, 기형 및 태아–태아 간 수혈등의 빈도 증가. 사망률도 높다.

(10) 신생아 선별 검사

- 발뒤꿈치 혈액검사 : 갑상샘 저하증, 페닐케톤뇨증, 갈락토스혈증, 단풍시럽뇨증, 선천 부신 과다형성, 호모시스틴뇨증, 타이론신혈증 및 다른 유기산 또는 아미노산증
- 청각 검사 : 언어발달에 영향(5/1,000, 심한 장애 2/1,000)

3) 조기퇴원

- 48시간 내 퇴원
- 조심스러운 추적 관찰 필요

4) 부모-신생아 결합

- 정상 영아 발달은 부분적으로 산모와 신생아를 정신적 및 생리적으로 결합시키는 일련의 둘 사이의 교환된 애정 반응에 달려 있음.
- 애착의 시작은 출생 전부터, 즉 임신을 계획하고 확인하며 태아를 자라나는 한 생명체로 인정하면서부터 시작됨.
- 엄마와 아기의 첫 접촉은 분만실에서 이루어져야 하며, 생후 수시간 내에 계속적으로 밀접한 접촉이 있어야 함.
- 지연된 임산부-신생아 결합
  - 미숙아, 신생아 또는 임산부의 질병, 선천 기형, 가족 내 갈등에 의해 유발
  - 아기의 발달, 양육에 문제
  - 개방된 신생아실, 보자 동실 제도, 부모에 의한 보살핌, 가족중심 보살핌 필요
- 아기가 젖을 물면 젖분비가 촉진됨.- prolactin 분비 강력히 자극

5) 모자 동실

- 장점 : 아버지, 어머니, 아기 삼자 사이의 정신적 결합을 좋게 만들고, 부모 교육, 모유영양 용이, 신생아 사이의 상호 감염감소
- 단점 : 외부 방문객에 의한 감염 발생, 의료인에 의한 관찰이 잘 되지 않아 병의 조기 발견이 늦어질 가능성

Ⅲ 신생아 질환

1. 신생아 질환의 임상 증상

1) 중심 청색증

- 원인 : 호흡기, 심장, 중추 신경계, 혈액, 대사이상
- 폐질환 : 호흡이 빠르며 흉곽 함몰 동반
- 중추 신경계 : 불규칙한 호흡, 느린 호흡
- 호흡곤란 증상이 없을 경우 : 청색증 선천 심장병, 메트 헤모글로빈혈증 의심

2) 창백

저산소증, 질식, 저혈당증

3) 저혈압

출혈, 탈수에 의한 shock, 심기능 부전, 기흉, 대사 질환

4) 경련

- 대부분 중추 신경계이상 : 저산소 허혈 뇌병증, 두개 내 출혈, 뇌기형, 경막하 삼출, 뇌막염등
- 분만실이나 분만 후 짧은시간 경련 : 국소 마취제에 의한 영향
- 경련과 떨림을 감별 : 경련은 포착이 힘들며 눈이나 안면의 비정상적 움직임이 동반됨
- 중증 분만 질식 : 운동 자동증(입, 볼, 혀의 움직임, 회전 사지운동(노젓기, 페달), 긴장성 자세)

5) 기면

- 거의 모든 중증질환
- 생후 이틀 이후에는 감염을 시사함

6) 열

- 환경온도가 너무 높은 상황
- 발열 원인들이 배제된 경우 심각한 감염 고려

7) 황달

- 첫 24시간 이내 : 병적인 상태, 진단적 평가를 시행 – 원인이 밝혀지기 전까지 용혈로 간주
- 생후 24시간 이후 : 생리적 황달일 수 있음

8) 통증

- 간과되거나 제대로 치료받지 못하 수 있음
- 통증 경감방안(아편 유사제, 벤조디아제핀)이 필요

2. 저체중 출생아(Low Birth Weight Infant)

1) 정의

(1) 미숙아(or 조산아)

재태기간 37주 미만 또는 최종 월경일에서 259일 미만에 태어난 아기

(2) 저체중 출생아(LBWI) : 출생 시의 체중 2,500g 미만,

2/3은 미숙아, 1/3은 부당 경량아(small for gestational age)

- 극소 저출생 체중아(VLBW) : 1,500g 미만
- 초극소 저출생 체중아(ELBW) : 1,000g 미만

(3) 부당경량아(SGA) : 제태 기간에 대한 체중이 10백분위수 미만

(4) 부당중량아(LGA) : 제태 기간에 대한 체중이 90백분위수 이상

(5) 적정체중아(AGA) : 제태 기간에 대한 체중이 10~90백분위수

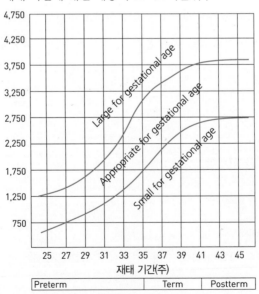

체중–재태 기간 곡선(Lubchenco)

2) 재태기간의 추정(Estimation of gestational age)

(1) 새로운 Ballard score : 출생 후 재태기간 추정을 위해 m/c 사용

	−1	0	1	2	3	4	5
자세							
각창 : 손목 각도	90°	90°	60°	45°	30°	0°	
팔의 되돌아 오기 반응		180°	140~180°	110~140°	90~110°	<90°	
오금(슬와) 각도	180°	160°	140°	120°	100°	90°	90°
스카프 징후							
발뒤꿈치 → 귀 시행							

	−1	0	1	2	3	4	5
피부	끈끈하고, 손상받기 쉬우며, 투명하다.	빨갛고 젤리 같으며, 반투명하다.	매끄럽고 분홍색이며, 세정맥이 잘 보인다.	표면의 박리, 정맥이 약간 보인다.	갈라지고 창백하며, 정맥이 거의 안 보인다.	양피지 같고 깊은 금이 있으며, 정맥은 안 보인다.	가죽 같고 금이 있으며, 주름이 잡힌다.
솜털	없다.	드문드문 있다.	많다.	점차 줄어든다.	없어진 부위가 있다.	대부분 없다.	
발바닥 (발금)	발뒤꿈치→발가락 사이의 거리 40~50mm:−1 <40mm:−2	>50mm 발금이 없다.	빨간 흔적만 관찰된다.	앞부분에 횡선만 관찰된다.	앞 2/3 부분에 주름들이 관찰된다.	발바닥 전체에서 주름이 관찰된다.	
유방	없다.	거의 없다.	편평한 유륜, 젖꼭지 (−)	융기되기 시작, 젖꼭지 : 1~2mm	융기된 유륜, 젖꼭지 : 3~4mm	정상 유륜 젖꼭지 : 5~10mm	
눈, 귀	안검−융합 살짝 붙음(−1) 꼭 붙음(−2)	안검 : 열려 있다. 편평한 귓바퀴, 접힌 상태의 귀	귓바퀴에 약간 굴곡이 생기며 부드럽다. 귀를 접으면 서서히 원상으로 돌아간다.	굴곡이 확실하게 있고 부드럽다. 접으면 쉽게 펴진다.	딱딱하고 형태가 뚜렷하다. 접은 즉시 펴진다.	연골이 두꺼워지고, 귀가 딱딱해진다.	
생식기 (남)	음낭이 편평하고 표면이 매끈하다.	음낭이 비어 있고 주름이 거의 없다.	고환은 서혜부에 있고, 주름이 거의 없다.	고환이 내려오며 주름이 약간 생긴다.	고환이 완전히 내려오고, 주름이 확실히 생긴다.	고환이 음낭 아랫 부분에 있고, 주름이 깊게 생긴다.	
생식기 (여)	음핵이 크며, 소음순은 편평하다.	음핵이 크며, 작은 소음순이 관찰된다.	음핵이 크며, 소음순이 커진다.	소음순 및 대음순이 모두 관찰된다.	대음순이 더 크고 소음순은 작게 보인다.	음핵과 소음순은 대음순에 가려진다.	

성숙도	
점수	주
−10	20
−5	22
0	24
5	26
10	28
15	30
20	32
25	24
30	36
35	38
40	40
45	42
50	44

[새로운 Ballard score (1991)]

(2) 미숙아의 특징

① 피부 : Lanugo가 많다. 피하조직이 적다. 다리에 부종이 있다.

② 체표면적이 상대적으로 더 넓다.

③ 호흡조절이 미숙하다.

④ 두위＞흉위 : 재태기관 짧을수록 차이가 크다.

⑤ 초기 생리적 감소가 심하고 회복되는데 정상 신생아(7~10일)보다 오래 걸린다.

⑥ Apgar점수가 만삭아에 비해 재태기간이 짧을수록 더 낮다.

⑦ 저체온 감염 및 유리질막병, 뇌실내출혈, 괴사성 장염, 핵황달, 미숙아 망막증 등
의 합병증이 잘 발생 한다.

★3) 미숙아와 관련된 신생아기 문제

호흡기계
　신생아 호흡곤란 증후군(RDS) (유리질막병*)
　만성 폐질환(기관지 폐 이형성증, BPD)*
　기흉, 기종격, 간질성 기종
　선천성 폐렴
　무호흡

순환기계
　동맥관 개존(PDA)
　저혈압
　서맥(무호흡 동반)

혈액계
　빈혈

위장관계
　위장관 기능저하(미숙한 장 운동)*
　괴사성 장염
　고빌리루빈혈증(직접 및 간접형)
　자연적위장관 단독 천공

대사-내분비계
　저칼슘혈증*
　저혈당증*
　고혈당증*
　후기 대사성 산증
　저체온*
　정상 갑상샘 기능과 저 T4

중추신경계
　뇌실 내 출혈*
　뇌측실부 백질 연화증
　경련
　미숙아 망막증
　저긴장증*
　난청

신장계
　저나트륨혈증*
　고나트륨혈증*
　신세뇨관성 산증(RTA)
　신성당뇨
　부종

기타
　감염*
　(선천성, 주산기, 병원성 : 세균, 바이러스, 진균, 원충)

* 자주 발생하는 질환

(1) 체온 조절

　① 저체온

　　• 미숙아는 체온을 조절하는 기능이 만삭아보다도 덜 발달됨

　　• 저체온의 영향 – 산증, 무호흡, 사망 초래

　　• 미숙아에서 저체온이 잘오는 이유

　　　Ⓐ 상대적으로 큰 체표 면적

　　　Ⓑ 갈색 지방 부족으로 인한 열 생산 부족

　　　Ⓒ 피하 지방 부족으로 인한 열 복사의 증가

　　　Ⓓ 불충분한 영양공급으로 인한 영양 부족

　　　Ⓔ 폐질환에 의한 산소 공급 부족

　② 고체온

　　• 환경온도가 너무 높은 경우 발생

　　• 발한(Sweating)기전이 미숙하여, 열을 잘 발산할 수 없기 때문

(2) 심장–호흡기계

　① 미숙아들은 늑골이 연하고 늑간 근육이나 횡격막의 힘이 약함

　　: 흡기 때 흉곽 내 음압에 의해 흉벽이 빨려 들어가 가슴이 작아져 폐포가 확장이 잘 안됨

　② 폐표면활성제(surfactant)를 분비하는 type II 폐포 세포의 기능이 불충분하고, 폐탄성 조직(elastic tissue)이 잘 발달되어 있지 않는 경우

　　: 폐포안의 표면 장력이 상대적으로 커져서 폐포의 정상적인 팽창이 이루어 지지 않음 → 유리질막병(Hyaline membrane disease).

　③ 미숙아들이 만삭아에 비해 동맥관이 늦게 닫히는 경우가 많음

　　: 유리질막병이 호전되어 폐혈관 저항이 감소하게 되면 동맥관을 통한 좌→우 단락이 생김→심부전으로 인한 출혈성 폐부종이 발생하기도 함

(3) 뇌실 내/두개내 출혈

　• 미숙아에 있어서 가장 흔한 합병증 중의 하나

　　– 출혈의 빈도는 출생 시의 체중과 반비례(500~750g에서 60~70%, 1,000~1,500g에서 10~20%)

　　– 출생 시 나타나는 경우는 드물며 80~90%에서 3일 이내에 나타남. 그 중 1/3은 발생 후 진행

　　　① 발생기전 : 미세혈관이 매우 많이 분포되어 있고 주위 조직이 치밀하지 않은 germinal matrix의 혈관들에 대한 혈류 조절이 asphyxia 및 그 회복과정에서 잘 이루어지지 않아 발생

② 위험 요소 : 유리질막병, 갑작스런 뇌 혈류 증가나 감소, 혈관벽의 약화, 정맥

압의 증가, 기흉, 혈량 과다, 고혈압

③ 증상

- 다량의 출혈 시는 갑자기 대천문이 융기하면서 무호흡, 창백, 경련, 기면,

대사성 산증, 혈색소 감소

- 소량의 출혈만 있는 경우에는 증상이 없거나 경미.

→ ∴1,500g 미만 및 출혈이 의심되는 환아는 출생 후 3~7일 내에 두부 초

음파 검사 시행

Ⓐ 뇌실 내 출혈의 4단계(두부 초음파 검사로 출혈의 위치와 정도에 따라 분류)

┌ 제1단계 : 출혈이 germinal matrix에 국한된 경우

├ 제2단계 : 뇌실확장이 동반되지 않은 뇌실내 출혈

├ 제3단계 : 뇌실확장이 동반된 뇌실내 출혈 ┐

└ 제4단계 : 제3단계 출혈과 동반된 뇌실질의 출혈 ┘ 예후불량

두개내 출혈이 신경학적 예후 : 출혈의 정도와 위치에 따라 결정

뇌의 혈류 감소로 인해 측뇌실 부위 백질(periventricular white matter)에 괴사가 생기

는 "백질 연화증"이 미숙아에서 잘 발생 → 초기에는 증상없다가 영·유아기에 강

직성 하지마비로 나타날 수 있다.

⑷ Hyperbilirubinemia

- 미숙아는 BBB가 미숙하여 낮은 빌리루빈치에도 핵황달이 올 수 있다(신생아 황달 참조).

- 광선요법 조기실시

⑸ 위장관 : sucking reflex, swallowing reflex의 조화가 34주 이전까지는 완전하지 않으므로

34주 미만의 미숙아는 튜브로 영양 시작

① 식도

- 위식도역류 : 미숙아에서 하식도괄약근(lower esophageal sphincter)의 발달이 체중

보다는 교정연령과 비례하기 때문

② 위

- 만삭아의 위의 크기는 약 50mL이며 공복 시간은 1-4시간이다.

미숙아는 제태기간이 작을수록 위의 크기가 작고 공복 시간이 길어지며 장의 근

육층이 잘 발달되지 않아 쉽게 팽만해 진다.

③ 태변

- 췌장 분비물, 세포, 태지(vernix) 및 취모(lanugo) 등에 의하여 제태기간 12주경에

만들어짐. 태변의 양은 60~200g.

- 34주 이내의 미숙아에서는 태변착색이 거의 없음
④ 32주 이내의 미숙아에는 신생아 괴사 장염(neonatal necrotizing enterocolitis, NEC)이 잘 일어난다.
- 복부팽만, 수유시 잔량(residue) 및 대변 잠혈 반응이 양성으로 괴사장염이 의심될 때에는 즉시 수유중단 및 증상에 따른 치료해야한다.

(6) 비뇨기계
① GFR은 34주부터 현저히 증가한다.
② 미숙아들은 요 능축능력이 저하되어 있고 GFR도 낮으며 요세뇨관 기능 미숙 및 anabolism이 상승되어 urea가 적게 만들어져 H^+를 잘 분비하지 못하고 아미노산, 인, 포도당의 재흡수가 잘 일어나지 않는다.

(7) 미숙아 망막증(Retinopathy of prematurity)
① 발생 기전 : 망막의 미숙함, 고농도의 산소, 쇼크, 가사, 저체온, 비타민 E 결핍, 빛에 노출 등 → 초기손상 → 망막혈관 증식 → 부종, 출혈, 초자체액과 망막의 혼탁 및 망막 박리 →시력 상실
② 예방 : 산소의 조심스런 투여, 비타민 E의 투여, 빛에 노출 방지(모든 망막증을 예방할 수는 없다.)
→ ∴ 조기진단을 위해
- 1.8kg 미만(극소 미숙아에서는 산소투여없이도 발병)
- 제태기간 33 주 미만의 미숙아
- 출생 후 산소 치료를 6시간 이상 받았던 신생아
→ 4-6주에 망막 검사를 받아야 한다. (32-34주 → F/U 36-37주)
③ 치료 : 냉동응고치료, 레이저 광응고치료

4) 저체중 출생아를 초래하는 원인

조산을 일으키는 원인	
태아의 이상	태아 곤란증, 다태 임신, 태아 적아구증, 비면역성 태아 수종
태반의 이상	태반 기증 부전, 전치 태반, 태반 조기 박리
자궁의 이상	쌍각 자궁, 자궁 경관 무력증
산모의 원인	임신 중독증, 만성 질환(청색증형 심장병, 신장병), 감염증(*Listeria monocytogenes*, group B *streptococcus*, UTI, bacterial vaginosis, chorioamnionitis), 약물 남용
기타	조기 양막 파수, 양수 과다증, 의인성

★5) 저체중 출생아의 관리

(1) 보육기 관리

① 온도 : 옷을 입지 않은 신생아에서 최소의 열손실과 산소 소비를 필요로 하는 최적의 보육기 온도는 심부 체온을 36.5~37℃로 유지 할 수 있는 온도. 아기가 작을수록 미숙할수록 더 높은 온도를 필요로 한다.

② 비교 습도 : 40~60%

Ⓐ 낮은 환경온도에서 열손실을 감수시켜 체온유지에 도움을 줌

Ⓑ 기도의 건조와 자극을 예방

Ⓒ 산소 투여시 또는 기관삽관 중이나 삽관 후에 분비물의 점도를 묽게 하고 폐로부터 불감성 수분손실 감소

③ 산소 공급

• 적응증은 청색증, 무호흡, 빈맥 등

• 증상을 없애는 최소한의 산소만을 공급

• 고산소증이나 저산소증의 위험을 줄이기 위해서는 동맥혈 산소분압(PaO_2)을 계속 측정

• 분만실에서 소생술 시행 시 100% 산소 사용

(2) 영양

① 비경구 영양 또는 경관 영양(gavage feeding)

호흡곤란, 저산소증, 순환부전, 과량의 분비물, 구역질, 패혈증, 중추신경계의 억제 상태, 미숙 또는 중병의 징조가 있을 때

② 경구 영양

강하게 빠는 힘과 삼키는 행동에서 후두개와 목젖의 조화, nasal passage, 정상적인 식도의 운동이 필수적이며 이는 34주 정도가 되어야 한다.

(3) 수유의 시작 : 미숙아 수유의 원칙 – 조심스럽게 점진적으로 양을 증가시키는 것

아기가 빨려는 모양을 하고 힘들어하지 않으면 경구영양시작

① 대부분의 1,500g 미만의 미숙아는 경관 영양을 한다. 활동적인 장음, 태변 배출, 복부 팽만이나 복막염 증상이 없고 담즙이 넘어오지 않는다면 경구 영양의 준비로 충분

② 1,000g 미만 미숙아

• 2배 희석 or 희석하지 않은 원래의 모유나 미숙아 분유

• 10~20mL/kg/day의 속도로 continuous nasogastric feeding or 2–3시간 간격으로 먹임

• 최초의 수유가 성공적이면 20–30mL/kg/day 씩 늘린다.

• 하루에 늘릴 수 있는 양은 20mL/kg를 초과하지 않도록 함.

- 수유량이 150mL/kg/day에 이르면 열량 함량을 24~27kcal/oz로 증가시킴.
- 고열량 농도에서 탈수, 부종, 유당불내증, 설사, 가스팽만, 위배출의 지연, 구토 증상을 보일 수 있음.
- 영양공급이 120mL/kg/day에 이르기까지 IV fluid 보충이 필요

③ 1,500g 이 넘는 미숙아모유나 미숙아 분유 원액을 3~4시간 간격으로 bolus로 20-25mL/kg/day를 준다.

④ 체중증가

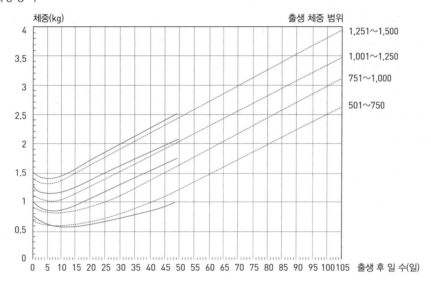

신생아 체중 증가 곡선

⑤ 단백질
- 출생 시 체중 2,000g이하 저출생 체중아는 2.25~2.75g/kg/day의 단백질을 포함하는 모유나 모유화된 분유(40% casein, 60% whey)로 충분한 체중증가를 이룰 수 있다.
- tyrosine, cystine, histidine을 포함하여 모든 필수아미노산을 공급해야 함.

⑥ 미숙아 분유 : 칼슘, 비타민 D가 과량 포함되어 고칼슘혈증의 우려가 있으므로 퇴원할 때까지 또는 34-36 주까지는 끊어야 한다.

⑦ 비타민
- 비타민 C, D, 지용성 비타민, 칼슘의 보충이 필요
- 극소 저출생체중아는 구루병에 걸리기 쉬우나 비타민 D는 하루 1,500IU/day이상 주어서는 안됨
- folic acid : DNA와 새로운 세포의 합성에 필요. 혈청과 적혈구내의 folic acid치가 미숙아에서 2~3개월 간 저하되어 있으므로 보충 필요

- 비타민 E : 항산화제, 적혈구 막에서 과량의 불포화지방산의 peroxidation을 막음. 용혈, 미숙아 빈혈과 관련

⑧ 충분한 영양을 공급받는 아기는 1~6번의 반고형 성분의 변을 본다.

(4) 수액요법

- 만삭아의 수분섭취는 생후 1일에 60~70mL/kg에서 생후 2~3일에 100~120mL/kg로 증가. 체중이 작고 미숙할수록 생후 1일에 70~100mL/kg로 시작하여 3~4일에 150mL/kg에 이르게 된다.
- 수분의 평형 상태 평가 : 매일 체중, 소변량 및 비중, 혈청 요질소, 전해질 측정

(5) 총 정맥 영양(TPN)

- 목적 : 최적의 성장을 이루도록 포도당, 단백질, 지방으로부터 충분한 열량을 공급
- 처음에는 10~15g/kg/day의 포도당을 공급, 2.5~3.5g/kg/day의 합성 아미노산
- 지방 : 0.5g/kg/day로 시작, 혈청 triglycerides가 정상이라면 3g/kg/day까지 증가시킬 수 있다. 20%의 지방유탁액을 사용하는데 이는 고농도 포도당 투여의 필요성을 감소시킴

(6) 퇴원

① 모든 영양을 nipple로 공급받아야 한다.

② 체중의 지속적인 증가(10~30g/day 증가) & 실온에서 체온 유지할 수 있어야 한다.

③ 최근에 무호흡 발작이나 서맥이 없어야 한다.

④ 비경구 투약중이던 약물은 끊거나 경구로 바꾸어야 한다.

⑤ 만성 폐질환에서 회복중인 아기는 조심스런 추적이 준비되고 자주 pulse oxymeter를 사용한 감시가 가능하며 외래방문이 가능하면 nasal cannula를 통한 산소투여와 함께 퇴원

⑥ 산소투여를 받은 아기는 미숙아 망막증 검사를 받아야 한다.

⑦ 모든 저출생체중아는 청력검사를 받아야 한다.

⑧ UAC(제대동맥도자술)를 시행받은 환아는 신혈관성 고혈압 유무를 위해 혈압을 검사

⑨ 빈혈 검사 : Hb, Hct

⑩ 체중이 1,800~2,100g이 되었을 때
(모든 문제가 해결되고 접근이 용이하며 자세한 추적 검사를 받을 수 있는 의료기관 있을 시)* 아기가 병원에 있는 동안 부모는 퇴원 후에 아기 다루는 법을 교육받아야 함.

⑪ 퇴원 후 교정 연령이 아닌 역연령에 따른 표준 예방 접종 시작(입원중이라면 생백신 제외)

3. 자궁내 성장 지연(IUGR, 자궁 내 성장 장애)

1) 정의

해당 제태기간에서 <u>출생체중</u>이 10백분위수 미만인 경우

- 중등도 성장 지연 : 3~10백분위수

- 심한 성장 지연 : 3백분위수 미만

  → 미숙아와 자궁 내 성장지연은 높은 신생아 사망률 및 이환율과 관련

2) 원인

태아측 염색체 이상(예 : 상염색체 삼체성) 　만성 태아 감염(예 : 거대 세포 바이러스 감염, 선천성 　풍진, 매독) 　선천성 기형 – 증후군 복합체 　방사선 조사 　다태 임신 　췌장 형성 저하증 　인슐린 결핍 　IGF-I 결핍

태반측 태반의 무게나 세포의 감소 또는 겸한 경우
　표면적의 감소
　융모 태반염(세균성, 바이러스성, 기생충 등)
　경색증
　종양(융모 혈관종, 포상 기태)
　태반 분리
　쌍생아 수혈 증후군

산모측임신중독증
　고혈압이나 신질환 또는 겸한 경우
　저산소증(고지대, 청색증형 심질환 또는 폐질환)
　영양 결핍 또는 만성 질환
　겸상 적혈구 빈혈
　약물(수면제, 알코올, 흡연, 코카인, 대사 길항제)

✚ 자궁 내 성장 지연의 특징

대칭형
　임신 초기에 시작
　대칭적
　체질적
　양 두정골 지름의 낮은 계측치
　성장 잠재능 감소

비대칭형
　임신 후기에 시작
　비대칭적
　환경적
　후기에 변함없는 양 두정골 지름
　성장 정지

예) 유전 전자간증
　TORCH 감염 만성 고혈압
　염색체 당뇨병(분류 D–F)
　증후군 영양문제

3) 분류

(1) 대칭형 자궁내 성장 지연

- 태아 자궁내 발육의 잠재능력 감소로 발생
- 머리둘레, 체중, 키 모두 작음
- 발육지연은 임신 중기 또는 그 이전에 조기에 시작(early onset)
- 태아세포수에 심각한 영향을 주는 질병(염색체, 유전, 기형, teratogen, 모체의 심한 고혈압)과 관련
- 출생 후 성장장애의 가능성 있음

(2) 비대칭형 자궁내 발육지연

- 체구에 비하여 머리가 상당히 큼
- 임시 후기에 시작(late onset)
- 모체의 영양상태 불량, 후기에 시작되거나 악화된 모체의 혈관질환(자간 전증, 만성 고혈압)과 관련
- 출생 후 적절한 영양공급을 해주면 빠른 체중증가와 성장을 보임

(3) 자궁내 성장지연아들이 신생아기에 보이는 문제

- 출생체중보다는 재태기관과 더 많은 연관
- 자궁 내 태아사망. 출생전 후기 가사(perinatal asphyxia), 태변흡입증후군, 저혈당증, 저체온, 적혈구 증가증, 선천 기형증후군과 관련된 질병 및 감염 등

4) 처치

✚ 자궁 내 발육 지연 신생아의 처치

재태기간 산정 및 약물 복용의 자세한 병력 청취 등	선천성 감염 여부 평가
저체온 예방	염색체 또는 유전적 이상 평가
정맥혈 헤마토크리트 측정	주의 깊은 추적 관찰
혈당치 측정 – 출생 후 45분 이내	

---

(1) 기본적 처치

① 분만실에서 Apgar를 매긴 후 잘 닦고 따뜻하게 해주어 저체온을 방지

② Ponderal index를 구한다. $(체중(g)/[키(cm)]^3) \times 100$: 키에 대한 체중감소의 비 평가

Ⓐ <2.32 : 야윈 것으로 간주

Ⓑ $2.32\sim2.85$: 정상

Ⓒ <2.85 : 비만

- 낮은 Ponderal index : 태반 기능 부전의 결과로 초래되는 임신 후기의 영양부족이 있었던 아기 감별에 중요

(2) 자궁내 성장 지연 문제 보일 시의 처치

① 신생아 가사 : 즉각 소생술을 시행하고 기도 확보와 호흡의 유지 및 산소투여

② 태변 흡입 : 35주 이하에서는 오지 않지만 주산기 가사와 저산소증이 있을 때 올 수 있으며 기도 유지와 태변 흡입에 대한 처치를 해야 한다. 흉곽이 분만되기 전에, 또 첫 호흡이 시작되기 전에 기도 내의 태변제거

③ 저산소증(hypoxia) : cord blood pH 측정함으로써 산증의 정도 평가

④ asymmetric IUGR에서는 폐성숙이 촉진되기 때문에 유리질막병(RDS)은 잘 생기지 않는다.

⑤ persistent pulmonary hypertension of the newborn (PPHN) : 초기에 산소를 주고, alkalization 지속시에는 NO를 투여한다.

⑥ 다혈구증(polycythemia) : 정맥혈 Hct이 65% 이상이면 생리식염수 or 5% salt-poor albumin을 이용하여 부분교환수혈을 해준다.

(3) 예후

- 두위가 10백분위 미만 or 신생아기 비정상적 신경학적 소견 : 성장장애, microcephaly, 신경학적 장애
- 경한 뇌기능 장애, 뇌파 이상, 언어 장애등 주요 신경학적 장애

4. 과숙아(Post-term infants)

1) 정의

출생 시 체중에 관계없이 산모의 최종 월경일로부터 계산하여 제태 연령이 42주 이상

- "Postmature(과숙아)"와 동의어
- 정상적인 재태기간 280일에서 7일 이상 경과된 아기

2) 원인

- 어느 한쪽 부모가 크거나 다신부, 당뇨병 산모일 경우 발생빈도가 높다.
- 체중이 무거운 신생아와 지연분만과는 별로 관련이 없다.

3) 증상

(1) 솜털(lanugo)이 없고 태지(vernix caseosa)가 감소

(2) 손톱과 발톱이 길고 두발이 많다.

(3) 피부는 창백하고 양피지 같으며(parchment-like), 약간은 벗겨짐

(4) 아기가 또렷또렷(alert)하다.

(5) 태반 부전 증후군(placental insufficiency syndrome)

　① 원인태반의 퇴행 변화 : 태아에게 산소와 영양물질 공급감소

　② 약 20%에서만 과숙아. 나머지 대부분의 태반 부전 증후군은 만삭아이거나 임신 중 독증 산모에게서 태어난 SGA, 노령의 초산모, 만성고혈압을 가진 산모에게서 태어난 조산아이다.

　③ 낙설, 손톱과 발톱이 길고, 두발이 많으며, 창백한 피부, 또렷또렷한 얼굴(loose skin)

　④ 근래에 일어난 체중감소가 있으며 태변 착색

(6) 발바닥 전체에 주름이 관찰됨

(7) 음낭에 주름이 깊게 생김

4) 예후

분만 예정일보다 3주 이상 지연되면 사망률이 상당히 높아지며, 만삭 대조군보다 3배 이상 높다.

5. 과체중아(Large for gestational age : LGA)

- 출생체중이 90백분위수 이상인 경우
- 큰아기들은 대개 만삭에 태어나지만 조산아로서 재태 연령보다 크게 태어난 아기는 같은 체중의 만삭아보다 사망률이 현저히 높다.
- 선행 인자 : 모체의 당뇨병, 비만, 다산부, 한쪽 부모가 클 때
- 분만 손상 : 경부 또는 상박신경총 손상, 횡격막 지배 신경 손상으로 횡격막 마비, 쇄골 골절, 두혈종, 경막하 혈종, 두부나 안면의 피하 출혈
- 선천성 기형, 특히 선천성 심장병의 빈도가 높다.
- 지능, 성장 지연

6. 분만 손상

분만 때에 일어나는 기계적 외상 또는 저산소-허혈에 의해 야기되는 신생아 손상

1) 두개 손상(Cranial injury)

(1) 두개 외 손상

① 출산머리부종, 산류(caput succedaneum)

- 분만 중 압박으로 인한 선진 부위 두피 연조직의 출혈성 부종
- 경계가 불분명하고, 봉합선을 넘어간다.
- 생후 수일내에 소실되므로 치료하지 않아도 되나 황달을 초래하여 광선요법이 필요한 경우가 있다.

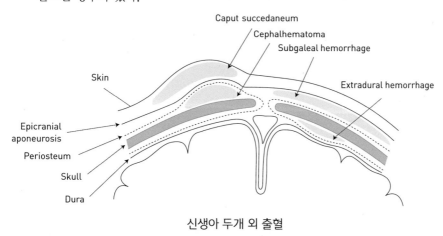

신생아 두개 외 출혈

② 두혈종(cephalhematoma)

- 두개골막하 출혈(주로 두정골)←분만 중 두개골 골막 연결 혈관 파열로 인함.
- 경계가 명확하며, 봉합선을 넘어가지 않는다.
- 아래 두개골의 선상골절과 두개 내 출혈이 동반되기도 한다.
- 감별진단 : 두개 수막류(두혈종은 박동, 울때의 압상승 및 골결손(bony defect)이 없다.)
- 치료하지 않아도 되나 황달을 초래하여 광선요법이 필요한 경우가 있다.
- 두혈종의 절개나 배혈(drain)은 감염의 위험이 크므로 금기
- 2주~3개월 정도에 소실(치료불필요, 단 황달 초래, 광선용법 필요한 경우 있다.)

③ 모상 건막하 출혈(subgaleal hemorrhage)

- 모상 건막(galea aponeurotica)과 두개골 골막 사이 연조직에의 출혈
- 대량 출혈 및 DIC로 사망의 가능성이 높다.

☆ 감별방법				
병변부위	외부 부종양상	출생 후 크기증가	봉합선 통과	대량출혈
산류	soft, pitting	없음	있음	없음
모상건막하 출혈	firm, fluctuant	있음	있음	있음
두혈종	firm, tense	있음	없음	없음

(2) 두개 내 출혈(intracranial hemorrhage)

- 두개내 출혈
- 주로 외상이나 가사에 의해 일어남.
- 드물게 출혈성 질환, 혈관 기형에 의해서도 일어남

(3) 두개 골절(skull fracture)

① 선상 골절이 가장 흔하다.

② 두개 내 출혈이 동반되거나 연수막낭(leptomeningeal cyst)이 형성되는 경우는 드물다.

③ 함몰 골절은 증상이 없더라도 교정

④ occipital osteodiastasis가 있으면 치명적 출혈이 일어난다.

2) 뇌실 주위 - 뇌실 내 출혈

- 뇌실막하 배기질(subependymal germinal matrix) 출혈이 인접한 측뇌실 안까지 확장됨
- 원인 : 미숙아, RDS 저산소 허혈 및 재관류, 저혈압, 고혈압, 기흉, 열량 과다 등 대뇌 혈류의 증가 또는 감소, 혈소판감소증
- 재태기간이 짧을수록, 출생체중이 작을수록 높은 빈도
- 증상 : 대부분 무증상
  다량 출혈시 갑작스런 의식장애, 저혈압, 무호흡, 창백, 비정상 울음, 경련 등의 증상, hematocrit 감소
- 진단 : 32주 미만인 미숙아는 3~7일에 두부 초음파 실시
- 심한 뇌실 내 출혈 → 합병증 : 반복적 초음파 실시
- 치료 : 관찰, 천자, 약물요법, 뇌실-복강 단락술(3~5%)

3) 백질 손상 - 뇌실 주위 백질 연화증

- 측뇌실 중위 뇌백질 손상 → 미숙아 신경학적 장애의 가장 중요한 원인
- 원인 : 혈관 발달 미숙과 뇌혈류 자율 조절 기능 미숙

- 증상 : 강직성 운동장애, 인지장애, 행동장애, 시각장애
- 진단 : 초음파(음영 증가 후 낭 형성)

  고위험아는 월경 후 연령 36~40주에 두부 초음파 실시

4) 척추와 척수 손상 : severe한 경우가 많다.

(1) 원인 : 척추의 신전, 둔위 태위의 두부 분만 때, 두부태위의 어깨 분만 때 발생

(2) 증상

- 손상이 심한 경우에는 사산하거나 출생 직후 호흡 저하, 쇼크, 저체온 등으로 사망
- 손상 하부에 무반사, 감각 소실, 수의 운동의 완전 마비
- 수 일 또는 수 개월 후에 강직성 신전, 근력 증가, 연축(spasm)
- DDx : 신경 근육 질환(neuromuscular disorder)

(3) 진단 : 초음파, MRI

(4) 치료 : 환기와 체온 유지, 요도 감염과 근 수축의 방지

5) 말초 신경 손상

(1) 상완 신경 마비(Brachial palsy) : 대개 수개월 내에 회복

Brachial plexus를 이루는 C5-C8, T1 nerve의 손상에 의한 상완 전체 또는 일부 마비

- 원인

  ㉠ 과체중아에서 둔위태위의 두부 분만시 어깨의 지나친 견인

  ㉡ 두부태위의 어깨분만시 두경부의 측견인으로 인한 신경총 신전

① Erb-Duchenne 마비 : 예후는 좋은 편(m/c)

- C5-C6의 손상
- 어깨는 내전(adduction), 내회선(internal rotation), 팔꿈치는 신전(extension), 상박은 회내(pronation)상태에서 움직이지 않는다.
- 손상쪽 Moro, biceps반사가 나타나지 않으나 파악 반사는 남아있다.
- 횡격 신경마비가 동반될 수 있다.

② Klumpke 마비(rare)

- C7, C8, T1 의 손상
- 손과 손목의 운동마비로 주먹을 쥐지 못하며 파악반사가 나타나지 않는다.
- T1 교감신경 섬유 손상 때에는 동측 축동(miosis), 안검 하수(ptosis)가 나타남 (Horner 증후군)

(2) 횡격 신경 마비 : C3, C4, 5(횡격) 신경의 손상

　① 동측 상완신경총 손상과 동반되어 일어난다.

　② 불규칙한 호흡, 청색증 등 호흡곤란 증상을 보인다.

　③ 침범한 쪽 호흡음 감소

　④ 마비측 횡격막 상승, 양횡격막의 <u>seesaw 운동</u>

(3) 안면 신경 마비

　① 주로 말초성 마비로 <u>분만전 or 분만 중 압박</u>으로 일어나며 겸자에 의해 손상될 수 있으며, 안면 근육이 이완되어 마비된 쪽 이마에 주름이 잡히지 않고 눈은 꼭 감기지 않으며 입은 쳐진다.

　② 아기가 울 때 이러한 소견이 더욱 현저하여 입은 마비되지 않은 쪽으로 당겨짐

　③ 분만 손상에 의한 경우 대개 <u>수 주 내에 회복됨</u>

　④ 반대측 중추신경계 손상에 의한 중추성 안면 신경마비 : 6뇌신경 마비 등 두개뇌 손상 소견이 동반되며 이마에 주름이 잡힘

　⑤ 치료 : 마비된 쪽 각막 손상 방지위해 인공누액 사용

　⑥ 감별 : Asymmetric cry syndrome (depressor angularis muscle의 형성 부전)

6) 골절

　(1) <u>쇄골 골절</u>

　　① 분만 중 골절이 가장 잘 일어나는 부위(m/c)

　　② 골절 쪽 팔을 잘 움직이지 않으며 Moro반사가 잘 일어나지 않는다.

　　③ 골절 부위에 통각, 마찰음이 있거나 불규칙한 뼈가 만져지기도 한다.

　　④ 치료 : <u>팔어깨고정</u>

　　⑤ 예후는 양호

7) 사경

　• m/c : 근성 사경(SCM의 분만중 손상)

　　→ 흉쇄유돌근(sternocleidomastoid muscle)의 <u>분만시 손상</u>에 의한 구축으로 추정

　• 증상 : 머리는 침범된 근육쪽으로, 턱은 반대쪽으로 기운 채 운동제한

　• 침범 근육내 종괴는 생후 2~4주에 가장 잘 만져지며 수개월 후 소실되며 지속되는 경우에는 두부나 안면의 비대칭 변형이 생길 수 있다.

　★ • 치료 : <u>침범된 근육 신장</u>(턱은 침범된 근육 쪽 어깨에, 머리는 반대쪽으로 돌리고 흉

골부 신전, 목을 반대외측으로 기울이는 쇄골부 신전) 운동시행
- 수 개월 내 호전을 보이지 않으면 정형외과적 치료
- 감별 : 선천성 경추기형에 의한 사경(분만 손상의 과거력이 없고 근육내 종괴가 없다)
  → 경추의 방사선 촬영이 필요

8) 저산소 허혈 뇌병증(Hypoxic-ischemic encephalopathy)
  (1) 정의 : 저산소증 및 허혈증에 의하여 임상적으로 이상 신경 행동학적 소견을 보이는 상태
    * 신생아 가사 : 출생 전, 과정, 후에 동반되는 다양한 요인에 의해 태반 or 폐에서 혈액 가스 교환 장애로 인한 저산소혈증, 고탄산혈증
  (2) 전형적 진단기준
    - 산모 또는 태아 병력상 가사를 유발할 요인이 동반되어 있으며, 산전 초음파, NST, 생물학 계수에서 상태에서 변화
    - 분만실에서 신생아 소생술이 필요, 10분후 Apgar 3점 이하
    - 제대혈 가스 검사상 산혈증(pH<7.0 or base deficit>16mmol/L)
  (3) 임상적 진단기준
    - 태아 산증이 1시간 이상 지속
    - 태아 심박수가 60회/분 미만
    - 출생 10분후 Apgar점수가 3점 이하
    - 출생 후 1분 이상의 양압 환기가 필요하거나 첫 울음이 출생 후 5분 이상 지연
    - 출생 후 12~24시간 이내에 경련
    - 뇌파 검사상 burst suppression 또는 배경 뇌파 소견이 이상을 보임
  (4) 원인 및 빈도
    - 가사 : 전체 출생의 1~1.5% (만삭아는 0.5%)
    - 저산소 허혈 뇌손상 : 2~9명/1,000명
  (5) 병태 생리 및 병리 소견
    - 심혈관계
      - 반사작용
      - 혈류의 재분배 : 중요 기관에 혈액공급이 이뤄짐, 중증시 심박수, 심박출량 및 혈압감소
    - 호흡기계
      - 폐의 소동맥 평활근 증식 → 폐동맥 고혈압증

- 헐떡 호흡 : 태변, 태지 흡입
- 폐출혈, 폐부종 등으로 인한 2차성 RDS

- 중추 신경계
  - 뇌조직, 세포에 에너지 고갈 → 삼투압 세포 용해 → 신경세포 사망
  - 초점 또는 다초점 대뇌 겉질 괴사 → 낭종 뇌 연화증 → 뇌 위축, 작은머리증
  - 선택적 신경세포 괴사(대뇌 겉질, 해마, subiculum 부위 신경세포, 시상과 기저핵, 소뇌의 Purkinje 세포)
  - 분수계 뇌경색증(water-shed infarction) : 뇌동맥 혈관들 사이의 혈류 공급의 경계 및 종착지역에 쉽게 경색이 일어남 → 뇌실 주위 백질 연화증

[6] 임상 소견
- 수일에 거쳐 일어남 : 반복적인 신경학적 검진이 중요
- 초기 수시간 : 의식의 혼미, 무호흡을 동반한 주기적 호흡 및 느린맥, 근긴장도의 저하, 신생아 원시 반사 소실
- 뇌신경은 유지됨
- 항경련제로 조절 되지 않는 경련발생
- 중증인 경우 24~72시간 내에 혼수, 지속적 무호흡, 동공 반사 이상, 눈돌림 반사, 냉온 반응 및 연수 기능 소실, 뇌사로 진행가능

[7] 진단
- brain MRI : 가장 유용한 검사, 생후 7~10일 촬영, Diffusion-weighted MRI 검사
- brani CT : 뇌손상 수주일 후 초점성 또는 다초점성 뇌경색증, 미만성 대뇌 겉질 손상을 평가
- EEG(뇌파) : 뇌손상 정도를 알려주며, 비정상 뇌파 형태는 병소에 대한 정보를 줌

[8] 치료
- 조기 발견 & 처치가 중요
- 치료적 저체온증 : 사망률 및 신경 발달학적 후유증 감소
- 수액요법 - 약 60mL/kg/day
- 승압제(dopamine, dobutamine) : 혈압과 관류압을 유지
- 항경련제 - phenytoin(20mg/kg) 서서히 정맥주사, 4~8mg/kg/day로 유지

[9] 예후
- 가사 환아의 사망률 : 10~30%
- 생존아의 15~45% : 뇌성마비, 정신지체, 간질, 시신경장애등의 신경 발달학적 후유증 동반

- 저산소 허혈 뇌병증의 정도, 경련 동반 유무, 뇌파 소견 및 신경 영상 검사 소견등
  과 연관성을 보임
- 출생 초기 정상 MRI : 예후 좋음
  　　　　　　　　　　: 기저 핵 및 시상과 같은 뇌 심부 회백색질 손상
  　　　　　　　　　　　- 인지 및 뇌성마비 같은 운동기능 장애
  　　　　　　　　　　: 뇌간 손상 - 사망 가능성 상승

7. 선천성 기형

1) 원인

기형의 원인		
원인	비율(%)	예
유전적 요인 　염색체 이상 　단일 돌연변이 유전 　가족성(비전형적 유전) 　다인자성 유전	 5~10 3~8 13~18 20~30	 다운 증후군 다발성 유합지(polysyndactyly) 신 발육부전(renal agenesis) 토순, 구개열, 선천성 심질환
환경적 요인 　자궁 내 감염 　모체의 질환 　기계적 요인 　약물, 화학 물질 　방사선 조사, 고체온	5~10	 TORCH 감염 당뇨병, 페닐케톤뇨증, 내분비 질환, 만성 알코올 중독, 흡연, 영양 문제 둔위(breech), 양막대(amniotic band), 양수 과소증(oligohydramnios) Warfarin, aminopterin, phenytoin, isotretinoin, 합성 progestin, organic mercury
원인불명	40	배꼽탈장(omphalocele), 복벽 개열증(gastroschisis)

- 50% 정도에서 유전적 요인이 관여
- 5~10%는 환경적 요인
- 40% 정도는 아직 그 원인을 모른다.

2) 분류

(1) 단일 원발성 결함(single primary defect)

- 주기형의 대부분
- m/c : 선천성 고관절 탈구, 내반 첨족, 토순, 구개열, 선천성 심질환, 비후성 유문
  협착증, 신경관 결손
- 원인 : 대부분 아직 모름. 그러나 흔한 단일 기형의 대부분은 다인자성 유전형식

① 기형(malformation)
- 형태 발생 과정에서 내인적 이상에 의하여 발생한 하나의 장기 또는 신체 일
  부분의 단일, 국소적 결손

- 토순, 심실 중격결손, 비후성 유문 협착증
- 치료 : 외과적 교정이 필요
- 예후 : 다른 신체 부위는 정상이므로 양호

② 변형(deformation)

- 정상 발달 과정 중 태아에 기계적 힘이 가해져 발생된 신체 일부분의 비정상적 형태, 모양 또는 위치
- 기계적 힘

외인성 : 양수 감소, 쌍생아, 자궁 기형, 둔위 등 태아 군집으로 인하여 태아가 자궁벽에 압박을 받아 나타남.

내인성 : 태아의 근육, 신경계 질환으로 인하여 태아 운동이 저하되어 나타남.
- 내반 첨족, 선천성 고관절 탈구
- 대개 다른 신체 부위는 정상이므로 예후는 양호
- 자연적으로 교정되는 경우가 많고 교정이 쉽다.

③ 파열(disruption)

- 처음에는 정상적이던 발달과정이 외인성 인자에 의하여 붕괴되어 나타나는 장기 또는 신체 일부분의 형태적 결손
- 발생 기전

㉠ amniotic band등에 의해 태아가 얽히게 되어 정상적으로 발육하던 손가락, 팔, 다리 등이 찢어지거나 절단

㉡ 혈액 공급의 차단으로 허혈성 괴사가 일어나서 발달 부위 결손
- 원인 : 자궁내 감염, 약물, 혈관성 사고, 방사선 조사, 자궁 결함으로 인한 기계적 손상
- 단지증(phocomelia), 양막대(amniotic band), 복벽 개열증(gastroschisis)
- 치료 : 외과적 교정
- 예후 : 전적으로 조직 결손의 부위와 범위에 의하여 결정됨.

④ 이형성증(dysplasia)

- 세포의 비정상 조직화에 의해 발생한 형태학적 결과
- 혈관종, 연골 무형성증, 외배엽 이형성증

⑤ 연쇄(sequence)

- 형태 발생의 초기에 단일 원발성 기형에 의하여 제 2,3의 결손이 이어서 발생
- Potter 속발증(신발육 부전→양수 과소성→골격계 이상, Potter 얼굴, 폐형성 부전)

(2) 다발 기형 증후군(multiple malformation syndrome)

연합(association)

발생기전이나 원인적으로 관련이 없는 결손들이 일정한 양식으로 둘 또는 그 이상
의 개체들에서 발생하는 다발기형

예) VATER syndrome : Vertebral defects, Anal atresia, Tracheoesophageal, Radial maldevelop
with renal anomaly

* 주기형(major malformation)

1. 신경관 결손 : 무뇌증(Anencephaly), 뇌류(Encephalocele), 척추갈림증(spina bifida)

2. 선천 코눈물관 막힘증

3. 아가미틈 낭 : 목빗근(SCM)의 앞쪽을 따라 하부 1/3에서 발생. 편측에 발생

4. 갑상혀관 낭 : 목뿔 뼈(hyoid bone) 부위, 목의 중앙선에 발생

5. 입술갈림증 및 구개열, 선천 심질환, 선천 가로막 탈장 등

8. 신생아의 호흡기 질환

1) 신생아 가사(Neonatal asphyxia)

【정의】

- 가사호흡 및 순환부전을 주요 소견으로 하는 증후군으로, 출생전(antepartum), 출생 과정
(intrapartum), 또는 출생 후(postnatal)에 동반되는 다양한 원인들에 의하여 태아 또는 신
생아에 산소공급 부족으로 저산소증(Hypoxia), 여러 장기에 혈액관류(Perfusion)의 부족으
로 허혈증(ischemia)이 발생하여 초래되는 일련의 장애 현상

- 주산기 가사 태아 고통(fetal distress) : 태아기 가사신생아 가사 : 출생 후 가사

(1) 태아 고통(fetal distress)

- 정상 태아 제대혈 : 만삭아에서 출생 시
  - 제대정맥 pH = 7.32, 산소분압 27.5mmHg, 이산화탄소분압 39mmHg
  - 제대동맥 pH = 7.24, 산소분압 16mmHg, 이산화탄소분압 49mmHg

- 태아 고통이 의심되는 경우
  ① 산모의 태동(fetal movement)인지 감소
  ② 태아 심박 양상 및 심박동 수의 이상 : 지속성 태아서맥(<120회/분) 또는 빈맥
     (>160회/분), late deceleration 또는 spontaneous deceleration, 태아 심박동 수의 반
     응성(reactivity)의 소실
  ③ contraction stress test가 양성

④ biophysical profile score의 감소

⑤ 도플러 초음파 검사상 제대동맥 혈류속도의 감소, 특히 이완기 혈류의 역전 현상

⑥ 태아 두피 모세혈관 혈액 pH가 7.25미만

⑦ 양수의 태변 착색

⑵ 신생아 가사

정의 : 동맥혈 가스 검사상 저산소증(<50mmHg), 고탄산혈증(>60mmHg), 대사성
산증(pH<7.2)의 조합

① 진단기준(모두 충족해야 진단 가능)

Ⓐ 제대동맥혈 가스 검사상 pH < 7.0

Ⓑ 5분 Apgar 점수가 0~3점

Ⓒ 긴장저하(hypotonia), 혼수 및 경련 등의 저산소성 허혈성 뇌증 증상 동반

Ⓓ 다른 다기관 기능 부전증(multiple organs dysfunction) 증상이 보이는 경우
Apgar 점수만 낮다고 하여 출생 시 저산소증에 의한 또는 출생과정 중 부적절한
처치에 의하여 신경학적 손상이 발생하였다고 진단할 수 없음.

② 신생아 가사의 원인

가사를 일으키는 요인들		
출생 전	출생 과정	출생 후
자궁-태반 기능 부전증 산모의 호흡기 질환 산모의 심질환 태아의 선천성 기형 조산	태아 위치 회전 조종 분만 손상 비정상적 태위 태반 박리 제대 탈출증 산모의 저혈압 감염증	중증 폐질환 중증 반복성 무호흡증 선천성 심질환 태아 순환 지속증 패혈증 심혈관계 쇼크(collapse)

③ 신생아 가사의 영향

가사의 영향	
기관계	영 향
중추신경계	저산소증 허혈성 뇌증, 뇌경색, 뇌출혈, 경련, 뇌부종, 근육 긴장도 저하 또는 증가
심혈관계	심근 허혈, 심근 수축력 저하, 삼첨판 부전, 저혈압, 심비대
호흡계	지속성 태아 순환, 폐출혈, 폐부종, 호흡곤란 증후군, 태변 흡인 증후군
신	급성 세뇨관 또는 피질 괴사
부신	부신 출혈
위장관계	괴사성 장염, 출혈, 천공, 궤양
대사	ADH 분비 이상(SIADH), 저나트륨혈증, 저혈당증, 저칼슘혈증, myoglobulinuria
혈액	범발성 혈관 내 응고증(DIC)
피부	피하 지방 괴사

저산소성 허혈증 뇌증			
징후	단계 1(경증)	단계 2(중등도)	단계 3(중증)
의식 수준	Hyperalert, 보챔	기면상태	혼미 상태, 혼수
근육 긴장도	정상	근긴장 저하	근이완 상태
자 세	약한 사지 굴곡	강한 사지 굴곡	제뇌 경직(decerebrate rigidity)
건반사/간대(clonus)	항진	항진, 제어 불능	감소 또는 무반응
간대성 근경련(myoclonus)	있음	있음	없음
Moro 반사	강함	약함	없음
빨기 반사	없음	약함 또는 없음	없음
동 공	산동	축동	크기 다름, 광반응 약함
호 흡	자발적	간헐적 무호흡	주기적 호흡, 무호흡
경 련	없음	흔함	드묾(제뇌 상태)
뇌 파	정상	low voltage changing to seizure activity	burst suppression to isoelectric
증상 발현 기간	24시간 이내	2~14일	수일~ 수 주일
예 후	거의 정상	80%에서 정상, 증상이 5~7일 이상 지속되면 비정상	50% 사망, 생존자는 중증 신경학적 후유증

④ 임상 소견
- 태아 저산소증의 첫 징후 : 분만 수분에서 수일 전에 나타남.
- 자궁내 성장지연, 혈관 저항 증가, 태아의 심박동수 감소, beat-to-beat variability 감소, variable 또는 late deceleration, 태아 두피 모세혈관 혈액검사 상 pH 7.20 이하
- 태변에 착색된 양수는 태아 곤란증 있었음을 시사
- 출생 시 자발 호흡 없는 경우가 많다.
- 의식의 혼미, 혼수를 보이고 주기적 or 불규칙한 호흡, 근긴장도 저하, 신생아 원시 반사의 소실
- 출생 후 계속 근긴장도 떨어져 있거나 근긴장도가 지나치게 증가하거나 정상
- 창백, 청색증, 무호흡, 서맥 및 자극에 대한 무반응 등 동반
- 출생 후 24시간 내에 뇌부종 발생할 수 있으며 심각한 뇌간의 억제 초래
- 경련 유발 : 저산소성 허혈성 뇌증에 의함. 저칼슘혈증, 저혈당증

⑤ 진단
- 주산기 병력, 진찰소견, 검사결과(뇌파, 뇌초음파, 뇌CT, 뇌MRI)
- 감별진단
  - 유전적 및 선천성 신경 해부학적 기형 질환
  - 약물 및 독성에 의한 신경 질환
  - 유전적 대사성 질환
  - 감염성 질환 등

⑥ 치료

Ⓐ 초기 분만실에서의 처치 – 신생아 소생술(ABC 따름!)

– 출생직후 양수나 피부에 태변의 존재 여부, 재태기간의 구별을 포함한 빠른 평가

→ 통상적인 간호 or 초기단계소생술

→ 평가와 처치 : 호흡, 심박동수, 피부색깔

㉠ ┌ 기초 단계 보온 : 산소소비 감소 유도

　 ├ 기도청소 : 구강 → 인후두강 → 비강 순서로 흡입

　 ├ 기도에서의 태변제거

　 ├ 자극

　 └ 산소 공급 : 100% 산소 공급

㉡ 환기 : 백(bag)-마스크 또는 백 – 기관내 삽관 환기(일단 마스크를 이용한 양압환기 시행 후에도 적절한 환기 되지 않을 때)

㉢ 심마사지 : 마사지와 양압환기수를 3 : 1로 시행

㉣ 약물 또는 수액요법

- Epinephrine
- 수액요법 : 생리식염수나 Ringer 용액 : Hypovolemia 의심시 투여
- Bicarbonate : 대사성 산증 교정 위해(추천되지는 않음), 모든 단계의 치료에 반응하지 않고 심폐정지가 지속시 고려
- Naloxone : 분만 4시간 이전에 마약 계통의 진통제 맞은 산모가 출산한 신생아에 동반된 호흡저하증 치료위해 투여

Ⓑ 저산소성 허혈성 뇌손상의 처치

보존적 지지 치료가 중요 : 적절한 체온, 혈액관류 및 환기 유지, 대사 상태 정상으로 유지, 경련 조절(phenobarbital, phenytoin, lorazepam)

⑦ 예후

만삭아에서 가사시 : 환아의 15~20%가 신생아 시기에 사망

: 생존 환아의 25~30%는 영구적 신경발달학적 후유증(뇌성마비, 정신지체, 학습장애, 뇌전증 등) 후유증 남음 & 대부분에서 다른 장기의 이상 동반

✚ **신생아 가사시 나쁜 신경학적 예후를 보이는 출생 초기 징후들**

1) 지속되는 중증의 가사
2) 중증 저산소성 허혈성 뇌증(Sarnat stage 3)
3) 잘 조절되지 않는 경련 발작 및 다기관 기능 부전증의 동반
4) 뇌압 상승(>10 mmHg)
5) 퇴원시에도 계속되는(보통 1~2주일 이상) 비정상적 신경학적 증상
6) 적어도 뇌손상 4주일 후 뇌 CT 검사상 광범위한 지속적 뇌 음영 감소(뇌백질 연화증)
7) 지속적 빈뇨(소변량이 생후 첫 36시간 동안 1 mL/kg/h 미만)
8) 출생 10분 이후에도 지속적 낮은 Apgar 점수(출생 10, 15, 20분 후의 Apgar 점수가 3점 이하인 경우 사망률은 각각 18, 48, 59% 이고, 뇌성마비 발생률은 각각 5, 9, 57% 임)
9) 낮은 Apgar 점수로 심폐소생술을 실시받고, 뇌증 증상으로 경련이 동반된 경우
10) 나쁜 배경활동 뇌파 소견(burst suppression, low voltage, electrocerebral inactivity)
11) 출생 3~4일 이내에 뇌 MRI 검사상 뇌손상 소견[수 개월 후 재검사를 실시하여 수초화 지연(delayed myelination) 여부 및 뇌 구조적 손상 재평가는 정확한 예후 예측에 도움이 됨]
12) 지속적 뇌간(brain stem) 기능이상 소견
13) 생후 3개월시 소두증 소견

2) 무호흡(Apnea)

   (1) 정의

   • 주기성 호흡 : 5~10초 동안 지속되는 호흡의 휴지기 후 10~15초 동안의 빠른 호흡이 뒤따라오는 반복적인 호흡양상. : 미숙아에서 매우 흔하며 정상적인 것

   • 미숙아의 중한 무호흡 : 호흡이 20초 이상 정지하는 것. 청색증과 서맥 동반시(정지기간에 관계없이)

   (2) 원인

   ① 이차성 미숙아 무호흡

신생아 무호흡 및 서맥의 가능한 원인	
중추신경계	뇌실 내 출혈, 약물, 경련, 저산소성 뇌손상, 신경 근육계 질병
호흡계	폐렴, 폐쇄성 기도 병변, 무기폐, 초미숙아(<1,000g), 후두 반사, 횡격 신경 마비, 중증 유리질막병, 기흉, 상기도 허탈(collapse)
감염	패혈증, 괴사성 장염, 뇌막염(세균성, 진균성, 바이러스성)
위장관계	경구 수유, 위장 운동, 위식도 역류, 식도염, 장 천공
대사	저나트륨혈증, 고암모니아혈증, 유기산의 증가, 외부 환경 온도의 증가, 저체온증
심혈관계	저혈압, 고혈압, 심부전, 빈혈, 혈액량 감소, 부교감 신경 긴장
특발성	호흡 중추의 미숙, 수면 상태

② 특발성 미숙아 무호흡
- 선행되는 원인 질환이 없을 때. 중추성, 폐쇄성, 혼합성 무호흡으로 나뉨.

  ┌ 폐쇄성 무호흡 : 상기도 폐쇄(인두불안정, 목의 굴곡 및 비강폐쇄)로 인하여 생길 수 있으며, 공기의 흐름은 없으나 흉벽의 움직임은 지속되는 것이 특징

  ├ 중추성 무호흡 : 호흡 근육에 대한 중추신경계 자극의 감소(제태기간에 의존)에 기인, 이는 공기 흐름과 흉벽의 움직임이 동시에 없는 것이 특징

  └ 혼합성 무호흡 : m/c (50~75%)

  대개 폐쇄성 무호흡이 선행되고 중추성 무호흡이 뒤따라 옴.

- 수면상태와의 관련성

  능동적(REM)수면시 호발

[3] 증상
- 특발성 미숙아 무호흡의 빈도
  - 제태 기간이 적을수록 높다.
  - 생후 첫 1~2주 사이
- 건강한 신생아에서 생후 2주 후에 갑작스럽게 발생하는 무호흡은 위급한 경우로, 즉각적인 진단과정 필요

[4] 치료
- 무호흡 위험이 있는 신생아는 무호흡의 감시 장치로 호흡수, 심박동수, 신소포화도 감시
- 경하거나 간헐적 무호흡시 피부자극
- 반복적이고 지속적인 무호흡 시 즉각적인 bag 및 mask 환기를 요하며 저산소증 치료위해 산소를 투여
- 병발 원인 없는 미숙아 무호흡 : theophylline or caffeine, Doxapram
- Methylxanthine : 호흡 중추의 자극으로 or 횡격막의 강도를 호전시켜 환기 증가(theophylline 경구투여 or aminophylline 정맥주사)
- 빈혈 동반 시 수혈이나 erythropoietin 투여
- 혼합성 또는 폐쇄성 무호흡시 : nasal CPAP(4~6cm H_2O)
- 선행 질병에 의한 무호흡 : 원인 질환에 대한 치료 및 기도 유지, 산소 투여

[5] 예후
- 치료에 반응없거나 중증이고 반복적이 아니라면 예후에 대한 영향 미약
- 대개 수태 후 연령 36주경(출생 시 재태주령+생후 나이)에 소실
- 영아돌연증후군의 발생을 예보하지는 않음.

3) 신생아 호흡곤란 증후군(Respiratory distress syndrome : RDS)과
유리질막병(hyaline membrane disease : HMD)

- 폐의 발달이 미숙하여 폐의 지속적인 팽창을 유지시켜주는 물질인 폐 표면 활성제
(pulmonary surfactant)부족으로 무기폐를 초래하는 진행성 호흡부전
- 주로 미숙아에서 발생
- 신생아 사망의 m/c 원인

(1) 역학

① 발생 빈도재태기간 짧을수록, 출생 체중이 작을수록 발생 빈도 높음

전체 출생중 약 2%

② 발병 위험 인자

- 신생아 RDS 잘 초래하는 위험인자 : 미숙아 자체, 분만 진행 전의 제왕절개술,
신생아 가사, 남아, 당뇨병 임신부, 다태아 중 두 번째 출산아, 중증의 Rh 부적합
증, 산모 출혈, 빠른 진행의 분만, 한랭 스트레스, 산모의 과거 RDS 출산력, 백인

- 발생 빈도 낮아지는 인자 : 산전 산모에서 부신 피질 호르몬 접종, 조기 양막 파
수, 산모의 임신중독증, 산모의 고혈압증, 만성 자궁내 스트레스, 만성 자궁 태
반 부전증, 산모의 opiate 같은 약물중독, 자궁내 발육 부전, 부당경량아

(2) 병태생리

① 발생 기전

Ⓐ 미숙에 의한 폐 표면 활성제의 생성 및 분비의 부족(m/i)

Ⓑ 폐의 호흡구조상 폐포 내의 공기 교환 공간의 미숙 및 alveolar endothelial mem-
brane의 부적당 등으로 가스 교환의 부족

Ⓒ 외형적으로 highly compliant chest wall로 인하여 폐가 collapse 되는 것에 대한 저
항이 적어 쉽게 허탈해짐

② 표면 활성제의 대사

Ⓐ 표면 활성제의 기능과 작용

㉠ 표면장력의 저하와 폐포의 안정성 유지 통해 폐포의 collapse를 방지(주된 작용)

㉡ 방어력 유지

㉢ 감염 방어 작용

㉣ 면역 반응 조절

Ⓑ 표면 활성제의 생산과 분비

발생학적으로 폐포는 제I형과 제 II형으로 분화

제I형 : 폐 표면적의 94%, 주로 가스 교환 담당

제II형 : 표면활성제 생산 분비

　　　　－제태 기간 20주부터 출현하여 양수에는 28−30주에 나타나며 35주에
　　　　성숙치에 도달

ⓒ 표면 활성제의 구성

　　⊙ 인지질(phospholipid) : saturated phosphatidylcholine(=DPPC=lecithin),

　　　　　　　　　　　　　unsaturated phosphatidylcholine, phosphatidylglycerol (PG),

　　　　　　　　　　　　　기타

　　ⓛ 중성 지질

　　ⓒ 단백질(surfactant protein)

　　　* 인지질이 표면활성의 물리적 작용에 주된 작용 − 그중 DPPC 와 PG가 중
　　　　요 인지질

③ 병태생리

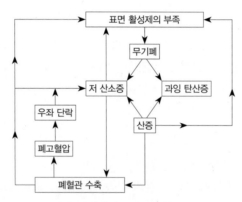

유리질막병의 병태생리

　Ⓐ Surfactant의 부족에 의한 무기폐

　Ⓑ 이로 인한 폐포에서의 공기 교환의 부족으로 저산소증(hypoxemia), 고탄산혈증
　　(hypercarbia), 산증의 가중

　ⓒ 폐 compliance의 감소, 저항의 증가, FRV의 감소 등의 호흡생리의 장애

　Ⓓ 여러 장기의 합병증 유발

⑶ 증상

신생아에서 일반적인 호흡 부전의 정의

• 임상적 기준 : 분당 70회 이상의 빈호흡, 심한 함몰호흡, 호기시 신음, 40% 산소치
　료에서의 청색증, 심한 흡기 부족, 지속적인 무호흡증

• 생리적 기준 : 동맥혈 가스 분석상

$PaO_2 < 50mmHg$ in $60\% O_2$, $PaCO_2 > 60mmHg$, $pH < 7.25$

① 급성기

  Ⓐ 출생 수분 이내부터 호흡곤란, 청색증 발현

    <u>빈호흡</u>, 함몰호흡, <u>호기시 신음</u>, <u>청색증</u>, nasal flaring, duskiness등으로 시간 경과에 따라 더 심해짐

  Ⓑ 호흡음은 정상 또는 약간 감소, 가는 수포음

  Ⓒ 불충분한 치료 시 혈압 강하, 체온 감소, 청색증 및 안면 창백이 더 심해짐. 더 진행하면 불규칙한 호흡과 무호흡증 나타남

  Ⓓ 동맥혈 가스 분석상 초기의 대사성 산증, 후기의 호흡성 및 대사성의 혼합형 산증

  Ⓔ 동맥관 개존증에 의한 혈류의 증가나 울혈성 심부전으로 폐부종 가중

  Ⓕ 전신 부종, 장관 마비(ileus), 핍뇨 등의 타 장기 부전 소견 동반

  Ⓖ 임상적 경과 유형

    • 경증 : 특별한 합병증 없이 인공환기의 산소와 압력을 낮추어 1~2주에 호전

    • 중증 : 2~7일 내에 사망

    • 합병증 동반한 중증 : 여러 장기의 부전

② 만성기

  일부 RDS 호전후 기관지 폐 이형성증과 같은 만성 폐질환으로 이환되어 지속적으로 산소 의존. 중증의 RDS 후 기관지 폐 이형성증으로 이행 시 수 주 혹은 수 개월 후 사망하는 경우도 있다.

⑷ 진단

① 출생 전후 폐 성숙도의 진단

  Ⓐ Lecithin/sphingomyelin(L/S)비

    • DPPC(lecithin) : 폐가 성숙됨에 따라 임신 30-34주부터 양수 내에서 증가하기 시작하여 말기에 현저히 증가,

    • Sphingomyelin : 임신 말기에도 큰 변화 없다.－ 재태기간 36주 이상에서는 L/S 비가 2.0이상으로 나타남

    ※ 최근 stable microbubble rating 검사법 사용

  Ⓑ 포말 안정 검사(shake test, bubble stability test, foam stability test)

    양수나 위액에 동량의 95% ethanol 섞어서 15초 동안 흔든 후 15분을 방치한 다음에 band 형성을 보는 방법, 표면 활성제의 양을 판단하는 검사법

  Ⓒ Stable microbubble rating : ＞20개면 정상

② 출생 후 RDS 진단 *최근 stable microbubble rating 검사법 사용

  Ⓐ 임상 경과

ⓑ X선 사진

　　㉠ 폐포의 collapse로 과립성 음영(diffuse granular density)이 ground glass appearance

　　㉡ 심한 경우 전폐야가 total white-out의 양상으로 심장과의 경계불분명

　　㉢ collapse된 상부 기관지엽에서 폐포강으로 공기 들어가지 못해 기관지엽이 늘어나 있는 공기 기관지 음영(air-bronchogram) 보임

ⓒ 검사 소견

　　㉠ 저산소증, 고탄산혈증, 사증 보임

　　㉡ 저혈당증, 저나트륨혈증, 고칼륨혈증, 저칼슘혈증, 급성 신부전. 드물게 SIADH

　　㉢ 뇌실 내 출혈의 동반시 대천문을 통한 초음파 검사상 출혈 확인

⑸ 치료

- 치료의 목표

　　ⓐ 부적당한 가스 교환 교정(산소 치료) ┐

　　ⓑ 대사성 산증 교정　　　　　　　　├→ 인공 폐 표면 활성제, 기계호흡이 필요

　　ⓒ 전신 순환 부전에 대한 처치 ┘

① 출생 시 처치

　　ⓐ 가능한 신생아 집중치료 시설이 있는 의료기관에서 분만 이루어지도록 산모를 후송하여 분만

　　ⓑ 출생 후 신생아 가사 생길 수 있으므로 분만 즉시 필요하면 소생술 시행 후 NICU로 입원

　　ⓒ 저출생 체중아의 일반적 관리 원칙인 gentle handling과 minimal 간섭이 중요

② 일반적 처치

　　ⓐ 일반적인 처치

　　　㉠ 체온 유지, 열 손실방지, hypovolemia와 저혈압증치료, 혈색소 유지, 산증의 치료, 감염 방지, 수액요법, 고칼륨혈증의 교정, 저칼슘혈증의 교정 등 일반적 대중적 치료

　　　㉡ 동반되는 합병증에 대한 적절한 조치

　　　㉢ 기도 삽관시 가장 흔한 합병증 : tube 폐쇄에 의한 질식(가사). 삽관 후 심장마비

　　　㉣ 동맥관 개존증의 합병 : prostaglandin synthesis inhibitor인 indomethacin 등을 사용하여 동맥관의 약물적 결찰 시도, 필요시 수술적 결찰 고려

　　ⓑ 수액 공급 : 첫48시간 동안 또는 이뇨가 개시될 때까지는 10% 포도당액 65~75mL/kg/일로 수액을 제한하여 공급하고, 점차 증량한다. 생후 1주일 까지는 10%의 체중감소를 고려하면서 증량하고 >140mL/kg/day는 PDA, BPD를 초래하기 때문에 피한다.

ⓒ 제대 혈관 도관술 : 혈액 가스검사를 자주하거나, 장기간 수액공급이 필요할 때

ⓓ 조기 항생제 투여

③ 호흡 관리

Ⓐ 체온 유지, 열손실 방지, 산증 교정하면서 산소 치료 시작 − PaO_2 50~70mmHg

유지를 목표

경한 경우 후드 속에서 산소 치료

SaO_2가 90% 이상 유지 안 되면 지속적 양압 호흡법(CPAP) 치료

더 심하면 필요시 기도 삽관하여 기계환기요법 실시

Ⓑ 기계환기요법의 기준

㉠ 동맥혈 pH<7.2

㉡ $PaCO_2$>60mmHg

㉢ PaO_2<50mmHg(산소 농도 70−100%의 CPAP에서)

㉣ 지속적 무호흡증 있을 때

ⓒ 환기요법시의 목표

★ PaO_2 50~70mmHg, $PaCO_2$ 45−65mmHg, pH 7.2−7.35 유지

: 산소화를 적절히 유지시키면서 고압에 의해 생길 수 있는 barotrauma (air leak)

와 고농도 산소에 의한 산소 독성(미숙아 망막증, 기관지 폐 이형성증)을 예방

ⓓ 기계적 환기요법

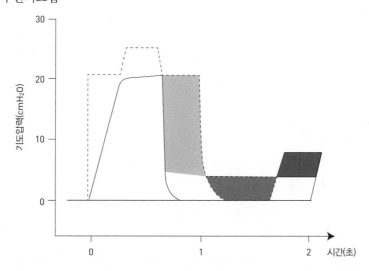

기계환기요법에서 산소화 개선을 위한 평균 기도압(MAP)을 높이기 위한 다섯가

지 방법

- 흡기의 flow rate 증가
- 최대 흡기 압력(PIP)의 증가
- 흡기와 호기 시간비의 조정(흡기시간의 연장)
- 호기 종말 양압(PEEP)의 증가
- 호흡 횟수(RR)의 증가

☆④ 인공 폐 표면 활성제의 보충 요법(Exogenous surfactant replacement therapy)

- 기도 삽관된 상태에서 튜브를 기도로 넣어 폐에 직접 투입하여 collapse된 폐포를 펴지게 유지하여 환아의 산소화 및 호흡을 용이하게 함
- 기계환기요법과 함께 실시, 일찍 투여할수록 효과적
- 투여 후 효과
  - 환아의 산소화 개선(FiO$_2$ 감소, arterial-alveolar oxygen ratio or gradient 개선)
  - 기계환기기의 MAP 낮춤
  - 폐 compliance 개선
  - 흉부 방사선 소견 개선
  - 기흉 같은 air leak 감소
  - 장기적으로는 합병증의 감소 및 사망률 감소
  - 기관지 폐 이형성증의 예방에는 미흡

(6) 합병증

- 초기 합병증

  Barotrauma에 의한 air leak 증후군(기흉, 기종격동, 간질성 폐기종), 두개내 출혈, 동맥관 개존증, 울혈성 심부전, 저혈압, 체온조절부전, 신부전, 전해질 이상, 대사성 이상, 패혈증 등

① 미숙아 망막증(retinopathy of prematurity : ROP)

- 발생원인으로 산소거론
- 산소치료를 받은 임신 36주 미만/출생체중 2,000g 미만, 산소치료를 받지 않은 출생체중 1,000g 미만 : 생후 4~8주 안과의사 선별검사
- 치료 : cryotherapy(한냉요법), laser photocoagulation(광응고법)

② 기관지폐 이형성증(bronchopulmonary dysplasia (BPD))

- 원인 : 고농도의 산소(FiO$_2$ > 0.6)와 양압환기(삽관 등)의 압력상해(barotrauma)
- 흉부방사선 소견 : 양측성으로 전반적으로 혼탁하고 공기기관지 폐음영→방사선투과성이며 크기가 다른 무수한 낭상(cystic)
- 1개월 이상 산소의존도

③ 동맥관 개존증

- 원인 : 저산소증, 산혈증, 폐동맥압상승, 전신성저혈압증, 미숙아 등의 이유로 동맥관에서 prostaglandin 분비
- 진단 : 전신적 증상, X선 소견, 심초음파
- 치료 : indomethacin, ibuprofen
- 후기 합병증

  기관지 폐 이형성증, 미숙아 망막증, 신경발달장애, 뇌성마비, 성장장애, 수유 곤란, 가족적으로 부모의 정신적 문제, 아동 학대, 성장 후 반복되는 호흡기 감염증과 천명(wheezing), 천식 등

(7) 감별진단

- 다른 원인에 의한 호흡곤란 : 패혈증, air leak, 폐의 구조적 이상, 중추성 호흡 부전, 대사성 또는 혈액성 원인, 지속적 폐 고혈압증 등
- B군 연쇄상구균에 의한 폐렴
- 신생아 일과성 빈호흡증(transient tachypnea of newborn)

(8) 예방

- 미숙아 출생의 방지가 가장 중요
- 산모의 산전 스테로이드 투여가 태아 폐성숙도를 증가시켜 RDS의 빈도 감소

(9) 예후

- 출생 시 체중, 재태기간, 인공 표면 활성제의 사용 유무, 산전 산모의 스테로이드 투여, 질병의 정도, 합병증의 동반, 경과에 따라 다양
- 신생아 사망 원인의 1위 질환임
- 재태기간이 짧을수록, 출생 체중이 작을수록 미숙아의 사망률 높고 예후 나쁘다.

➕ 유리질막병과 신생아 일과성 빈호흡의 비교

유리질막병(HMD)	신생아 일과성 빈호흡(TTN)
미숙아	Near term
Perinatal distress	산모의 과진정, 제왕 절개술
표면 활성제 부족, 미만성 무기폐	폐 흡인, 폐액 흡수 지연
호흡곤란 증상 : 심하다	경하다.
방사선 소견 : 망상 과립상, 과소 통기	폐문 주위의 sunburst 상, 과도 통기
생후 2~3일에 고농도 산소 필요가 점증한다.	저농도 산소에도 증상이 완화된다.
폐혈관 관류 저하, 단락 형성이 흔하다.	관류 정상, 단락 형성이 드물다.
혈량 저하증 : 흔하다	드물다
보조 환기 : 항상 필요하다.	불필요하다.
사망률 : 높다	낮다.

4) 신생아의 일과성 빈호흡

(Transient tachypnea of newborn; TTN, RDS type II, Wet lung syndrome)

(1) 빈도 및 발생기전

- 출생 시 폐포 내에 있는 폐액의 흡수 지연 때문
- 주로 만삭아에서 발생
- 발생 빈도가 높아지는 경우
  - 제왕 절개로 태어난 아기, 경산부의 아기, 산모의 마취에 의한 과진정으로 복압이 감소된 경우
  - 둔위 분만, 주산기 가사, 산모의 당뇨병 등의 병력이 있는 경우

(2) 증상 및 진단

- 증상 : 출생할 때부터 빈호흡, 흉부 함몰, 신음호흡이 보이나 양성 질환이므로 치명적 질병의 초기 증상과 감별이 중요
  - 시간 경과에 따른 증상의 진행이 없는 경우가 일반적
  - 임상 경과를 예의 주시함이 바람직
- 진단 : 임상 경과, 검사 소견, 방사선 소견을 종합하여 진단
- 흉부방사선 소견
  - 경한 심비대 · 양측 폐문부에서 방사되는 선상울혈(sunburst pattern), 폐 말단 부위에 공기집(air trapping)
  - 폐엽간(minor fissure) 또는 늑막에 삼출막이 발견

(3) 치료

- Nasal cannula를 통한 보조적인 산소공급만으로 충분
- 일단 좋아지면 아무런 후유증 없이 회복

5) 태변흡인증후군(Meconium aspiration syndrome; MAS)

- 양수가 태변에 착색된 채로 태어난 신생아에서 호흡곤란 증상을 보이며 원인을 달리 찾아 설명할 수 없는 경우
- 만삭아 및 과숙아에서 발생
- 무기폐, 흡인폐렴, 지속성 폐고혈압증, 공기 가슴증 유발 가능

(1) 발생기전

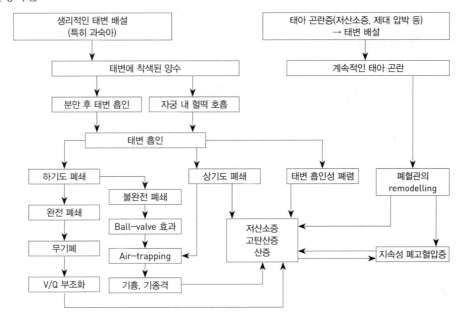

(2) 증상

- 증상의 발현 정도는 태변의 양과 기도의 폐쇄에 따라 다름

  ① 기도 말단부까지 폐쇄의 정도가 심할 경우 : 빈호흡, 흉곽함몰, 신음 호흡, 청색증

  ② 완전 기도 폐쇄 : 원위부에 무기폐 초래

  ③ 부분적 폐쇄 : 흉곽의 팽창, 수포음

- 흉부 X선 소견 : 양측 폐의 과환기, 폐문 주위의 불규칙한 음영 증가, 횡격막의 수평화

(3) 합병증 : 화학적 폐렴, 기흉, 무기폐, 태아순환 지속증, 폐외 공기 누출, 지속성 폐 고혈압

(4) 방사선 소견

- 거칠고 불규칙한 음영(atelectasis)과 양측폐의 hyperaeration

- 횡격막 수평화, 흉곽 전후 직경 확대

(5) 예방 : 산과적 문제로 신생아 가사의 위험성이 있는 경우, 두위가 산도로 나온 즉시 구인두강, 비강의 분비물을 DeLee catheter를 이용하여 흡인 제거

(6) 치료

- 심한 신생아 가사의 징후가 있을 때에는 즉시 기도 삽관을 통한 태변 제거 및 기계적 환기요법 필요

- 지속적 폐고혈압증 시 iNO 흡입 치료

- 2차적 표면 활성제의 부족이 태변에 의하여 초래되므로 Surfactant 사용은 효과가 있음. 고빈도 진동성 환기요법(HFOV with nitric oxide therapy)을 사용하는 것이 효과적이며 ECMO 고려 가능

6) 폐 외 공기 누출(Extrapulmonary extravasation of air)

(1) 발생

① 무증상 기흉 : 전 신생아의 1~2%

② 남아 > 여아

③ 대개 편측성이며 우측이 좌측보다 호발

(2) 발생 기전

① 직접적 원인 : 고압에 의한 폐포 파열 → 폐 사이질 기종(PIE) 형성진행시 늑막 하 기포, 종격동 기종, 기흉, 피하 기종까지 나타냄

② 특발성 : 폐 발육 미숙에 의한 surfactant 결핍 및 폐의 유순도 감소가 원인

③ 고압에 의한 기계적 환기요법 : 높은 PIP, PEEP, IMV rate, long I time 등

(3) 증상

① 무증상 : 과도한 공명과 호흡음의 감소

② 증상 : 흉부 함몰, 저산소증 등을 동반한 급격한 호흡곤란

③ 긴장 기흉 : 늑강 내압이 대기압보다 많이 높을 경우 발생, 심한 호흡장애 및 순환 허탈 발생가능

(4) 진단 : 투조기(transilluminator), 흉부방사선 사진

(5) 치료

① 무증상 : 경과관찰

② 심한 증상 : 늑강천자후 chest tube 삽입, 계속적인 음압배기를 시행)

③ 기계적 환기요법 중 발생한 기흉 : 고빈도 환기요법(HFV)이 효과적

7) 기관지폐 이형성증(Bronchopulmonary dysplasia)

기계적환기와 산소 공급을 필요로 하는 영아에서 폐손상의 결과 주로 미숙아, 특히 초극소 저출생 체중아(extremely low birth weight)에서 발생

(1) 정의 : 보통 교정연령 36주를 지나서도 산소 공급을 필요로 하는 경우로 정의

(2) 증상 : 유리질막증이 3~4일 후에도 좋아지지 않고 산소공급하지 않으면 계속 청색증 보임

(3) 진단

기관지폐 이형성증(BPD)의 진단기준		
재태기간	<32주	≥ 32주
평가 시점	월경 후 주령 36주와 퇴원 시점 중 빠른 시기에 21%가 넘는 산소를 적어도 28일 이상 투여	생후 28일에서 56일 사이 또는 퇴원 시점 중 빠른 시기에 21%가 넘는 산소를 적어도 28일 이상 투여
경증 BPD	월경 후 주령 36주와 퇴원 시점 중 빠른 시기에 산소 투여 중단	생후 56일 또는 퇴원 시점 중 빠른 시기에 산소 투여 중단
중등증 BPD	월경 후 주령 36주와 퇴원 시점 중 빠른 시기에 30% 미만의 산소 투여 필요	생후 56일 또는 퇴원 시점 중 빠른 시기에 30% 미만의 산소 투여 필요
중증 BPD	월경 후 주령 36주와 퇴원 시점 중 빠른 시기에 30% 이상의 산소나 양압 환기(PPV* 또는 NCPAP†) 둘 다 또는 어느 하나가 필요	생후 56일 또는 퇴원 시점 중 빠른 시기에 30% 이상의 산소나 양압 환기(PPV* 또는 NCPAP†) 둘 다 또는 어느 하나가 필요

* PPV : positive pressure ventilation
† NCPAP : nasal continuous positive airway pressure

- 원인 : 기계적 환기와 산소, 미숙아 자체, 증상이 있는 동맥관 개존증, 영양 부족
- 흉부방사선 소견
  공기-기관지 음영과 간질 기종을 보이다가 점차 스펀지 모양의 비균질한 음영으로 대체되는 소견
- 위험요인
  ① 장기간 기계환기를 요구하는 중증의 신생아호흡곤란 증후군(RDS)
  ② 폐간질 기종
  ③ 짧은 재태기간
  ④ 남아
  ⑤ 유리질막병 치료 중의 낮은 이산화탄소분압
  ⑥ 동맥관 개존증
  ⑦ 높은 최대 흡기 압력
  ⑧ 생후 첫 1주 내기도 저항의 증가
  ⑨ 폐동맥압 증가
  ⑩ 천식의 가족력
- 감소시키는 요인 : 극소 저출생 체중아에서 비타민 A 투여시
- 허용 가능한 혈액 가스 소견 : 허용적 고탄산혈증(if pH > 7.20)

$$PaO_2\ 50\sim70\,mmHg$$
$$산소포화도\ 91\sim95\%$$

(4) 치료 : 영양 공급, 수액제한, 약물치료, 적절한 산소화 유지, 감염의 즉각적인 치료

- 영양공급 : 적절한 열량(24-30kcal/30mL/formula) 단백질(3~3.5g/kg/일), 지방(3 g/kg/일)
- 이뇨제 : 폐기능을 단기간 호전시켜 산소와 기계환기 필요성 감소시킴 (Furosemide, hydrochlorothiazide, spironolactone)
- β2-길항제 흡입, aminophyline이나 theophylline 전신 투여 : 기도 저항을 낮추어 폐 기능 호전
- Dexamethasone
    - 기계환기 기간을 줄여 주고 기관지폐 이형성증 위험을 감소시키는 예방적 치료
    - 하지만 고혈압, 고혈당, 위장관 출혈과 천공, 비후성 심근병증, 패혈증, 체중과 두위 성장 지연 등의 합병증 위험이 있기에 신중히 사용

(5) 합병증 및 예후
- 합병증 : 성장지연, 신경운동지연, 부모의 스트레스, 신석증, 골감소증, 성문하 협착
- 심부전, 감염(respiratory syncytial virus) : m/c 사망 원인
- 예후가 불량한 경우
    ㉠ 장기간 기계환기를 받은 영아
    ㉡ 뇌실내 출혈
    ㉢ 지속성 폐고혈압증
    ㉣ 생후 1세 이후까지 산소 의존성을 보이는 환아

9. 신생아의 소화기 질환

▶ 황달의 출현시기에 따른 원인

1. 생후 24시간 이내에 나타날 수 있는 황달
   흔한 원인 : erythroblastosis : ABO 부적합 / Rh 부적합, 패혈증
   드문 원인 : 감염, cytomegalic inclusion disease, toxoplasmosis, rubella, 간염
2. 생후 2~3일에 나타나는 황달
   흔한 원인 : '생리적' 황달
   드문 원인 : familial nonhemolytic icterus (Crigler Najjar 증후군)
3. 3일 이후 1주 내에 나타나는 황달
   패혈증, 기타 감염(선천 매독, toxoplasmosis, cytomegalic inclusion disease)
   내출혈(광범위한 ecchymosis, 두혈종)
4. 1주 이후에 나타나는 황달
   패혈증, 담도 폐쇄, 간염, galactosemia, 약물에 의한 용혈 빈혈, 모유 황달(breast milk jaundice)
5. 생후 1개월 이상 지속되는 황달
   Inspissated bile syndrome, 간염, 선천 매독, cytomegalic inclusion disease, toxoplasmosis, 담도 폐쇄, galactosemia, cretinism, pyloric stenosis, totalparenteral nutrition

1) 신생아의 황달(Neonatal jaundice)
- 심한 간접 황달과 직접 포합 황달의 미치료 시 신경계에 손상
- 생후 첫 주내 만삭아의 약 60%, 미숙아의 약 80%에서 관찰

(1) 원인
- 신생아 간접 고빌리루빈혈증의 원인
  ① 간에서 대사될 빌리루빈의 양을 증가시키는 요인(용혈 빈혈, 미숙 또는 수혈에 의하여 적혈구 수명 단축, 장간순환의 증가, 감염, 두혈종, 다혈증, hereditary spherocytosis)
  ② Transferase 효소의 작용을 감소시키는 요인(저산소증, 감염, 저체온증과 갑상샘 기능저하)
  ③ Transferase 효소와 경쟁적 관계있는 요인(배설에 glucuronic acid conjugation이 필요한 약물)
  ④ Transferase 효소의 결핍이나 간세포에서 빌리루빈 uptake 감소를 일으키는 요인(유전적 결함, 미숙아)
- 혈청 빌리루빈치는 조기 경구 영양 시 감소되지만 모유영양과 탈수 때에는 증가

(2) 증상
- 경피용 황달 측정기 사용 또는 피부를 눌러보아서 측정
- 얼굴(5mg/dL), 복부중앙(12mg/dL), 발바닥(20mg/dL)으로 추정 가능
- 간접 빌리루빈의 침착에 의한 황달 : 밝은 황색 또는 오렌지색
- 직접 빌리루빈 증가하는 폐쇄성 황달 : 녹색 또는 진흙색 같이 어두운 빛깔이 섞인 황색

[3] 신생아 황달 감별진단

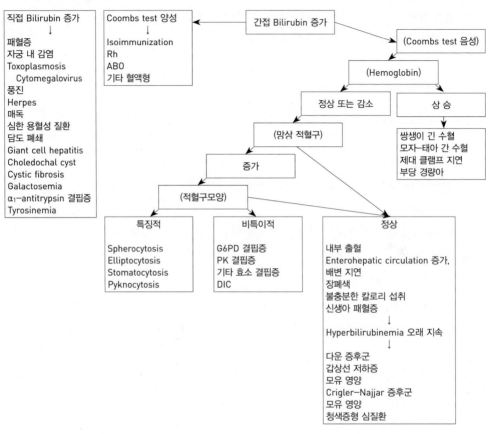

직접 Bilirubin 증가
↓
패혈증
자궁 내 감염
Toxoplasmosis
Cytomegalovirus
풍진
Herpes
매독
심한 용혈성 질환
담도 폐쇄
Giant cell hepatitis
Choledochal cyst
Cystic fibrosis
Galactosemia
α₁−antitrypsin 결핍증
Tyrosinemia

신생아 황달의 감별진단

① 생리적 황달(Physiologic jaundice)

- 정상치 : 제대혈청내 간접빌리루빈 : 1~3mg/dL
- ☆ 하루 5mg/dL 미만으로 증가 생후 2~3일에 육안으로 관찰가능, 생후 2~4일 사이 5~6mg/dL로 최고치에 달하고 5~7일 사이에 2mg/dL이하로 감소
- 원인 : 생존일이 성인 적혈구보다 짧은 태아 적혈구(80일 대 120일) 때문에 생기는 빌리루빈의 생성의 증가와 간에서의 빌리루빈 포합의 일과성 제한
- 간접 빌리루빈치는 만삭아의 6-7%에서 12.9mg/dL 이상 3%에서 15mg/dL 이상까지 상승
- 미숙아에서 혈청 빌리루빈 증가는 만삭아와 비슷할 수 있으나, 약간 늦게 나타나 오래 지속될 수 있다.

- 미숙아는 약간 늦게 나타나 오래 지속 생후 5-7일 사이에 최고치인 8-12mg/dL 에 드물게는 10일 이후에도 관찰

황달의 원인을 반드시 찾아야하는 경우

 Ⓐ 생후 24-36시간 내에 나타나는 경우

 Ⓑ 혈청빌리루빈이 24시간내에 5mg/dL 이상 증가하는 경우

 Ⓒ 혈청빌리루빈이 만삭아인 경우 위험인자가 동반되지 않은 상태에서 12mg/dL 이상, 미숙아에서는 10~14mg/dL 이상인 경우

 Ⓓ 황달이 생후 10~14일 이상 지속되는 경우

 Ⓔ 생후 시간에 관계없이 직접 빌리루빈이 2mg/dL 이상인 경우

 ☆② 모유황달(Jaundice associated with breast-feeding, Breast milk jaundice)

  ☆ • 모유수유 중인 만삭아 2%에서 생후 4~7일째부터 불포합 빌리루빈이 상승

  ☆ • 2~3주째 최고치(10-30mg/dL)

   • 계속 모유 수유를 하여도 서서히 빌리루빈치는 감소(3~10주 동안에는 낮은 농도로 지속)

  ☆ • 1~2일간 수유를 중단하면서 분유를 먹이면 혈청 빌리루빈이 급격히 감소, 이후 다시 모유수유를 계속 하여도 고빌리루빈혈증은 그전의 높은 수치까지 도달하지 않는다.

   • 심한 경우 광선치료

   • 원인은 명확하지 않으며 모유에 함유된 glucuronidase에 의하여 황달이 발생

   • 구별 : 조기모유황달(early breast milk jaundice) – 생후 첫주에 나타남

    – 모유 수유아의 13%에서 생후 1주 내에 혈청 빌리루빈치가 12mg/dL이상 증가

    – 원인 : 모유 수유가 충분하지 않아 생긴 탈수나 칼로리 섭취 감소때문에 발생

    – 치료 : 출생 후 되도록 빨리 모유 수유 시작, 하루 10회 이상 모유 수유, 모자 동실을 시켜 밤에도 수유시키기

 ③ 병적황달

 ④ 핵황달(Kernicterus)

  뇌세포에 불포합빌리루빈이 침착되어 생기는 신경학적 증후군

  BBB를 통과해야함 : 유리 빌리루빈

   • 유리 빌리루빈의 증가 원인

    – 알부민의 빌리루빈 결합 부위의 감소 요인

    – 경쟁적 결합 물질 증가

- 치료받지 않은 용혈 질환인 경우 빌리루빈치가 25-30mg/dL 이상인 환아의 1/3에서 핵황달
  - 건강한 만삭아나 용혈이 없는 경우라면 혈청 빌리루빈치가 25mg/dL미만에서는 핵황달이 일어나지 않는다.
  - 고빌리루빈혈증 있던 미숙아의 부검에서 2-16%에서 발견
  - (핵황달의 신경학적 징후)이 뚜렷한 경우 75%이상에서 사망
  - 생존자의 80%에서 불수의 근육경련을 동반한 양측성 무도성 무징위 운동 (bilateral choreoathetosis)이 생긴다. 지능 저하, 난청, 경직성 사지 마비
  - 후기 합병증 중 가장 흔한 것은 뇌성마비증상
- 증상
  - 초기 징후 : 기면, 식욕 부진, Moro반사 소실
  - 건반사 감소, 호흡곤란 → 허탈 상태
  - 활모양강직(oposthotonus), 숫구멍 팽륜, 얼굴 및 사지 연축(twitching),
  - 정신 경련과 경축(spasm)
- 치료

  목표 : 원인에 관계없이 핵황달의 위험이 있는 혈중 간접 빌리루빈 농도에 도달하지 못하도록 예방

  ☆Ⓐ 광선치료(phototherapy) : 명확한 기준은 없다. 광선치료의 효과는 6-12시간에 나타남

  ∴ 교환수혈의 적응증이 되는 빌리루빈치보다 낮은 수치에서 광선치료를 해야한다. 교환수혈의 적응증이 되는 경우에 광선치료가 교환수혈을 대신할 수 없다.

  Ⓑ 교환수혈(exchange transfusion)

  황달을 일으킨 원인(패혈증에서 항생제사용)에 대한 치료산증 같은 신경학적 손상의 위험성을 증가시키는 요인에 대한 치료도 병행

  ※ 생후 24시간 내에 시작된 황달은 용혈을 의미하고, 빌리루빈이 20이상일 경우 교환수혈의 적응이 된다.

용혈이 없는 건강한 만삭아에서 고빌리루빈혈증의 치료 지침 #			
나이(시간)	치료전략(광선치료) 교환 수혈 준비*	집중적 광선치료와 교환 수혈	광선치료 실패 시
<24	†	†	†
24~48 ‖	≥15~18	≥25	≥20
49~72	≥18~20	≥30	≥25
>72	≥20	≥30	≥25
>2주	‡	‡	‡

\# : 용혈이 있는 경우 나이에 관계 없이 빌리루빈치가 20이상이면 교환 수혈을 시행한다.

‖ : 생후 48시간 내에 빌리루빈치가 이 정도에 이르는 경우는 드물기 때문에 용혈, 혈종, 직접 고빌리루빈혈증 등의 원인 질환을 찾아보아야 한다.

† : '건강한' 아기에서 생후 첫 24시간 내 황달은 나타나지 않는다.

‡ : 출생 후 2주째 갑자기 황달이 나타나거나 적절한 치료에도 불구하고 출생 2주 후까지 지속되는 황달은 자세한 검사를 필요로 하며, 담관 폐쇄, 갈락토오스혈증, 갑상샘 저하증, 신생아 감염과 같은 중한 질환이 원인이 될 수 있다.

* : 만약 처음 시행한 빌리루빈치가 높으면 집중적으로 광선요법을 시행하면서 교환 수혈을 준비해야 한다. 광선 치료 후 빌리루빈치가 오른쪽과 같이 감소하지 않으면 교환 수혈을 시행한다.

§ : 빌리루빈치가 이 정도이면 집중적으로 광선요법을 시행해야 하며, 일반적으로 4~6시간 내에 빌리루빈치가 1~2mg/dL 정도 감소한다. 정맥 내 수액량은 유지량의 1~1.5배 투여하며 경구 수유도 병행해야만 한다.

- 광선치료
  - 가시광선을 쬐면 혈중의 간접 빌리루빈이 감소한다.
  - 빌리루빈은 파장 420-470nm의 청색빛을 가장 많이 흡수, 흰색, 녹색빛 순
  - 원리
    - Ⓐ 피부의 빌리루빈은 빛에너지를 흡수하여 독성이 있는 불포합 4Z, 15Z- 빌리루빈을 광이성화(photoisomerization)시켜 이성체인 4Z, 15E-빌리루빈(포합을 거치지 않고 담즙을 통하여 배설)으로 변형
    - Ⓑ 빌리루빈을 또 다른 이성체인 루미루빈(lumirubin)으로 변형시켜 불포합 상태로 신장으로 배설
  - 광선치료의 효과
    : 빛에너지의 파장, 광원과 환아 사이의 거리, 노출된 피부 면적, 용혈속도나 인체내 빌리루빈의 대사 및 배설(피부색은 아님)과 관계
    : 지속적으로 시행, 피부노출을 극대화 위해 체위를 자주 바꾼다.
  - 용혈 질환이 있거나 핵황달의 위험시 혈청 빌리루빈치와 혈색소를 매 4-8시간마다 검사
  - 그 밖에는 매 12~24시간마다 검사
  - 용혈 질환의 경우 광선 치료 후 혈청 빌리루빈이 상승하는 경우가 있어 치료 중단 후 적어도 24시간까지 검사

　　　　－ 안대착용을 하고 광선 치료

　　☆－ 광선치료의 합병증

　　　　묽은 변, 홍반성 발진, 발열과 탈수(불감성 수분소실의 증가 및 설사), 오한,

　　　　청동아 증후군(bronze baby syndrome)

- 교환수혈(Exchange transfusion)

▶ 기준

　Ⓐ 일정 수치 이하로 간접 빌리루빈 치를 유지하기 위해 교환수혈을 시행. 반복 시행 가능

　Ⓑ 핵황달을 시사하는 임상 징후가 발생 시 혈청 빌리루빈치에 상관없이 시행

　Ⓒ 병든(주산기 가사, 산증, 저산소증, 저알부민혈증, 뇌막염, 뇌실내 출혈, 용혈, 저혈
　　당증, 핵황달 증상) 미숙아에서 생후 첫 날이나 2일째에 점차 빌리루빈이 증가될 것이
　　예상되고 위험 수치라고 판단되는 정도에 근접하면 시행

　　: 나이에 관계없이 bilirubin > 20mg/dL이면 시행

　Ⓓ 빌리루빈치가 최고치 농도보다 높거나 광선치료로 빌리루빈이 감소하지 않거나 핵황
　　달의 증거가 있을 시

✚ **프로토포피린(tin-protoporphyrin) 투여**

- heme-oxygenase에 의하여 빌리버딘이 빌리루빈으로 변환되는 것을 억제하여 빌리루빈을 감소시킴
- 생후 1일에 1회 IM 투여하면 광선치료의 필요성이 감소된다.

---

2) 신생아 괴사 장염(Neonatal necrotizing enterocolitis)
- 신생아기에 가장 흔한 응급 소화기 질환
- 원인불명의 신생아 중증질환의 하나
- 다양한 장 점막 및 전층의 괴사가 특징
- NICU 입원 환아의 1-5%에서 발생
- 출생체중과 재태기간이 감소할수록 증가하나, 드물게는 만삭아에서 발병

(1) 병리 및 병인
- 장의 괴사, 장벽 점막하 공기 축적(pneumatosis intestinalis), 장천공, 패혈증 및 사망
- 호발부위 : 회장의 원위부와 대장의 근위부
- 위험요인 : 적혈구 증다증, 고농도의 우유 또는 약물, 너무 빠른 영양법, 유행시기
　에는 별다른 위험 요인이 없는 미숙아에서도 발병, 감염(*E. coli*, 다른 G(-)등)
- 발병관련인자 : 장허혈, 경구영양, 병원균

- 가장 큰 위험요인 : 미숙아
- 감염의 원인균 : *Clostridium perfringens*, *E. coli*, *S. epidermidis* 및 rotavirus, *Klebsiella*. : 대부분의 경우 원인균이 발견되지 않음

✚ 신생아 괴사성 장염과 관련된 증상 및 징후

위장관	전신
복부 팽만	기면
복부 압통	무호흡/호흡곤란
수유 불내증	체온 불안정
위배출 지연	"Not right"
구토	산혈증(대사성/호흡성)
잠혈변/혈변	혈당 불안정
대변 양상의 변화/설사	관류 불량/쇼크
복부 종괴	범발성 혈관 내 응고 증후군
복벽 홍반	혈액배양검사 양성

---

(2) 증상

☆ • 대부분 출생 후 첫 2주 이내 경구영양 후 발생
- 극소저출생체중아에서는 생후 3개월까지 지연되어 발병
- 태변은 정상적으로 배설
- 초기 증상 : 복부팽만 및 위저류, 대부분 경구 영양 후에 발생.
- 25%에서 혈변
- 잠혈변만 보이는 경증에서부터 복막염, 장천공, 쇼크 및 사망 등 중증까지의 여러 양상

(3) 진단

☆ • 단순복부촬영 : 장벽내 공기(pneumatosis intestinalis) (50–75%)
- Cross table lateral 복부 X –선 검사와 혈색소, 혈소판, 전해질 및 산염기 검사
- 문맥 정맥 내 공기(portal venous gas)(football sign) : 중증시 나타남.
- 복강 내 free gas (pneumoperitoneum) : 장천공 → Cross table lateral 복부 방사선 사진으로 확인
- 감별진단 : 전신성 또는 장내 감염, 장폐색, 장축 염전증(volvulus)
- Steroid와 인도메타신(indomethacin)이 국소적 장천공 유발 : 이 경우 기복이 일어난 경우에도 NEC보다 덜 아파보임
- 배양검사
- Gastrografin enema : 장벽 내 공기(pneumatosis intestinalis)를 잘 보여줌. 선천성 장폐색 이나 장축 염전증 의심되는 경우에 유용

- 간초음파검사 : 정상 복부 X선 소견에서도 문맥 정맥 내 공기를 찾아내는데 유용

(4) 치료

① 내과적 치료

☆ • 금식

☆ • 비위강 감압(nasogastric decompression)

- 산-염기 및 전해질 평형에 주의하면서 정맥 영양을 시행

☆ • 전신적 항생제, DIC 교정(FFP 투여)

☆ • 제대 도관 제거

- 인공환기요법 : 복부팽만이 저산소증 및 과탄산혈증을 유발한 경우

- 병의 경과중 장천공을 찾아내기 위하여 cross table lateral 복부 X선 검사와 적혈구 용적률, 혈소판, 전해질 및 산·염기 검사를 자주 시행, 관찰

- 저혈압 : 전혈, 혈장, 정질액(crystalloid solution) 및 dopamine 필요시 소생술

- 가운과 장갑 착용 및 위험 요인이 있는 환아를 격리, 치료

- 초기에 소아 외과 의사에게 자문

☆ • 장천공의 증거가 있으면 괴사된 장의 절제

② 외과적 치료

Ⓐ 장천공의 증거(기복이나 갈색의 복수 천자액에서 그람 염색상 세균이 발생된 경우)

Ⓑ 내과적 치료에 반응을 안하거나

Ⓒ a single fixed bowel loop on simple abdomen

Ⓓ 복부 피부에 홍반이 나타나거나 덩어리가 만져질 때

- 복막배액술(peritoneal drainage) : 장절제 수술을 받을 수 없을 정도의 심한 복막염

(5) 예후

- 내과적 치료의 실패율 : 진단 시 장벽내 공기가 있었던 환아의 20%, 이 환아의 9~25%가 사망

- 합병증

  - 약 10% : 괴사된 부위의 협착(stricture)

  - 단장증후군(short bowel syndrome : 흡수장애 성장 장애, 영양 실조)

  - 중심도관을 통한 총 정맥 영양법에 의한 합병증(패혈증, 혈전증) 및 간경변으로 진행하는 담즙 정체성 황달

(6) 예방 : 조심스러운 영양법(하루에 15-20mL/kg가 넘지 않도록 천천히 진행) : 모유영양

10. 혈액질환

1) 신생아 빈혈

혈색소 또는 적혈구 용적률이 해당 연령의 평균치에서 2 표준편차보다 낮은 경우

(1) 분류

원인별 : 실혈, 용혈, 생성 감소

(2) 임상 증상 및 진단

- 급성 실혈 : 호흡곤란, 쇼크(간비대, 혈색소 감소는 없음)
- 만성 실혈 : pale, 혈색소 낮음, 심부전 증상
- 임신력, 출산력, 시기, 식습관, 약물등의 병력 청취
- CBC, 망상적혈구 수, Coombs test, 적혈구 지수, 말초혈액 도말검사, 전기영동검사

(3) 출혈로 인한 빈혈

(4) 태아로부터 모체로의 출혈

(5) 쌍둥이간 수혈

- 일란성 쌍둥이 사이에 혈색소 5g/dL, 적혈구 용적률 15%차이가 있을때 의심
- 혈액을 보낸아이는 창백하고 작음, 양수 과소증, 창백
- 혈액을 받은 아이 : 몸이 더 크고 붉은 피부와 양수 과다증

(6) 미숙아의 빈혈 : 짧은 적혈구 수명, 빠른성장에 따른 혈액량 증가, 채혈 등의 원인

→ 더욱 빈번

2) 신생아 용혈 질환(Hemolytic disease of the new born, Erythroblastosis fetalis)

(1) 신생아 용혈 질환의 진단적 접근방법

① 혈색소

② 망상 적혈구

③ Coombs test

④ 말초혈액 도말 검사

★(2) Rh 부적합증(Rh incompatibility)

Rh 항원은 C, c, D, d, E, e 등 인자들이 여러 혈액형을 결정 - 항체반응의 90%가 D 항원에 기인

① 발생기전

Ⓐ Rh(+)인 태아의 혈액이 Rh(−)인 산모로 들어가면 임신동안 D항원에 감작

Ⓑ 면역화되면 소량의항원도 항체반응 유발가능

② 임상증상 : 경증의 용혈(15%)에서 심한 빈혈과 골수 외 조혈(간비장비대)까지 다양

③ 진단

    Ⓐ 엄마 IgG 항체가 측정 : 임신 초기 항체보유 혹은 항체가가 급상승하거나 항체
        가가 1 : 64 이상이면 심한 용혈 질환 가능성

    Ⓑ 태아 Rh 상태 : 산모 혈액에서 태아 적혈구나 혈장분리 또는 양수천자하여 PCR

      • 양수천자(18~20주) : 용혈 발생시 혈중 빌리루빈 상승 → 양수로 유입

        - 450nm에서 광학 밀도에 의해 태아의 빌리루빈 측정

        - 적응증 : 엄마의 감자이 1 : 16 이상, 이빠가 Rh 양싱, 용혈, 태아수종승,
          태아 고통의 임상증상

★Ⓒ 검사 소견 : direct Coombs test(+)

④ 치료

    Ⓐ 태아의 치료 : 태아 배꼽 정맥 수혈

      적응증 : 폐의 미성숙이 있는 태아에서 수종증이나 적혈구 용적률이 30% 미만

    Ⓑ 출생 후 치료 : 신선하고, 항체가가 낮은 O형이고 Rh음성인 혈액을 즉시 공급

★Ⓒ Rh감작의 예방 : 다음과 같은 경우 48시간 이내에 IM으로 인간 항D글로불린
    (RhoGAM) 투여

      - 출산, 자궁외임신의 출산, 임신 중 복부외상, 양수천자, 융모막 생검, 또는 임
        신 중절 후

      - 임신 28~32주에 한 번 투여하고 출산 후 재투여가 더 효과적

⑶ ABO 부적합증

  ① 신생아 용혈성 질환 중 m/c - Rh 부적합보다 임상 경과는 경하다.

★② 엄마의 혈액형이 O형이고, 신생아의 혈액형이 A 또는 B형일 때 발생

  ③ 검사 소견 : 다음의 소견이 보이면 진단 가능

★Ⓐ 첫 24시간 동안 황달 출현, 간접 빌리루빈 상승

    Ⓑ ABO 부적합

    Ⓒ 말초혈액에 구형 적혈구

    Ⓓ 다염성을 보이고 유핵 적혈구의 증가, 망상 적혈구도 10~15%까지 증가

  ④ 치료 : 광선치료(고빌리루빈혈증), 수혈(영아와 같은 Rh형의 O형 혈액)

3) 신생아의 적혈구 증가증

- 과숙아가 만삭아에 비해 부당 경량아, 부당 중량아가 적정 체중아에 비해 발생률 높음

(1) 증상

- 적혈구 용적률 증가 : 생후 2시간부터 2~3일까지 증상 나타남
- 청색증, 빠른호흡, 호흡곤란, 홍분, 기면

(2) 치료

- 적혈구 용적률이 60~70%인 경우 : IV로 수분 섭취
- 70%이상의 용적률 : 부분 교환 수혈

4) 신생아 출혈성 질환

- K의존형 응고인자의 일시적인 감소에 따른 경우 : 생후 2~7일
- 비타민 K의 기능을 저해하는 약물(phenobarbital, phenytoin)을 투여받은 산모 : 생후 24시간 이내 가능
- 비타민 K 흡수장애(담도 폐쇄증, 간염, 낭성 섬유종) : 생후 2주후 발생 가능
- 탈카복실화 프로트롬빈, 비타민 K의 농도 측정으로 검사
- 치료 : 비타민 K의 정맥주사, 피하주사
  응급시 : 신선 동결 혈장(10mL/kg IV)
- 예방을 위해 출생시 모든 신생아에게 비타민 K 1mg 근주

11. 신생아 감염(Neonatal infection)

- 태내감염의 원인균

  Treponema pallidum, *Borrelia burgdorferi*, rubella, CMV, parvovirus B19, HIV, varicella zoster, *Listeria monocytogenes*, *Toxoplasma gondii*

- 주산기 감염의 원인균

  Group B streptococci, *Neisseria gonorrhoeae*, *L. monocytogenes*, *E. coli*, genital mycoplasma, *Ureaplasma urealyticum*, enterovirus 및 herpes simplex

- 분만시 : 산모에서 태아로의 수혈을 통해 Hepatitis B virus, HIV 감염

1) 신생아 패혈증(Neonatal sepsis)

임상적으로 아파보이면서 혈액균 배양이 양성인 경우로 정의하고 있고, 건강한 신생아에서 관찰되는 일시적인 균혈증(transient bacteremia)과는 구별되어야 한다.

Q. 신생아 폐렴의 대표적 병원체는? Group B streptococcus

	신생아 감염의 양상		
양상	조발형(Early Onset)	지발형(Late Onset)	병원내(Nosocomial)
발병	출생 후 72시간 이내(또는 7일 이내)	출생 후 3~4일 이후(또는 7~30일)	1주에서 퇴원 때까지
산과적 위험	Colonization, 양막염, 미숙아	드물다	미숙아 : NICU 치료, 장 절제
발현 증상	호흡곤란, 폐렴, 쇼크	발열, CNS 또는 국소 증상	무호흡, 서맥, 기면, 체온 불안정
수막염	30%	75%	10~20%
기타 기관	드물다	신우신염, 골수염, 관절염, 연조직염	폐렴, 신우신염, 내안구염, 패혈성 혈전, 정맥염, 피부 감염, central line 패혈증, NEC
병원균*	우리나라 : *S. aureus, S. epidermidis* 및 그람 음성균 미국, 유럽 : Group B Streptococci-types Ia, Ib, Ia/c, II, III 그 외에 *E. coli, L. monocytogenes,* Enterococci, *nontypable, Haemophilus influenzae, Streptococcus pneumoniae*	*S. aureus, S. epidermidis* Group B Streptococci type III, *E. coli, L. monocytogenes,* herpes simplex	*Staphylococcus epidermidis, S. aureus, Candida albicans, P. aeruginosa, E. coli,* herpes *simplex, Klebsiella, Serratia*
치료	Ampicillin과 gentamicin † 또는 cefotaxime 항생제 선택은 지역에 따른 균의 감수성에 따른다.	Ampicillin과 gentamicin 또는 cefotaxime 항생제 선택은 지역에 따른 균의 감수성에 따른다.	신생아실에 있는 원내 감염균에 따라 다르다: vancomycin 또는 naficillin 과 gentamicin 또는 amikin
보조 요법	Mechanical ventilation, vasoactive agents, fluid resuscitation, ECMO	Mechanical ventilation, vasoactive agents, fluid resuscitation	Mechanical ventilation, vasoactive agents, fluid resuscitation
치명률 †	10~30%	10~20%	5~10%

*Herpes simplex, enterovirus, CMV는 심한 세균 감염과 구별하기 어려운 배양 음성 지발성 패혈증 같은 양상으로 나타날 수 있다.
† 치사율은 출생 시, 발병시 또는 미숙아(<1,500g)에서 가장 높다.
CNS : central nervous system, ECMO : extracorporeal membrane oxygenation
NICU : neonatal intensive care unit, NEC : necrotizing enterocolitis

① 조기 발현 신생아 감염 : 생후 72시간 이내의 증상 발현

    Ⓐ 산과적 위험 요소 : 조기 양막 파수(premature rupture of membrane), 조기 진통, 양막염, 산모의 발열

    Ⓑ 원인균 : 우리나라 – *S. aureus, S. epidermidis* 및 *E. coli*와 같은 그람음성균. 미국, 유럽 – B군 사슬알균, *E. coli* 및 *L. monocytogenes*

    Ⓒ 패혈증의 중요요인 : 미숙아, 저출생 체중아, 출생 시 인공 소생술 조작(특히 기관지 삽관, 제대 동맥 삽관)

② 후기발현 신생아 감염 : 생후 3~4일 후에 나타나는 경우. 위험요소 – 산모나 가족과의 접촉, 병원내 직원이나 오염된 기구와 같은 불활성 매체

③ 병원내 감염

위험요소 - 저출생체중, 입원기간, 침습적 조작술, 내재성 혈관내 도관, 뇌실내 단락, 기관지 삽관, 피부나 점막의 손상, 광범위 항생제 사용

[1] 역학

- 발생률 : 선진국을 기준으로 출생아 1,000명당 1-4명
- 발생률이 증가하는 경우
  - 저체중아, 양막 파열(> 18시간), 산모의 주산기열(> 37.5℃)
  - 산모의 백혈구증가증(> 18,000/mm³, 자궁 압통, 태아 빈맥(> 180회/분), 양막염, 분만 상 산모의 위험 요소가 있을 때.
  - 숙주의 위험요소 : 저체중 출생아 남아, 발달성 또는 선천성 면역결핍, 갈락토스혈증, 철분의 근육주사, 선천성 기형(요로 기형, 무비증, 수막 척수류, sinus tracts, 제대염, 쌍생아(감염 쌍생아 중의 후둥이), 주산기 가사

[2] 원인

① 조발형 : Group B streptococci와 산모의 생식기로부터 온 장 내 세균
② 지발형 : GBS, HSV, enterovirus, *E. coli*
③ 극소출생 체중아의 지발형 패혈증 : *Candida*, coagulase negative staphylococci

우리 나라에서는 조발형 GBS는 극히 드물다.

[3] 병인론

- 보체 활성화의 전형적 경로와 부경로의 생리적인 결핍 → 세균에 대한 부적절한 opsonization → 병원균(*E. coli*, GBS)에 대한 특이 항체의 부족, fibronectin의 부족 및 중성구의 정량, 정성적 부족
- 감염을 증가 시키는 요인
  - 산과적 합병증(조기 진통, 조기양막파수, 산모발열)
  - 제대 동맥 도관, 중심 정맥 도관, 요도의 카테터 삽입과 기관삽관

[4] 증상

- 여러 기관을 침범했거나 심폐 증후가 심한 경우 패혈증을 의심.
① 첫 증상 : "어딘지 이상하다" 무호흡, 흉부 함몰을 동반한 빈호흡이나 빈맥 등 혹은 전반적 진찰소견과 검사상의 이상
② 후기 증상 : 뇌부종, 성인형 호흡곤란 증후군, 지속성 고혈압증, 심부전, 신부전, 고빌리루빈혈증, 간 기능 효소치 증가, PT/aPTT의 연장, 패혈성 쇼크, 부신 부전증, 부신 출혈, 골수 부전(혈소판감소증, 백혈구 감소증, 빈혈)과 범발성 혈액 응고 장애 등.

(5) 진단

신생아 패혈증에 대한 검사
병력(특수한 위험 인자) 임신 또는 분만 중의 모체의 감염(종류, 기간, 항균요법) 　요로감염 　Chorioamnionitis Maternal colonization (GBS, *N. gonorrhoeae,* herpes simplex) 재태기간 : 출생 시 체중 다태 출산 Membrane rupture의 기간 분만 합병증 태아 곤란증(distress) 발병 시기(자궁 내, 출생 시, 출생 후 초기, 후기) 발병 장소(병원 내, 병원 외) 의학적 처치 및 치료 　혈관 주사 기관 내 삽관 　비경구 영양 　수술	검사 감염의 증거 　정상적으로 <u>무균적인 부위에서 배양(혈액, CSF, 기타)</u> 　조직이나 체액에서의 균의 증명 　항원 검사(요, CSF) 　모체 또는 신생아의 혈청 검사(매독, toxoplasma) 　부검
	염증의 증거 　Leukocytosis, <u>immature/total neurophil count ratio의 증가</u> 　Acute–phase reactants: CRP, ESR 　Cytokines : IL–6 　Pleocytosis (CSF, 활막액 또는 흉막액) 　Disseminated intravascular coagulation : fibrin split products
다른 질병의 증거 　선천 기형(심질환, 신경관 결함) 　호흡기 질환(HMD, 흡인) 　괴사성 장염 　대사 질환(예 : galactosemia)	다발성 전신 질환의 증거 　대사성 산증 : pH, $PaCO_2$ 　폐기능 : PaO_2, $PaCO_2$ 　신기능 : BUN, creatinine 　간 손상, 간기능 : bilirubin, AST, ALT, ammonia, PT, PTT 　골수 기능 : 중성구 감소, 빈혈, 혈소판감소
국소 또는 전신적 질환의 증거 　일반 증상, 신경 증상 　활력 징후의 이상 　Organ system disease 　수유, 대변, 배뇨	

- 혈액배양검사가 음성인 경우 : 염증성 반응을 나타내는 ESR, CRP, haptoglobin, fibrinogen, nitroblue tetrazolium dye, IL-6, LAP 등의 민감도는 제한적이나 진단에 도움이 될 수 있다.
- 총 백혈구 수와 분획, 총 중성구 수에 대한 미성숙 중성구 수의 비가 0.16 이상이면 세균 감염을 강하게 시사.
- 중한 경우 : 중성구의 증가보다 감소를 나타내는 경우가 많음. : 중성구의 감소는 산모의 고혈압, 신생아 감작, 뇌실 주위 출혈, 경련, 수술, 용혈 등과 병발 가능
- 뇌척수액 검사
- 소변배양검사

(6) 치료

항생제 치료법과 보존 요법

- 항생제 치료

– 초기 경험적 치료 : 배양검사가 시행된 즉시 경험적 항생제 투여!

G(−) enteric bacteria : ampicillin과 aminoglycoside나 3세대 cephalosporin의 병합

L. monocytogenes : ampicillin

GBS : Penicillin 투여와 aminoglycoside 병합투여시 상승 효과 있다.

Enterococci

Anaerobic bacteria : clindamycin or metronidazole

– 배양검사에서 원인균과 감수성이 밝혀지면 적합한 항생제 선택

– 치료 기간 : 임상적 호전이 나타난 후 최소 5–7일간 투여.

- 저혈당증, 저나트륨혈증, 저칼슘혈증 등을 교정하고 수액량, 전해질 및 혈당의 지속적인 감시

- DIC 여부를 가리기 위해 혈소판 수, Hb, PT, PTT, fibrin split product에 대한 검사

– DIC 발생한 경우 패혈증에 대한 일반적 치료와 함께 FFP, 혈소판 및 전혈의 수혈

2) 신생아 수막염

(1) 원인

★ m/c : GBS, *E. coli*, *Listeria* 등

(2) 병인론

- 주로 혈행성 전파
- 합병증 : 뇌염, 패혈성 경색, 뇌농양, 뇌실염, 경뇌막하 삼출 및 수두증 등

(3) 증상

기면증(50∼90%), 천문팽대(20∼30%), 경련(30∼50%), 경부경직(10∼20%), 초기 드물게 뇌압 상승

(4) 진단

- 확진 : 뇌척수액 배양에서 세균, 바이러스, 진균 등의 원인균이 밝혀지거나 항원 검출
- 혈액 배양 : 70–85% 양성률, 첫 진단시 필수적
- 뇌척수액 그람 염색 : GBS 85%, 그람 음성균 61%에서 양성 : 중성구가 우세하게 관찰됨(>70∼90%)
- 뇌척수액의 균 배양 및 그람 염색을 통한 확진이 내려져야 함
- 배양검사 음성 : 진단 전 항생제 치료의 기왕력 :

M. hominis, U. urealyticum, Bacteroides fragilis, 뇌농양, enterovirus, HSV 감염 등 의심

- 두부 초음파, 조영제를 이용한 CT : 뇌실염과 뇌농양 진단에 도움.
- HSV 수막염 : 뇌척수액과 피부, 눈, 입의 병소 부위에서 바이러스, HSV 항원 또는 DNA 검출로 확진

(5) 치료

우선 경험적으로 Ampicillin & cefotaxime or ampicillin & gentamicin 병용 투여가 추천 (aminoglycoside계 약물은 그람 음성균의 성장을 억제시킬 수 있는 농도의 정맥주사로도 척수액 내나 뇌실 내에 도달하지 못하고, 그람 음성균 수막염이나 뇌실염 치료를 위해 뇌실 내 투여해 보아도 별 효과를 기대할 수 없음.)

- *L. monocytogenes* : 모든 cepha 계통의 약물에 내성을 가지므로 단독 투여는 금기. Ampicillin 반드시 써야 함
- *P. aeruginosa* : ceftazidime
- *B. fragilis* : metronidazole
- 칸디다 뇌수막염 : amphotericin B와 flucytosine 병합 투여를 3-6주 동안
- Herpes 뇌수막염 : acyclovir
- *S. aureus* : vancomycin

3) 만성 자궁 내 감염
- TORCH (Toxoplasmosis, Others, Rubella, Cytomegalovirus, Herpes simplex, 근래에는 매독을 포함해 STORCH)
- 자궁 내와 주산기 감염의 대표적 질환.
- 요즘은 CMV 감염이 가장 흔해짐.

4) 그 밖의 신생아 감염증
(1) 신생아 농루안, 결막염(Ophthalmia neonatorum, Neonatal conjunctivitis)
① 원인
- 비감염성 화학적 결막염 : 예방목적으로 점적한 질산은에 의한 것
- 세균성 결막염 : 산도 통과시 *N. gonorrhoea*, *C. trachomatis*, *S. aureus*(최근 m/c)
- 바이러스성 결막염 : HSV type I, II
② 증상
Ⓐ 1%질산은에 의한 염증(화학성 결막염) : 대개 생후 6-8시간 내에 발생 24~48시간 경과 시 자연 회복

Ⓑ *N. gonorrhoeae* 결막염(임균성 결막염)

잠복기간 2~5일, 처음에는 경한 염증과 혈장성 분비물로 시작 24시간이내 끈적 끈적한 화농성 분비물로 변하고 심한 결막 부종과 안검 부종 나타남

Ⓒ *C. trachomatis* 결막염

- 잠복기간 5-14일

- 경한 염증부터 심한 화농성 분비물과 안검 부종 및 위막형성에 이르기 까지 증상 다양, 약 50%에서 비인두 감염 동반

Ⓓ *S. aureus*, *P. aeruginosa*에 의한 결막염

위와 증상 비슷

③ 진단

- 생후 48시간 이후 결막염 발생시

감염 의심 그람 염색 및 배양, 바이러스 감염 의심 시 바이러스 배양

- *Chlamydia*

배양이 어려우므로 검결막에서 긁어낸 상피세포를 Giemsa 염색, 면역 형광 염색법 실시, 특징적 세포질내 봉입체 관찰

④ 치료

Ⓐ *N. gonorrhoeae* 결막염

ceftriaxone 25~50mg/kg/일(최대 125mg) 1회 근육 주사

눈에 대한 국소 치료는 처음에는 10-30분 간격으로 생리식염수로 씻어 내고 차차 시간을 늘려 2시간 간격으로 화농성 분비물이 없어 질 때까지 계속

Cefotaxime(100mg/kg/일, IV 또는 IM 12시간 간격으로 7일간 or 100mg/kg 1회 요법)

Ⓑ *C. trachomatis* 결막염

환아의 약 50%에서 비인두나 그 외 부위의 감염 동반함으로

경구용 erythromycin(50mg/kg/일, 4회 분복)을 2주간 사용하면 결막염과 폐렴까지 예방된다.

Ⓒ *P. aeruginosa*에 의한 결막염 : aminoglycoside 포함한 전신적 항생제와 국소적인 식염수 세척 및 gentamicin 안연고 사용

Ⓓ *S. aureus*에 의한 결막염 : 비경구용 methicillin과 국소적인 식염수 세척 병행

Ⓔ 선천성 폐색으로 인한 2차 세균감염시 : 둘째 손가락 끝으로 눈쪽에서 코끝으로 누관 위를 하루 2-3회 마사지하여 누관이 열리게 하면서 항생제 점안과 세척을 한다.

12. 신생아의 대사장애

1) 저혈당증(Hypoglycemia)

▶ 혈청 포도당 농도

출생 후 1~3시간까지 감소되다가 정상 신생아에서는 그 이후 자연히 증가한다.

건강한 만삭 신생아에서 혈청 포도당 농도

생후 1-3시간 사이에 35mg/dL

생후 3-24시간 사이에 40mg/dL

생후 24시간 이후에 45mg/dL 미만으로 감소하는 경우는 드물다.

▶ 저혈당증의 고위험군

★(1) 인슐린 분비 증가 : 당뇨병, 임신성 당뇨병 모체의 아기, 태아 적아구종, 인슐린종

★(2) 태내 영양 불량으로 인한 간 당원 저장 및 총 신체지방의 감소 : 태내성장 지연, 미숙아

(3) 극소 미숙아 또는 중한 질환을 앓는 신생아에서 대사 요구량의 증가 : 주신기 가사, 저체중 출생아

(4) 유전성 또는 원발성 대사장애 : 당원병, 갈락토스혈증, 과당 불내증

(1) 증상

• 증상발현은 출생 후 수 시간 후부터 1주까지로 다양

• 근경련(jitteriness), 진전(tremor), 무표정, 청색증, 경련 간헐적인 무호흡이나 빈호흡,

• 약하거나 날카로운 울음소리, 기운이 없나 기면 상태,

• 수유 곤란과 눈동자를 굴리는 증상(eye rolling)

• 땀이 나거나 갑작스런 창백함, 저체온, 심정지 및 심부전 등

(2) 치료

• 경련 외의 증상이 있는 경우 10%포도당액 2mL/kg(200mg/kg)을 정맥 내로 일시주사(bolus)시 혈당증가에 효과적이다.

• 경련이 동반된 경우에는 10%포도당액 4mL/kg(400mg/kg)을 정맥내 일시주사로 투여

• 첫 회 주사 후 포도당은 8mg/kg/분의 속도로 지속적으로 정맥 내 주입

2) 저칼슘혈증(Hypocalcemia)

(1) 정의

- 신생아 저칼슘혈증 : 총 혈청 칼슘 농도 7mg/dL 이하로 정의혈청 이온화 칼슘 4.0mg/dL 미만
- 신생아 저칼슘혈증은 고인산혈증(혈청 인 농도 8mg/dL이상)이나 저마그네슘혈증 (혈청 마그네슘 농도 1.5mg/dL 이하)과 관련
- 저칼슘혈증은 조기 저칼슘혈증과 후기 저칼슘혈증으로 분류
- 부갑상샘 기능 장애
- ☆ 일과성 생리적 부갑상샘 기능저하증 : 부갑상샘 기능장애 중 m/c
  - 부갑상샘이 생리적으로 불충분한 활성을 보여 낮은 칼슘농도에 대해 정상적으로 반응하지 못하기 때문에 발생

① 조기 저칼슘혈증(72시간 이내)

조기 저칼슘혈증의 고위험 요인

- 저체중 출산아
- 당뇨병 모체의 아기
- 주산기 가사(지연된 분만이나 난산에 관련된다.)
- 선종(adenoma)이 있는 산모나 가족성 부갑상샘 기능저하증이 있는 신생아

② 후기 저칼슘혈증(7-10일경)

- 후기 저칼슘혈증은 생후 첫 2~4일이 지나서 주로 첫 주말 경에 발생하는 경우
- 분유수유로 인한 인의 과부하로 발생되는 저칼슘혈증
- 만삭아와 미숙아 모두에서 생김.

(2) 증상

☆ - 경련(전신성, 짧게, 의식소실 없음)

- 날카로운 울음소리
- Chvostek sign(자극시 안면 근육 연축, 정상 신생아에서 나타난다.)
- Trousseau sign(상박 수축시 carpal spasm)
- 청색증이 동반된 후두경련 및 무호흡
- 자극 과민성(irritability)
- 신경과민(jitteriness)
- 진전
- 근육 연축과 전신적 경련
- 무증상 : 고위험군에서는 반드시 혈청 칼슘농도 측정해서 선별

- EKG : QT 간격연장

(3) 치료

① 조기 저칼슘혈증의 치료

☆ • 증상이 있는 경우 : 10% calcium gluconate 2 mL/kg (18 mg/kg)의 용량을 정맥내 주사

- 10분 이상에 걸쳐 천천히
- 반드시 심전도나 심박동 수 감시하면서 주입
- 칼슘의 동맥내 투여와 근육주사는 금기
- 경구 칼슘 투여 : calcium gluconate, calcium lactate
- 1주 정도, 분유수유시 함께 섞여 먹일 수 있다.

② 후기 저칼슘혈증의 치료

- 혈청 인 농도를 감소시키는 것
- 수유하는 분유의 칼슘과 인의 비율이 4 : 1이 되도록(장내에서 calcium phosphate 침전물이 형성 인의 흡수가 감소)
- calcium lactate(13% elemental Ca) 770mg 투여나 calcium gluconate(9%) 1,100mg 투여시 100mg의 elemental 칼슘이 제공
- 1~2주 정도

3) 저마그네슘혈증(Hypomagnesemia)

혈청 마그네슘 1.6~2.8mg/dL 미만. 칼슘 투여에 반응이 없는 테타니가 있을 때 저마그네슘 혈증을 생각해야 한다. 증상은 1.2mg/dL 이하로 감소할 때까지 나타나지 않는다.

4) 고마그네슘혈증(Hypermagnesemia)

5mg/dL 이상이면 증상이 나타남.

근 긴장도 저하, 중추신경계 억제, 저환기(Hypoventilation), 저혈압, 기면(lethargy), 이완 (flaccidity), 반사저하(Hyporeflexia)

5) 신생아 발열, 신생아 일과성열, 탈수열

(Hyperthermia in the newborn, Transitory fever of the newborn, Dehydration fever)

초기 신생아 발열 : 과열(90%), 감염(10%), 기타(무뇌수두증, 뇌류, 완전전뇌증 등의 중추신경계 이상, 상염색체성13 증후군)

(1) 과열 : 발열의 m/c 원인

　추운 기후에 따뜻하게 옷을 입히고 난로 가까이 두거나, 난방이 잘된 자동차 안에서 여행을 하거나, 밀폐된 방이나 차단에 햇빛이 직접 신생아에게 비치도록 신생아를 두었을 때 중증 신생아 과체온 발생

　① 증상 : 피부는 뜨겁게 건조, 초기에 아기는 홍조를 띰. 무표정해짐. 빈 호흡, 보챔, 혼미, 창백, 혼수, 고나트륨혈증에 의한 경련이 뒤따름. 사망과 뇌손상의 위험이 높다.

　② 치료 : 신생아 – 실내 온도를 낮추거나 미지근한 물에 담그기.

　　　　　　큰아이들 – 반복하여 물에 담그거나 저체온을 유발하기 위한 기구로 냉수 매트 사용 등이 필요

※ 과열에 의한 발열과 감염에 의한 발열 감별진단

• 과열에 의한 경우 : 손발이 따뜻, 피부혈관이 확장되어 분홍빛, 아파보이지 않고 복부피부온도가 손의 피부온도보다 2℃ 이상 차이가 나지 않으며, 직장체온이 피부 체온과 같거나 낮다.

• 감염에 의한 경우 : 손발이 차고 피부는 창백, 환아는 처져보이고 아파보임. 복부피부온도가 손의 피부 온도보다 3℃ 이상 높으며 직장체온이 피부체온보다 높다.

(2) 일과성 열, 탈수열

★① 정의 : 건강한 신생아에서 생후 2~3일에 38~39℃의 체온상승이 나타남.

　② 유발원인 : 수분 섭취가 부족한 모유수유아, 보육기 속이나 방열기 가까이의 바구니 또는 햇빛 아래에서처럼 주위 환경의 온도가 높을 때 나타남.

　③ 증상 : 체중이 급속하게 감소 불안해 보임, 요량과 소변의 횟수가 감소, 피부의 긴장도 감소, 천문함몰, 기분이 나빠 보이고 수분을 열심히 섭취(sepsis와 감별점), 활발해 보임, 빈맥 빈호흡으로 열 손실 증가. – 혈청 단백, 나트륨 및 적혈구 용적률이 증가.

★④ 치료 : 국소 또는 전신 감염이 가능성 배제, 경구 또는 비경구로 수분 보충(분유수유), 환경의 온도 내리면(가장 먼저 해야 하는 것) → 즉시 증상이 호전.

12 감염병

Power Pediatrics

 총론

1. 발열(Fever)

1) 발열의 정의

감염성 및 비감염성 원인에 의한 숙주 방어 기전의 일환으로 Hypothalamic Thermo-regulatory set−point에 따라 결정되고 cytokine으로 중계되는 염증 반응의 일종

2) 소아 발열의 종류(구분)

① 국소적 증상을 동반한 단기간의 발열

② 국소적 증상을 동반하지 않는 발열

③ 불명열(FUO)

3) 발열의 양상

① Intermittent fever : 체온이 정상으로 내려옴

② Hectic or septic fever : 발열의 높낮이 차가 1.4℃ 이상

③ Sustained fever : 발열의 높낮이 차가 0.5℃ 미만. 진단적 가치는 거의 없음. 그러나 Malaria, Hodgkin's Dz. 주기성 호중구 감소증은 발열 유형이 진단을 유도하기도 함.

④ Remittent fever : 체온이 정상으로 내려오지 않음, 높낮이 차가 0.5℃ 이상

⑤ 이상성 발열(biphasic fever) : 1주 이상의 기간동안 두 번에 걸친 발열기간, 폴리오에서 특징적

4) 치료

　(1) 건강한 소아에서 39℃(직장체온) 미만. 발열시에는 치료 필요 없음

　(2) 41℃ 이상 발열 : 심한 감염, 시상하부 질환, 중추신경계 출혈과 관련

　　→ 해열제 반드시 투여

　　* 해열제 종류별 합병증

　　　① aspirin : 소아 및 청소년에서 Reye 증후군 유발 가능

　　　② acetaminophen : 장기간 사용 시 신기능 장애, 대량 복용 시 간기능 장애 가능

　　　③ ibuprofen : 소화불량, 위장 출혈, 신장 혈류 감소 유발

　(3) 미지근한 물(알코올 아님)을 적신 스펀지로 닦아준다.

　▶ 약물열(drug fever)

　　• 정의 : 약물 투여에 의한 발열. 약물 투여를 중단하면 열이 떨어짐.

　　• 발열 유형, 약물 복용 시작 후 나타나는 시기 및 발열의 정도가 일정치 않고 호산구의 증가, 발진, 가려움증 또는 알레르기 현상이 항상 나타나지 않음.

　　• 약물열을 흔히 일으키는 약물

　　　: 항생제(penicillin, cephalosporin), 항경련제(phenytoin, carbamazepine), 항암제(bleomycin, daunorubicin, cytarabine, L-asparaginase), 심혈관계 약물(hydralazine, methyldopa, quinidine)

　　• 약물투여를 중단하거나 다른 약물로 대체하면 대개 72시간 내에 소실

2. 무병소 발열(Fever without a focus)

1) 국소 증상 없는 발열(Fever without localizing sign)

　(1) 생후 3개월 이하의 영아

　　• 70%에서 원인 밝혀짐 : 바이러스가 대부분

　　• 세균감염(10~15%) : 38℃ 이상 발열시 세균감염이 원인

　　• 원인균 : *E.coli*, *Salmonella*, *Pneumococcus*, *H. influenzae*, *Staphylococcus* 등

　(2) 생후 3개월~3세 소아의 잠재 균혈증(occult bacteremia)

　　• 원인 : 90%가 폐렴사슬알균, *Salmonella*, b형 *H. influenzae*, 수막구균 등

　　• 자연 경과 : 자연 치유, 지속적 균혈증, 국소 감염증

　(3) 점상 출혈이 동반된 발열 : 심한 세균감염의 위험이 높다.

　(4) 초고열(hyperpyrexia) : 41℃ 이상의 고열

2) **불명열(Fever of Unknown Origin)**

(1) 정의 : 발열이 병원에서도 확인되고 외래에서 3주 이상 또는 입원 상태에서 1주일간 검사해도 그 원인이 밝혀지지 않는 경우. 발열이 병원에서도 확인되어야 함.

(2) 원인

- 감염 : 결핵, 장티푸스, 단핵구증 등의 흔한 질환이 비전형적으로 발현
- 연소형 류마티스관절염 : 전형적으로 불명열의 형태로 발현하므로 장기간 관찰해야 진단
- 일부에서는 종양이 원인이 된다.

(3) 병력 : 환자의 연령. 동물과의 접촉여부. 이식증. 여행력. 오염된 음식물의 섭취여부, 약물 복용여부 등에 대해 철저한 문진.

(4) 진찰소견

- 발열 시 땀이 나지 않는 경우 : 탈수, familial dysautonomia, atropine…
- 눈이 충혈되고 눈물이 나는 경우 : Polyarteritis nodosa 등 교원성 질환의 단서 그 외 골근육계

(5) 검사

- 혈액검사에서 다핵구 $>$ 10,000/mm³, 띠중성구(밴드형) $>$ 500/mm³인 경우 세균 감염의 가능성
- 말초혈액 도말에서 malaria 등이 발견될 수 있다.
- ESR $>$ 30 mm/시간 : 염증이 진행됨을 의미. but ESR 수치가 낮다고 해서 연소형 류마티스관절염 등이 아니라는 것은 아니다.

(6) 치료

- 항생제의 경험적 치료는 좋지 않다.
  (∵ 심내막염, 뇌막염, 골수염 등의 진단을 어렵게 할 수 있다.)
- 예후는 사망률 25~40%인 성인보다는 좋다.
- 철저한 검사를 해도 약 25%에서는 원인을 밝힐 수가 없으며 이들은 대부분 좋아진다.

3. 패혈증 및 쇼크(Sepsis and shock)

1) 용어 정의

- 균혈증 : 혈액배양검사에서 균이 검출되는 것
- 패혈증 : 세균. 바이러스. 진균. 기생충 또는 리케치아 감염에 대한 심한 전신성 반응

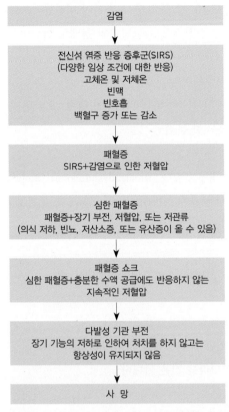

패혈증. 전신성 염증반응 증후군 및 패혈증 쇼크

2) 증상

- 1차 증상 : 발열. 심한 오한. 빈호흡. 빈맥. 저체온. 피부 병변 및 의식변화.
- 2차 증상 : 저혈압. 청색증. 대칭성 말초괴저. 빈뇨. 무뇨. 황달 및 심부전 증상

3) 검사

- 양성 혈액배양검사(m/i)
- 호중구와 띠백혈구의 증가 → 세균 감염을 의미.
- 호중구 감소증 → 전격성 패혈증 쇼크의 불길한 예후를 시사
- 호중구의 공포화. 독성 과립. Döhle body → 세균성 패혈증을 시사
- CSF에도 호중구와 세균이 보일 수 있다.

4) 예방

고위험군에서는 b형 *H. influenzae*, *S. pneumoniae*, *N. meningitidis*에 대한 백신접종 고려

4. 세균수막염(Bacterial meningitis)

중추신경계 질환 참조

5. 바이러스 수막뇌염(Viral meningoencephalitis)

1) 원인

- 장 바이러스(enterovirus)가 80% 이상을 차지
- 그 외 arbovirus와 헤르페스 바이러스도 흔한 원인
- mumps에 동반되는 수막뇌염 – 과거에 비해 줄었지만 지속적으로 발생. 경미하나 제 8뇌신경 손상으로 인한 난청 발생 가능

2) 병인 및 병리학적 소견

- HSV – 대뇌 피질, 특히 측두엽
- arbovirus – 뇌 전체
- 공수병 – 기저 구조를 선호

3) 진단 및 감별진단

세균성 수막염과 감별 → 뇌척수액 검사 : 세포증다증 – 수 개에서 수천 정도까지의 WBC, 초기에는 다핵형이 대부분. 시간이 지나면 단핵 세포로.

기타 종양. 교원 혈관계 질환. 두개내 출혈. 약물에의 노출

4) 치료

- 세균감염이 아님이 드러날 때까지 정맥용 항생제 투여
- HSV에 대해 acyclovir로 치료
- 기타 대증 요법

6. 위장관염(Gastroenteritis)

1) 설사의 정의

- 대변의 횟수, 유동성, 양의 증가
- 3세 이하의 대부분의 소아가 1~3회의 심한 급성 설사증을 경험

- 대부분 72시간 이내에 호전, 치명적인 예는 매우 드물다.
- 만성 또는 지속성 설사 : 14일 이상 지속된 경우

2) 원인- 바이러스성이 흔함, 특히 norovirus, 2세 미만 소아에서는 rotavirus

① 비염증성 설사 : 세균에 의하여 분비되는 장 독소, 바이러스에 의한 표면 융모의 파괴와 기생충에 의한 부착 또는 세균에 의한 부착 및 전위(translocation)에 의하여 일어남.
→ EPEC (enteropathogenic *E. coli*), ETEC (enterotoxigenic *E. coli*), *Vibrio cholera*

② 염증성 설사 : 대부분 세균에 의하며 장을 직접 침입하거나 세포 독소(cytotoxin)를 분비하여 일어남→ 비염증성 설사를 일으키는 균을 제외한 대부분의 세균(*Salmonella*, *Shigella*, *Vibrio parahemolyticus*, ETEC, EHEC, *Yersinia enterocolitica*...)

3) 급성 설사 환아의 처치법

- 치료 목적 : 탈수 정도를 판단하여 수분 및 전해질을 공급해 주고, 장내 병원체가 전파되는 것을 방지
- 대장에 주 병변이 있는 경우 : 발열, 심한 하복부 통증, 뒤무직
- 소장 주 병변이 있는 경우 : 구토가 흔함, 경련성의 심하지 않은 배꼽 주위 복통, 수양성 설사
- 대변 검사 : 점액, 혈액, 백혈구
  → 대장염을 시사(but EHEC, *E. histolytica*는 대변내 백혈구가 거의 없다).
- 대변 배양검사 : HUS가 의심, 혈성설사, 대변 내 백혈구가 있을 때, 설사가 집단적으로 발생, 면역결핍자에서 발생했을 때 조기에 실시.

7. 골수염, 화농성 관절염(Osteomyelitis and Suppurative arthritis)

- 호발연령 : 중간나이 6세(남 : 여 = 2 : 1). 연장아보다 영·유아에게 더 흔함.
- 호발부위 : 장골(long bone), 특히 대퇴골과 경골에서 주로 발생

1) 원인 및 발병 기전

- Acute hematogenous osteomyelitis
- ☆ : *S. aureus* (90%), β-hemolytic streptococci
  그람음성 장내 세균 많다.
- 감염 경로
  - hematogenous

- 주위조직의 감염이 퍼짐
- 외상이나 수술에 의한 직접 감염

▶ 혈행 골수염의 병리기전

소아의 골간단(metaphysis)의 해부학적 특수성

- 골간단의 혈관분포는 골단(epiphysis)과 분리되어 있고 생후 1세가 지나면 physis를 통과하지 않는다.
- 골성장은 physis에서 일어나며 성장판(growth plate) 주위의 골간단에는 작은 모세혈관이 풍부하여 혈류량이 많고 혈류의 속도가 완만
- 성장판 주위의 모세 혈관망(capillary loop)은 해부학적 연결이 적다.
- ☆→ 골간단(metaphysis)은 세균의 증식에 좋은 장소

2) **임상 증상 및 검사 소견**
- ☆ 대부분 고열과 심한 중독증상
- ☆ 보채며 침범된 사지의 운동장애, 압통, 종창
- CBC : WBC↑(정상인 경우도 있다), ESR↑, CRP↑
- ☆ X선 : 음영이 감소되거나 골막의 분리(감염 후 10일 경과 후)
- ☆ Bone scan : uptake증가(감염 후 24~48시간 내)
- MRI : BM까지 볼 수 있는 좋은 검사법
- 초음파 : 진단과 천자시 유용

3) **감별진단**

백혈병, 악성 종양의 골수 침윤, 교원성 질환, 류마티스 열, 연조직염, Legg − Calve − Perthes 병

4) **치료**
- ☆ 원인균인 *S. aureus*인 경우 : Methicillin, Oxacillin, Nafcillin, Cefotaxime등을 21일간 정맥투여
- ESR이 높으면 정상이 될 때까지 투여

5) **예후**

재발, 만성 감염 : 10% 미만

8. 피부 및 연부 조직 감염

1) 농가진과 농피증(Impetigo, Pyoderma)

- 모두 표재성 피부 감염을 지칭
- 원인균 : Group A streptococcus, *Staphylococcus aureus*
  - 두 가지 모두 여름에 흔히 발생한다.
  - 호발부위 : 엉덩이, 겨드랑이, 얼굴(손, 발에는 생기지 않는다.)
  - 치료 : 항생제

☆ 농가진과 농피증	
Streptococcus	***Staphylococcus***
• Painless • 화농성 • 수포나 농포가 일시적으로 나타났다가 터져서 결국은 누런 가피(crust)를 형성하여 농피증(pyoderma)을 형성 • 치료 : Penicillin, 1세대 Cephalosporins, Clindamycin	• Painful • 비화농성 • 백혈구수가 적은 액체를 다량 포함하는 수포성 병변 (bullous lesion)을 형성 • 치료 : 1세대 Cephalosporins, Clindamycin (penicillin은 효과없음)

2) 연조직염(Cellulitis)

피부 및 피하조직의 감염증

(1) 나이에 따른 원인

- 영아 및 소아기에 흔한 원인균은 b형 *H. influenzae*, A군 사슬알균, *S. aureus*/ 신생아 : *S. aureus*, group A & group B *Streptococcus*
- 3세 이하의 소아에서 뺨부위(buccal area), 안와주위(preseptal area, periorbital area)를 침범하는 경우에는 b형 *H. influenzae*에 의한 감염증을 고려해야 하며 잠재성 뇌막염의 빈도가 높으므로 혈액배양, CSF검사 및 배양검사를 병행해야 한다.

(2) 단독(erysipelas)

- A군 연쇄 구균(Group A streptococcus)에 의한 연조직염으로 경계가 명확하고 통증이 있는 홍반성 경결이 있는 것이 특징
- 영아에서는 배꼽이나 생식기부위, 아동기에는 안면부에 호발
- 치료 : 연구균성 농가진과 같다. (Penicillin, 1세대 cefa, clindamycin)

9. 면역결핍에서의 감염

(1) 감염성 원인에 의한 2차 면역결핍증 : HIV 감염

(2) 악성종양 : 항암요법의 종류, 정도, 기간 등이 중요위험인자

(3) 장기이식 : 조혈모세포 및 신장, 간, 심장, 폐, 췌장, 장관 등의 이식

(4) 발열과 백혈구 감소증

10. 의료장비와 연관된 감염

원인 : 혈관 내 장비, 뇌척수액 shunt, 요도 도관, 복막 투석 도관

11. 검사실 진단

1) 세균과 진균 감염의 검사실 진단

(1) 현미경 진단

Gram 염색($10^{4\sim5}$/mL 이상시 검출 가능)

(2) 신속항원검사

- 라텍스 응집 검사(Hib, Meningococcus, Pneumococcus)
- 소변검사(Pneumococcus)

(3) 미생물의 분리와 확인

① 혈액 배양 : effective! 혈액 배지가 담긴 병에 혈액을 넣어 배양한다. 혈액 배양에서
세균이 검출 → 반복해서 배양(2~3회)
  * 이유 Ⓐ 항생제를 이미 투여했을 때 치료되고 있는지 알아봄
        Ⓑ 비병원성인 경우. 오염균인지 알아보기 위해.

② CSF Study

③ Urine Culture

④ 생식기 배양

⑤ 인두와 호흡기 배양

⑥ 분변 배양

⑦ 기타 체액과 조직 배양

(4) 항생제 감수성 검사

2) 바이러스 감염의 진단

(1) 신속항원검사법 : 형광 항체법. ELISA

(2) 분리와 확인

3) 혈청학적 진단법

(1) IgM

감염 후 7~10일에 최고치. 항체 반응이 일시적이므로 IgM 항체가 존재하면 대부분 최근감염을 의미하며, 한번의 양성혈청은 진단적 의미.

그러나 표준화가 어려워 종종 false positive가 나온다.

(2) IgG

IgG 항체 반응은 4~6주에 최고로 증가하고 대부분의 경우 일생 동안 존재 : 병의 급성기와 2~3주 후인 회복기의 혈청에서 4배의 항체 증가를 보여야 감염 진단

- *Bartonella*, *Legionella*, *Rickettsiae*의 감염에서는 한번의 IgG 양성 혈청으로 진단

4) 분자적 진단법

- EBV Ab
- 어머니가 가지고 있지 않은 항체를 어린 영아가 가지고 있을 때
- 영아가 성장을 하면서도 지속적으로 어머니와 같은 수준의 항체를 가질 때
- 볼거리가 의심될 때 급성기 혈청에서 볼거리 바이러스의 soluble(S) 분획에 대한 항체 가 존재

II 그람 양성균 감염

1. 포도알균 감염(Staphylococcal infection)

- Coagulase 양성균 : *S. aureus* - 침윤성 감염 및 독소 매개성 질환 유발
- Coagulase 음성균 : *S. epidermidis*, *S. haemolyticus*, *S. saprophyticus*-혈장을 응고시키지 못하며, 몸안의 이물질 때문에 감염된 경우를 제외하고는 대부분 독력이 약하다.

1) 황색 포도알균 감염(Infections due to *Staphylococcus aureus*)

(1) 증상

① 피부 및 연조직 : 전염성 농가진, 대농포진, 수포성 농가진, 모낭염, 종기(furuncle), 큰종기(carbuncle)

② 호흡기 : *S. aureus*에 의한 pneumonia는 기종(pneumatocele)을 형성하며, 이것이 파열되면 농흉, 기흉 유발. 그 밖에 중이염, 부비동염, 안와 주위 연조직염, 화농성 귀밑샘염 등을 일으킨다.

③ 패혈증

④ 근육 : 열대성 화농성 근육염

⑤ 독소 매개형 증후군 : 식중독, 화상 피부 증후군, 독성 충격 증후군
   - 독소 섭취 후 2~7시간 내에 갑작스런 구토를 일으키며 설사가 동반될 수 있다.
   - 발열은 없으며 증상은 12~24시간 내에 소실. 쇼크나 사망은 드물다.

⑥ 이물질 감염

⑦ 장관계 : 광범위항생제 사용에 따른 장관 내 *S. aureus*의 과도 발육에 의한 장관염

▶ 포도알균 화상 피부 증후군(Staphylococcal scalded skin syndrome; SSSS)
- 균에서 형성된 exfoliative toxin이 혈중에 순환되어 유발되는 질환
- 신생아의 경우 증상이 매우 심하며(Ritter 병), 특징적으로 통증을 동반하는 발적된 피부 소견
- Nikolsky 징후 양성 반응을 보인다.
- exfoliative toxin에 항체가 있는 경우에는 국소적인 수포성 병변을 보이기도 한다.

(2) 치료

① 감염된 이물질, 농 제거

② 항생제

Ⓐ 종류

- Methicillin, Nafcillin, Cloxacillin, Amoxicillin+clavulanate (Augmentin)
- 1, 2세대 Cephalosporin(3세대 제외) : Cefazolin, Cephalexin, Cephradine, Cefuroxime
- MRSA : Vancomycin, Teicoplanin

Ⓑ 투여방법 : 72시간 동안 열이 없고 다른 감염 징후가 없어질 때까지 정주로 투여. 계속해서 경구로 총 3주간 투여

2) Coagulase 음성 포도알균 감염(Infection due to coagulase negative staphylococcus;CONS)

- CoNS에는 11가지가 있으며, *S. epidermidis*가 m/c
- 몸 안에 삽입하는 장치와 연관되어 감염을 일으킨다.
- 균혈증, 심내막염, 카테터 감염, 요로감염 등을 일으키며, 치료는 Vancomycin, teicoplanin

3) 독성 쇼크 증후군(Toxic shock syndrome; TSS)

(1) 역학 및 원인

- 대부분 15~25세의 월경을 하고 있는 여성에서 오며(95%), 흡수력이 높은 tampon 사용이나 그 밖에 질내 장치들의 사용과 연관
- 생리와 관계없는 TSS (nonmenstrual TSS)는 다양한 감염과 연관
- 생리와 관계된 TSS의 경우, 적절한 치료가 되지 못하면 3개월 내에 30%에서 재발, 재발시에는 증상이 약하다.
- TSST-1과 관련

(2) 진단

✚ 진단

Major Criteria (all required)	신장 이상
급성 발열 : 체온 38.8℃ 이상	근육 이상
발진 : 전반적인 홍반 후 탈피	중추신경계 이상
저혈압 : 기립성 또는 쇼크	혈소판 저하

Minor Criteria (Any 3)	Exclusionary Criteria
점막염증	다른 가능한 질환에 대한 설명 불가
구토, 설사	혈액 배양에 음성(*S. aureus* 제외)
간 이상	

(3) 감별진단

- Streptococcal TSS : 균혈증, 연조직염, 폐렴 등에 동반되어 온다.
- 가와사키병 : 전반적인 근육통, 구토, 복통, 설사, azotemia, 저혈압, 쇼크 등의 증상이 없으며, 5세 이하에서는 드물다.

(4) 예방과 치료

- β−lactamase 내성 페니실린 사용 : Vancomycin, Methicillin
- 증상이 심하거나 치료반응이 없으면 Clindamycin 추가하면 독소 반응이 중단될 수도 있다.
- 질 배액이나 감염부위의 배농, 질내 이물제거는 필수
- 쇼크 치료를 위한 수액공급
- 여성에서 생리대를 탐폰으로 사용하는 것을 금한다.

2. 사슬알균 감염(Streptococcal Infection)

1) A군 사슬알균(Group A streptococcus)

(1) 원인 : A군 사슬알균 또는 *Streptococcus pyogenes*(β−용혈성)의 pyogenic exotoxin

(2) 증상

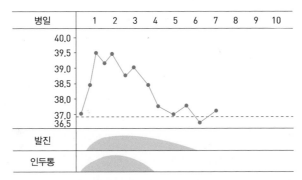

치료를 받지 않은 성홍열의 임상 경과

① 호흡기 감염

☆② 성홍열(Scarlet fever)

ⓐ 잠복기 : 1~7일(평균 3일)

☆ⓑ triad : 발열, 인두통, 구토(발열 : 39~40℃의 고열)

ⓒ 고열 : 발열은 갑자기 시작하여 1주일이면 저절로 좋아지고 penicillin 투여시 하루 내에 열이 내린다.

ⓓ 인후는 심하게 충혈되고 진한 붉은 고기 색깔을 띠는 수가 많으며, 연구개와 목
젓 위에 출혈반점이 나타난다.

편도선이나 인두후부에 점액농성 삼출액이 덮혀 있는 수도 있으며, 림프절이 현
저히 부어 있는 경우가 많다.

☆ⓔ 혀 : White strawberry tongue(회백색으로 덮히고, 유두(papillae)가 현저하게 두드
러짐)→ 며칠 후 Red strawberry tongue(붉은 딸기 모양을 띠고 papillae가 붓는다).

ⓕ 발진 : 주 증상 후 1~2일에 목, 겨드랑이, 사타구니에서 생기기 시작, 24시간 내
에 전신을 덮고 3~7일 내에 사라짐. 발진 후 낙설(얼굴→몸통→손→발)

cf. 풍진은 벗겨지지 않음

• 낙설의 정도와 지속시간은 발진의 심한 정도와 비례
• 미만성, 선홍색의 작은 구진
• 햇빛에 탄 피부에 소름이 끼친 것 같이 보이기도 한다. (goose flesh on a sunburn)
• 이들은 손가락으로 누르면 퇴색하였다가 손가락을 떼면 다시 나타난다.
• 발진은 목, 겨드랑이, 사타구니에서 생기기 시작하고 곧 몸통 및 사지로 퍼져
서 24시간 안에 전신을 덮는다(겨드랑이, 사타구니, 압박을 받는 부위에서 가
장 현저).
• 이마와 뺨은 홍조를 띠며, 입 주위가 창백하게 보인다(circumoral pallor).
• 모세혈관이 약해져서 점상출혈이 생길 수 있다.
• Pastia's line : 전주와(antecubital fossa)같이 주름이 잡힌 부위에 흔히 진하게 충
혈된 횡선, 이것은 손가락으로 눌러도 없어지지 않는다.
• Rumpel-Leede sign : tourniguet 감았다 풀면 그 아래 부위에 출혈반점이 생긴다.
• 심한 경우 복부, 손, 발에 작은 수로(miliary sudamina)가 나타날 수 있다.
• 성홍열은 상처의 감염(surgical scarlet fever), 화상, 연구균의 피부 감염시에도
올 수 있으며, 이때는 다른 증상은 비슷하나 인후와 편도가 정상

⑶ 진단

• 치료를 받지 않은 경우, 감염 후 3~6주 이내에 인두염을 가진 환아의 80%에서
antistreptolysin O (ASO)치가 상승하나, 적절한 항생제 치료를 받으면 ASO치의 상
승이 낮거나 없을 수 있다.

→ 회복기 ASO Titer 상승, 항생제 사용시는 약화

⑷ 합병증

① 화농성 합병증(감염 후 1주 이내) : 중이염, 유양돌기염, 경부 림프절염, 인후 후벽
농양, 편도주위농양, 기관지 폐렴

★② 비화농성 합병증(감염 후 2~3주 후에 발생) : 급성 사구체신염, 류마티스 열

[5] 치료

★ • 경구용 Penicillin을 10일 간 사용하도록 권장.

★ • 혹은 benzathine penicilin 1회 투여(IM)

2) B군 사슬알균(Group B Streptococcus)

[1] 병인론

① 조발형(생후 7일 이내)

주요 위험 인자 : 산모의 질 또는 직장 집락화 → 산도 통과시 감염

② 지발형 감염(생후 7일 이후) – 70% 수직 전파 또는 분만 후 획득

[2] 증상

① 조발형

• 대부분 출생 24시간 내 증상발현

• 자궁 내 감염 시 유산 초래 가능

• 패혈증(50%), 폐렴(30%), 수막염(15%)

② 지발형

• 생후 7일 이후 발현

• 균혈증(45~60%), 수막염(25~35%)

[3] 진단

확진 : 혈액, 소변, 뇌척수액 등 무균체액에서 균을 분리

[4] 치료 : penicillin G가 가장 좋은 항생제

[5] 예후 : GBS 수막염 후 생존하는 영아의 30%에서 발달장애, 경직 사지마비, 소뇌증, 경련 등 장기적인 심한 신경학적 후유증이 발생 가능

3. 폐렴사슬알균 감염(Pneumococcal infection)

1) 원인

• 정상인 상기도의 Normal flora로 흔히 발견

• 소아의 90% – 6개월~4.5세 사이에 언젠가는 분리됨

• 폐구균(*S. pneumoniae*)은 피막 다당질의 항원성에 따라 90가지의 혈청형이 알려져 있으며, 피막은 식작용(phagocytic function)을 방해하며, 이 피막에 대한 항체가 있으면 예방력이 있다.

2) 역학

- 소아에서의 수막염(3~5개월), 중이염(6~12개월), 폐렴(13~18개월), 균혈증의 주요 원인
- 2세 이하의 소아에서는 피막 다당질에 대한 항체반응이 낮기 때문에 폐구균 감염의 위험이 높고 현재 사용 중인 다당질 백신의 효과가 적다.
  → Sickle Cell Dz, 무비증, 체액성 면역결핍증, AIDS, 종양, 보체 결핍증 등의 환아에서 발병빈도 높고 감염의 정도 심함.(고위험군)

3) 진단

- 체액 도말의 그람 염색상 lancet 모양의 그람양성 쌍알균으로 인지
- Leukocytosis 현저 : 30,000/mm^{3}에 이름. ESR 상승하기도.

4) 치료

- 항생제 감수성 검사를 하여 penicillin에 감수성이 있으면 penicillin이 가장 좋다 (한국은 내성률 70%).
- 3세대 cefa, vancomycin(최종 선택 약제)

4. 디프테리아(Diphtheria)

1) 원인균 : *Corynebacterium diphtheriae*

   최근에는 감소, 보기 드물다.

2) 역학

   전염경로 : 호흡기 분말 공기 감염, 접촉, 무증상 Carrier에 의한 전파가 중요

3) 증상

   Pseudomembrane : 편도, 인후(m/c), 코, 후두

4) 진단

   목이나 코에서 채취한 가검물의 도말

5) 합병증

- Myocarditis : 가장 심각. 환자의 10~15%에서 발생해 이들 중 50~60%가 사망한다.

- 신경계 합병증 : 대부분 발병 2~3주에 연구개나 인두근에 양측성 마비

6) 치료

① Diphtheria antitoxin(디프테리아 항독소)

② Antibiotics : EM, Penicillin G

③ 기타 : 절대 안정, 심근염 있으면 심전도 시행

7) 예방

- 환자와 접촉 시 전에 예방접종 받은 사람이라도 5년이내 추가 접종 받지 않았으면 Diphtheria Toxoid 추가접종
- 연령에 맞게 DTap 또는 Td로 추가접종
- EM or benzathine Penicillin G

5. 리스테리아증(Listeriosis)

- 원인균 : *Listeria monocytogenes* : G(+) rod, anaerobe
- 주로 임산부나 신생아, 면역저하자에서 감염 유발

1) 증상

(1) 임신 중 : 유산, 패혈증, 태아감염이나 조산 유발하나 모든 산모의 감염이 태아에게 영향을 주지는 않는다.

(2) 신생아

① 조발형 : 양막염, 태반 착색 양수, 패혈증을 동반한 파종 농양, 간, 비장, 폐, 신장, 뇌 등의 육아종

② 지발형 : 화농 수막염, 결막염, 폐렴, 중이염, 심내막염 등

2) 치료 및 예후

- 신생아 : ampicillin, aminoglycoside 병용
- 태아감염 : 대부분 사망(분만직전 감염 시 50%)

3) 예방

임신 중 적절한 가공 과정을 거치지 않은 유제품, 특히 오래 된 치즈, 덜 익힌 육류, 깨끗하지 않은 채소 섭취를 피한다.

III 그람음성균 감염

1. 인플루엔자균 감염(*Haemophilus influenzae* infection)

1) 원인

- G(−) coccobacilli
  - 피막형 : a~f까지 6가지로 분류, 뇌막염, 후두개염 등의 중증 감염의 95%는 b형
  - 비피막형 : 중이염, 부비동염 등의 상기도 감염증의 원인이 되며, 신생아 및 면역억제 환아에서는 중증 감염증을 일으킬 수 있다.
  - β−lactamase 생산해 Ampicillin에 내성 보일수도 있다.

2) 역학

- b형 인플루엔자균(*H. influenzae*; Hib)의 중증 감염증은 2개월부터 4세까지(특히 2세까지) 발병률이 높다.
- 고위험군 : 겸상 적혈구 빈혈, 무비증, 면역결핍증, 종양

3) 임상 증상

(1) 수막염

(2) 연조직염 : 85%는 2세 이하에서, 두경부(뺨, 안구주위조직) 잘 침범.

(3) 급성 후두개염

(4) 폐렴 : 4세 이후에 호발

(5) 화농관절염 : 2세이하 소아의 화농성 관절염의 m/c

(6) 심막염

(7) 국소감염이 없는 균혈증 : 치료하지 않으면 25%에서 수막염 발생

4) 치료

- 광범위 cephalosporins : Cefotaxime, Ceftriaxone
- 또는 Ampicillin + Chloramphenicol → 균주의 감수성에 따라 한 가지를 중지
- Meningitis 신경 후유증의 예방
  ① 항생제 치료 직전 or 동시에 dexamethasone 투여하면 청각장애 빈도 감소
  ② 뇌수막염이 의심되면 항생제 투여와 동시 or 직전에 dexamethasone 투여고려

5) 예방

환아의 가족내에 Hib에 대한 예방접종을 하지 않은 다른 4세 이하의 소아가 있는 경우에는 성인을 포함한 전 가족이 Rifampicin을 4일간 복용해야 하며, 될 수 있는대로 빨리 시작

2. 수막알균 감염(Meningococcal infection)

1) 원인

N. meningitidis (G(−) diplococcus)

2) 증상

(1) 잠재 균혈증

(2) 급성 수막알균혈증(acute meningococcemia)

★ • 인두염, 발열, 근육통, 전신쇠약 및 두통의 증상

• 혈행성 전파가 광범위하면 저혈압, DIC, 산증, 부신출혈, 신부전, 혼수등을 특징으로 하는 패혈성 쇼크로 급속히 진행

★ • 수 시간~수 일 이내에 홍역모양의 발진, 점상출혈 또는 자반성 피부병변

• Waterhouse−Friderichsen 증후군 : 수막구균에 의한 패혈증으로 부신으로 출혈이 생기고 쇼크에 빠지는 것

(3) 수막염 및 뇌염

(4) 만성 수막염 균혈증

(5) 폐렴, 심내막염, 화농성 심막염, 화농성 관절염, 안구염, 골수염

(6) 회복기에 면역 복합체에 의한 관절염, 혈관염이 올 수 있다 : 관절액은 무균성

3) 진단

(1) 혈액. CSF. 관절액 피부 및 기타 감염 분리해서 균동점

(2) 역면역 전기 영동법. latex 응집검사법 − 피막 항원검출 but 위음성, 위양성이 있다.

4) 치료

★ • 수용성 Penicillin G를 6회에 나누어 정주(알레르기가 있으면 Chloramphenicol)

• Cefotaxime, Ceftriaxone

• 7일간 치료

5) 예방

- 가족이나 유아원 내 접촉자 등에는 Rifampicin을 2일간 투여
- 항생제 치료전에 환자와 긴밀한 접촉을 한 경우가 아니면 의료인은 예방 요법을 시행할 필요가 없다.

3. 임균 감염(Gonococcal infection)

1) 원인

(1) *Neisseria gonorrhoeae* : G(−) diplococci aerobe

(2) Thayer−Martin 배지 : 초콜릿 배지 이용한 선택배지로 임균, 수막염균 배양

2) 증상

(1) 무증상 임질

(2) 임질

① 잠복기 : 남자 2~5일, 여자 5~10일

② 주요 병변 부위 : 남자 요도, 사춘기 전 여자의 외음부 음문이나 질, 사춘기 후 자궁경부

(3) 임균 안염 : 영아기 임질의 흔한 증상(분만 중 감염, 생후 1~4일 째 시작)

(4) 파종 임균 감염 : 발열, 오한 피부 병변, 다발 관절통(손목, 목, 손가락) 등 특징

3) 치료

(1) 기본원칙 : 다른 성 접촉 감염 가능성(매독, *Chlamydia*, HIV)과 임균의 페니실린 및 tetracycline 내성 여부 고려

(2) Ceftriaxone + Doxycycline (*Chlamydia* 동시 치료)

4. 백일해(Pertussis, Whooping cough)

소아 감염 질환 중 전염력이 가장 강한 질환중의 하나로 면역력이 없는 개체는 80~100%가 감염

1) 원인

Bordetella pertussis

2) 전파양식

- 직접전파 or 비말
- 백일해에 감염되었으나 특징적인 백일해 소견이 없는 성인이 주요 감염원

3) 증상

- 3~12일(평균 7일)의 잠복기가 지나면, 6~8주에 걸쳐 3단계의 임상 경과를 취한다.
  - 카타르기(Catarrhal stage; 1~2주) : 가벼운 상기도 감염증상, 가장 전염력이 강한 시기
  - 경해기(Spasmodic stage; 2~4주)
    - 특징적 발작성 기침 (발작성의 짧은 호기성기침이 연발되다가 끝에 길게 숨을 들이쉴 때 "흡"하는 소리(whoop)를 들을 수 있다).
    - 1세 미만, 특히 3개월 미만 영아에서는 특징적인 whooping이 없는 경우가 많다.
    - 해소발작중에 얼굴이 빨개지고 눈이 충혈되며, 기침 끝에 구토가 동반되고 끈끈한 점액성 가래가 나오기도 한다.
  - 회복기(Convalescent stage; 1~2주) : 기침의 정도와 횟수 및 구토가 점차 감소

4) 진단

(1) 접촉한 병력

☆(2) 특징적인 기침양상 : whooping, 발작, 구토등의 증상이 동반된 기침이 14일 이상 지속

(3) 검사소견 : 절대적 lymphocytosis

(4) 균배양검사 : 비인두에서 얻은 가검물 배양(Regan-Lowe charcol agar, Stainer-Scholte media)

(5) 기타 : 직접 형광 항체법, PCR

5) 감별진단

유사 백일해 증후군(pertussis-like syndrome) : Adenovirus (1,2,3,5형), *Bordetella parapertussis* 등에 감염되면 백일해 증후군과 유사

6) 예방

☆ 환자와의 접촉시 예방 : 가족내 접촉자와 밀접한 접촉이 불가피할 경우 연령, 예방, 접종력, 증상발현 여부에 관계없이 Erythromycin을 14일간 복용

7) 치료

(1) 일반치료

- 환자격리 : 효과적 항생제 치료 시작 후 5일간, 항생제 투여하지 않은 경우는 발작 기침 시작 후 3주간
- 기침 끝에 토하는 경우 식사를 소량씩 여러 번 나누어 먹이도록 한다.
- 방 안 습도를 높여주고, 급격한 온도 변화, 연기, 먼지 등을 피한다.

(2) 특수치료

- Erythromycin을 잠복기나 발병 14일 이내에 투여하면 임상경과를 완화시키거나 예방할 수 있다(spasmodic stage가 시작되면 임상경과에는 큰 영향을 미치지 못한다.).
- erythromycin을 감내하지 못하면 clarithromycin이나 azithromycin을 사용 가능
- 백일해 면역글로불린(pertussis immune globulin)의 유효성은 불확실

(3) 환자와의 접촉 후 처치 : erythromycin 14일간 경구투여

8) 합병증

- 나이가 어릴수록 많이 나타남
- 기관지 폐렴, 무기폐, 기관지확장증, 폐기종, 이미 있었던 결핵의 악화, 중이염

5. 살모넬라균(Salmonella) 감염

1) 비장티푸스성 살모넬라증(Nontyphoidal salmonellosis)

(1) 역학

- 위장관염은 늦은 여름과 초가을에 호발
- 20세 미만에서 주로 발생하며, 1세 미만에서 m/c
- 주로 식품 매개성(감염된 가금과 육류제품)(외식)

(2) 증상(m/c 증상은 위장관염)

- 잠복기 : 6~72시간
- 구역, 구토, 복부경련, 복통, 심한 수액성 or 점액성 or 혈액성 설사
- 38.5~39.0℃의 발열(70%)
- 건강한 소아에서는 2~7일 이내에 증상이 가라앉는다.

(3) 진단 : 대변배양

(4) 치료

- 탈수 및 전해질 장애의 교정과 대증적 처치가 중요
- 지사제 사용은 금기

- 항생제사용은 임상경과 단축시키지 못하며, 오히려 만성보균상태로 만들 수 있다.
- 항생제사용은 3개월 이하의 영아, 균혈증 및 장외감염을 가지고 있는 환자에게 사용(ampicillin, TMX-SMX, chloramphenicol)

2) 장티푸스(Typhoid fever)

(1) 역학
- *S. typhi*는 사람에게만 감염을 일으키며, 감염된 환자와의 접촉을 통해서만 전염
- 개발도상국에서는 하수구 관리 등 위생상태가 미비하여 식수가 오염됨으로써 토착병으로 지속

(2) 병인론
- *S. typhi* → 회장하부나 공장의 Peyer's patch → 장 림프절내의 단핵세포에서 증식 → 혈류를 타고 림프절, 간, 골수, 비장으로 파급 → 혈류(2차 패혈증) → 많은 장기에 침입(특히 담낭) → 담낭벽에 증식되어 *Salmonella*가 대장으로 배출
- 병리소견 : 망상 내피계의 단핵 세포 증식을 동반한 과다증식과 병소성 괴사(나이 어린 소아는 연장아나 성인에 비해 병리적 소견의 정도가 약하다).

(3) 증상
- 잠복기 : 7~14일
- 발열, 병감, 식욕 부진, 근육통, 두통 및 복통이 2~3일에 걸쳐 서서히 시작되며 초기에 설사가 있을 수 있으나 병이 진행하면 변비가 두드러짐
- 비출혈 및 기침도 흔히 있으며 발병 후 1주일 이내에 체온이 오르면서 unremitting 형으로 지속되고 40℃까지 상승
- 발병후 2주째 : 피곤, 식욕 감퇴, 기침, 복통이 심해지며 우울, 섬망, 혼미, 지남력 상실, 기면 발생. 간장 및 비장이 커지면서 복부 통각 및 복부 확장, 고체온과 저맥박수, 수포음, 건성 수포음, Rose spot(50%)
- 합병증이 발생하지 않으면 증상 및 진찰소견은 2~4주내에 해소되나, 병감과 기면은 1~2개월 더 지속

(4) 검사소견 : 혈액 내 백혈구수는 발열과 독성에 비해 낮으나 2,500/mm³이하로는 낮아지지 않는다.

(5) 진단
- 배양검사
  - 혈액배양(초기 40~60%에서 양성) : 1주일 이내
  - 소변과 대변배양(발병 1주후 양성) : 2~3주
  - 골수, 장간막 림프절, 간장, 비장의 배양검사 : 혈액이 무균화된 후에도 양성

- 골수배양검사가 가장 민감도가 높은 검사(85~95%)로 사전의 항생제 치료에 의한 영향을 크게 받지 않는다.
- 만성 보균자는 대변과 소변배양검사에서 균이 분리
- 보균상태가 의심되는 경우 대변검사가 의심되면 십이지장액을 배양하여 담관감염의 가능성을 확인
- Widal test : 2주째부터 양성반응이 나오나 위양성 및 위음성률이 높아 오류를 범하기 쉽다.

(6) 치료

- chloramphenicol : 해열 및 혈액내 균을 박멸하는데 효과가 좋으나 재발률이 높다.
- ampicillin, TMP/SMX, amoxicillin, ceftriaxone, cefotaxime
- fluoroquinolone : 효과 있지만 성장하는 소아의 연골 독성 때문에 소아 연령층에서의 사용은 금기
- 만성 보균은 담낭질환이 없으면 고량의 ampicillin을 probenecid와 함께 4~6주간 복용하거나 TMP-SMX를 복용하면 80%에서 치유가능
- 담석증이나 담낭염이 있으면 항생제만으로 효과가 없으며, 항생제투여와 함께 투여 시작 후 14일 이내에 담낭절제술이 추천

(7) 합병증

- 증상이 시작된 지 1주가 지난 후 발생
- 심한 출혈(1~10%), 장천공(0.5~3%), 신경계 합병증

6. 세균 이질(Shigellosis, Bacillary dysentery)

1) 원인 : G(-) bacilli

세균성 이질			
혈청군	균종	혈청형	특징
A	*S. dysenteriae*	13	대유행을 일으키고 아시아 일부 지역에서는 풍토병으로 존재 많은 exotoxin을 만들어 가장 중한 경과
B	*S. flexneri*	6(13 아혈청)	미개발국에서 가장 흔한 균
C	*S. boydii*	18	
D	*S. sonnei*	1	개발국에서 가장 흔한 균 최근 국내에서 집단 급식의 확산으로 유행 증가추세

2) 역학
- 호발연령 : 2~3세(생후 6개월 이전에는 드물다).
- 더운 계절에 흔하다.
- 주로 분-구강 경로를 통하여 사람에서 사람으로 전파, 수인성 또는 식품 매개성으로 전파되기도 한다.
- 가족 내, 수용소 및 탁아소에서 발생률이 높다.(학교급식)

3) 병인
- 대장 상피세포로 침입 : shiga toxin 생성(강력한 단백질 합성 억제)
- 주 병소 : 하부 대장, 점막에 부종, 괴사, 출혈, 삼출액, 가막형성, 상피세포 파괴, 다형핵 백혈구, 단핵세포 침윤, 점막하 부종

4) 증상
- 12시간~며칠간의 잠복기 후 복통, 고열, 구토, 식욕저하, 독성, 긴박감, 배변 시통
- 복부팽만 및 통각, 장음항진, 수진 시 직장에 통각
- 설사 : 다량의 수양성으로 시작하여 소량씩 자주 반복되는 점액 및 혈액성으로 대변으로 변한다.
- sigmoidoscopy 상 대장점막의 reddening & bleeding, pseudomembrane, ulcer
- m/c 장외 소견 : 신경계 병변(경련, 두통, 기면, 혼동, 경부강직, 환각 등)으로 감염된 환아의 약 40%에서 발생(원인은 shiga toxin이 아님), 경련이 소수에서는 저칼슘혈증과 저나트륨혈증과 관련

5) 합병증
- 탈수 : 가장 흔한 합병증이고 신부전 및 사망의 잠정적 원인
- SIADH
- septicemia, DIC 등

6) 진단
- 대변 내 백혈구 및 적혈구, 말초혈액 내 심한 좌방 이동을 겸한 백혈구 증다증
- 대변 배양검사 : 확진

7) 치료

- 수분과 전해질의 교정, 장운동 지연시키는 약제는 삼가
- ampicillin, TMP-SMX : 내성이 높아 선험적으로 사용하는 것은 추천되지 않으며 감수성있는 것으로 결과가 나오면 사용
- 항생제 감수성을 모를 때 : cefixime이나 다른 3세대 cepha.(TOC), ceftriaxone (1세대 & 2세대 cephalosporins는 추천되지 않는다).
- 성인에게는 quinolone 제제가 효과적이나 소아에게는 연골 손상의 위험 때문에 사용하지 않는다.

7. 설사 대장균 감염(Infections due to diarrheagenic *Escherichia coli*)

1) 원인

EPEC, ETEC, EIEC, STEC, EAggEC

2) 역학

- 여름에 호발
- 식품매개, 수인성(ETEC, EIEC, EAggEC)
  접촉으로도 발생(STEC, EPEC) : 잘 익지 않은 햄버거가 STEC에 의한 설사의 m/c 원인

3) 병인론

① EIEC : 장상피 침범, 세균성 이질과 같은 Sx
② ETEC : 독소 생산, 수액 및 전해질 흡수를 방해
③ EPEC : 장독소 분비나 상피 침범 없다.장점막에 부착, 미세융모막에 특징적 변화 초래영·유아 위장염 집단 발병에 관련
④ STEC : EHEC (Enterohemorrhagic *E. coli*)라고도 불림

shiga like toxin 1 or 2 ┐
혹은   ] 를 분비
Verotoxin 1 or 2 ┘

⑤ EAggEC : 장점막에 특징적인 균막 형성, 융모를 짧게 하여 출혈괴사 및 염증반응 유발

4) 증상

① EIEC : 개발 도상국의 탈수성 영아 설사의 주 원인
fever가 없거나 경미. 수일 내 회복

② ETEC : 세균성 이질과 비슷. fever가 없는 것으로 DDx.

③ EPEC : fever(+). 만성 설사 일으키기도 한다.

④ STEC : fever(−) → Shigellosis와 DDx.

초기의 수양성 설사가 며칠 내 혈변으로 바뀌기도 한다.

동반된 경우 약 5~8%에서 HUS 발생

⑤ EAggEC : 물 · 점액 및 혈액 설사, 물설사가 14일 이상 지속

영 · 유아에서 영양 장애 및 성장장애 초래 가능

5) **치료**

- 수액 및 전해질 장애 교정
- EIEC는 세균성 이질로 의심되어 선험적 항생제를 사용하게 된다.

  ETEC, EPEC에서 TMP−SMX의 사용이 고려되기도 하나 효과에 대한 타당성은 없다.
- EHEC : 항생제 (특히 Cefa 계열) 쓰면 HUS의 Risk↑

8. 콜레라(Cholera)

1) **원인**

V. cholerae (G(−))는 70여개의 혈청형이 급성 설사를 일으키나, 콜레라는 O1 혈청형과 새로이 발견된 O139 혈청형이 일으킨다.

→ *V. cholerae* serotype O1, O139가 원인

2) **역학**

- 세계적으로 90여개 국에서 토착병 또는 대유행 형태로 발생
- 오염된 식수와 음식물, 특히 어패류 등을 통해 전염되며, 많은 사람들이 모이는 집회에서 오염된 음식이 제공되어 집단 발생

3) **병리**

(1) 소장, 특히 공장에 감염

(2) enterotoxin이 adenylate cyclase 활성화 → cyclic AMP 생산↑ → 융모세포에서 Na과 Cl의 능동적 흡수 저하, 음와 세포에서 Cl의 능동적 배설을 증가 → 수분과 전해질 상실(상피는 손상받지 않으며, 잔모양 세포가 비어 있는 것은 점액분비가 증가함을 의미)

(3) 설사는 등장성이며 소아는 성인에 비해 고칼륨, 저나트륨, 저염소, 저 bicarbonate를 가진다.

(4) 포도당 흡수는 유지된다.

4) 증상

(1) 소아는 주로 탈수가 거의 없는 단순한 설사로 발현

(2) 5시간~5일에 걸친 잠복기가 지나면 급작스런 무통성의 대량의 수양성 설사

(3) 생선 냄새(fish-odor)가 나는 쌀뜨물 같은 설사

(4) 뒤가 묵직한 느낌(tenesmus)은 없다.

(5) 약 50%에서 배꼽주위 경련이 일어나며, 심하면 설사 후 구토도 일어난다.

(6) 1/4에서 초기에 경미한 발열(항문 체온 38~39℃)

(7) 극심한 설사는 24시간 내에 심한 탈수, 순환허탈, 혈압측정 불가, 요골맥박 촉지불가,
빈호흡, 소변량 감소를 초래, 기면상태로 진행

(8) 초기 회복 증상 : 설사가 급격히 멎으면서 대변에 담즙 색소가 다시 나타난다.

5) 진단

TCBS 배지, TTGA 배지를 이용해 원인균을 대변에서 분리(yellow colony 형성)

6) 치료

(1) 독방에서 장관 예방 경계(enteric precaution)로 관리

(2) 수분 및 전해질 보충

(3) 항생제 사용 : 9세 미만 : TMP-SMX, furazolidone, EM, chloramphenicol / 9세 이상 :
tetracycline

(4) 콜레라 백신의 효과는 제한적

IV 혐기세균감염

1. 보툴리즘(Botulism)

1) 원인균

Clostridium botulinum : 아포는 열에 강하나 독소는 열에 약함(85℃ 이상에서 5분 끓이면 제거)

2) 증상

(1) 식품 매개 보툴리즘(식중독)

① 잠복기 : 18~36시간, 때로 7~8일

② 대칭적 뇌신경 손상(복시, 시력 불선명, 눈부심, 고정 확장된 동공, 발성장애, 구음 장애, 삼킴 곤란 등)과 하향성으로 이완 마비 증상

(2) 유아 보툴리즘

① 2~4개월 영아에서 주로 발생

② 목을 못 가눔, 젖빨기 약해지고 전신적 근긴장 저하, 대칭성 하향성 마비, 뇌신경 증상

(3) 상처에 의한 보툴리즘

식중독 보툴리즘과 유사, 경미

3) 진단

(1) 임상진단으로 병을 의심

(2) 신경전달 속도와 감각 기능은 정상

4) 치료

(1) 마비 진행 시 기관 내 삽관과 인공호흡

(2) 식중독이나 유아 보툴리즘의 경우 항생제 도움 안된다.

(3) 인간유래보툴리즘면역글로불린(BIG-Ⅳ) 정맥주사

2. 파상풍(Tetanus)

1) 원인균 : G(+)인 파상풍균(*Clostridium tetani*)

tetanospasmin(강력한 신경독소, 파상풍 증상 유발), tetanolysin 생산

2) 발병 원인
- 출생 시 소독하지 않은 기구로 탯줄을 절단한 경우
- 배꼽의 처치를 비위생적으로 한 경우
- 깊은 관통상이나 조직괴사를 일으킨 상처 후

3) 임상 증상
- 잠복기 : 2~14일
- 처음에 목과 턱의 근육이 경직되고, 차츰 입을 열지 못하고(trismus) 삼키지 못하게 된다.
- 전신 증상으로 과민(irritability), 두통, 미열, 오한, 전신성 통증
- 진행되면 경련성 근육 수축, 안면 경련이 나타나 입이 바깥쪽으로 끌려서 비웃는 듯한 표정이 됨(risus sardonicus)
- 사소한 자극(빛, 소리)에도 경련
- 전신 경련 시 후궁반장(opisthotonus) : 목과 등이 경직되어 활모양처럼 휘어짐
- 감각 신경은 손상되지 않으므로 의식이 있는 상태에서 심한 **통증**을 느낀다.

4) 예방 및 치료

파상풍 항독소(Td)를 예방 목적으로 사용하며, 이는 독소만을 중화시킬 수 있으므로, 파상풍 사람면역글로불린(TIG)을 함께 근육 주사한다.

★(1) 예방 : tetanus에 대한 예방접종력을 알아내고 상처에 대한 tetanus prophylaxis를 시행

파상풍 백신 접종력	작은(깨끗한 상처)		이외의 모든 상처[1]	
	T[2]	TIG[3]	T[2]	TIG[3]
모르거나 3회 미만	투여함	투여 안함	투여함	투여함
3회 이상	투여 안함[4]	투여 안함	투여 안함	투여 안함

주 1. 토양, 분변, 타액, 오염된 상처와 천자, 화상, 동상, 총상 등에 의한 상처가 포함된다.

  2. T : tetanus vaccine, 접종을 실시할 경우, 7세 미만의 소아에서는 DTaP 또는 DT백신(백일해 접종이 금기인 경우)을 접종하고, 7세 이상 소아에서는 T 또는 Td를 접종한다.

  3. TIG : tetanus human immunoglobulin, 없을 경우 tetanus antitoxin을 주사한다.

  4. 마지막 접종한 지 10년 이상 되는 경우에는 접종한다.

  5. 마지막 접종한 지 5년이 넘은 경우에는 접종한다.

(2) 치료
  ① 상처부위 철저 소독, 괴사조직이나 이물 제거하고 상처는 열어 놓는다.(m/i)
  ② 어둡고 조용한 방에 있게 하며 불필요한 자극을 주어 경련을 유발해서는 안된다.
  ③ 진정제 및 근육 이완제 투여(diazepam, chlorpromazine, midazolam)

④ 수분 및 전해질 평형, 칼로리 섭취, 기도유지

⑤ 항생제 : penicillin G (penicillin 과민반응 있으면 EM, TC)

⑥ curarization, 인공호흡, 고압 산소요법도 쓸 수 있다.

5) 예후

- 사망률 : 5~35%
- 대개 1주일 내외에 사망하며, 잠복기가 짧을수록 poor Px.
- 회복되면 후유증 없다.
- 회복 후에도 면역이 획득되지 않으므로 능동 면역을 꼭 받아야 한다.

V 마이코박테리아 감염

1. 결핵(Tuberculosis)

1) 병인

(1) 초감염군(primary complex, Gohn complex)

- 결핵균이 호흡기(98%)로 침입하여 원발병소(primary focus) 형성하게 되며, 이 원발병소와 가까운 림프절로 유출(drain)되어 림프절 종창을 일으킨다.→ Gohn Complex (초감염군) = 원발병소+폐문림프절염
- 대부분 폐조직은 건락괴사나 피낭화(encapsulation) 단계를 거쳐 섬유화 또는 석회화 되면서 자연치유

(2) 초감염 후 지연되어 나타나는 질환은 잔존균의 재활성화에 의한 것

- 폐결핵 : 1년 이후
- 파종성 결핵과 뇌막염 : 2~6개월 이내
- 림프절 결핵, 기관지내 결핵 : 3~9개월 이내
- 골, 관절결핵 : 몇 년 후, 신장결핵 : 10년 이후
- 신장결핵 : 10년 이후

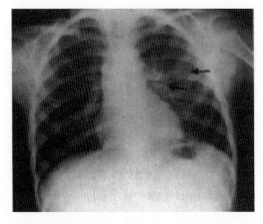 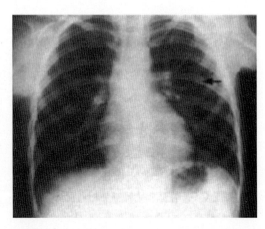

| 왼쪽 폐와 폐문에 발생한 1차 결핵 | 석회화로 치유된 1차 결핵 |

전형적인 Gohn complex를 보인다.

2) 소아 결핵과 성인 결핵의 차이점

	소아기 결핵	성인 결핵
초기의 폐병변	폐 하부	폐첨 또는 쇄골 상부
국소 림프절 침범	흔하다	없다
치유 양상	석회화	섬유화
진행 양상	혈행성 산포	기관지성 산포
	(속립성 결핵 또는 결핵성 뇌막염)	(건락성 괴사, 공동을 초래)
감염 방법	초감염 결핵	재감염 또는 재활성 결핵

3) 증상

(1) 원발 폐결핵

- 폐 병변의 70%는 흉막하에 위치하며 국소적으로 흉막염과 흔히 동반
- 폐조직 병변은 작으나 소속 림프절이 비교적 크다.
- 폐침윤과 림프절 병변은 빨리 호전되고 지연성 과민반응이 일어나 폐문 림프절의 증대가 오며, 계속 커지면 기관지를 눌러 폐색이 초래되어 국소적으로 과팽창 및 무기폐가 올 수 있다.
- 증상은 매우 경미하여 방사선 검사에서 발견되는 경우가 많다.
- 연장아에 비해 영, 유아에서 증상발현이 더 잦으며, 흔하게 마른 기침과 경한 호흡장애가 오고 드물게 발열, 침한, 식욕부진, 활동저하가 관찰

(2) 속립 결핵(Miliary tuberculosis)

- 초감염 병소에서 혈행성으로 확산하여 2개 이상의 장기에 질환 유발(폐, 비, 간, 골수), 영유아에 많다.
- 대부분 보챔, 식욕감퇴, 체중감소, 미열 등의 증상이 서서히 나타난다.
- FUO를 가진 환자에서 속립 결핵의 가능성을 생각해야 한다.
- 림프절비대, 간비장비대(50%)
- 몇 주 후 호흡곤란, 기침 수포음이 동반되고 X선상 2~3mm 미만의 음영이 눈송이(snow flake appearance)처럼 전 폐야에 나타난다.
- 뇌막염, 복막염의 증상을 보이고(20~40%), 맥락막 결절이 나타난다(13~87%).
- 간조직 및 골수의 세균학적, 조직학적 검사 또는 결핵 환자와의 접촉력이 중요한 역할
- 투베르쿨린 검사는 약 40%에서 음성 : 진단에 큰 도움되지 않음.
- 적절히 치료해도 효과가 서서히 나타남(발열은 치료 후 2~3주에 정상화, 흉부 방사선은 수 개월이 지나도 호전되지 않을 수 있다).
- 간혹 부신피질호르몬의 사용이 증상의 호전을 빠르게 한다.

• 조기에 진단하여 항결핵제를 충분히 투여하면 예후가 좋다.

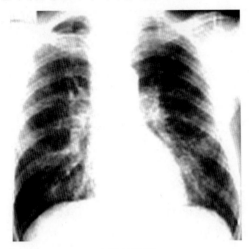

속립성 결핵

(3) 결핵 수막염(Tuberculous meningitis)

• 치료하지 않은 초감염 소아의 약 0.3%에서 발생

• 주로 Brain stem 침범해 CN III, VI, VII의 기능장애 유발

  ① 제1기 발병 후 1~2주간 지속하며, 비특이적인 증상(발열, 두통, 보챔, 기면, 권태등)

  ② 제2기 뇌막 자극 증상

    (기면, 경부강직, 경련, Kernig sign, Brudzinski sign, 긴장항진, 구토, 뇌신경 마비)

  ③ 제3기 혼수, 편마비, 양측마비, 고혈압, 제뇌경직(decerebrated rigidity), 활력징후의 악화

• CSF 검사

  − 뇌압 상승

  − 세포수 : 10~500/mm³

  − 초기에 다핵구 → 곧 대부분 림프구로 대치

  − glucose↓ : < 40 mg/dL (20 mg/dL은 드물다).

  − protein↑ : 45~120 mg/dL

  − 항산 도말 검사 : 30% 양성

  − 배양검사 : 50~70% 양성

▶ 중추 신경계 감염의 뇌척수액 조건

구 분	압력(mmH₂O)	백혈구수(/mm³)	다핵구(%)	단백(mg/dL)	당(mg/dL)
정상	50~80	< 5	< 25%	20~45	> 50
바이러스 성	80~150	10~1,000	< 25%	50~200	> 50
수막염					
세균성	100~300	300~2,000	> 75%	100~500	< 40
수막염					
결핵성	100~300	100~500	> 25%	100~3000	< 50
수막염					
뇌농양	100~300	5~200	< 25%	75~500	> 50

▶ 소아의 정상 CSF 소견

종목	정상소견
Cell count	신생아 : 0~25 (주로 lympho) 소아 : 0~ (주로 lympho)
Chloride	650~750mg/dL (111~128mEq/L)
Glucose	50~90mg/dL (혈당의 1/2~1/3)
Lactate dehydrogenase (LDH)	신생아 : 2.5~10U/L 소아 : <25U/L
Pressure	영아 : 50~90mmH₂O 소아 : 70~200mmH₂O
Protein	신생아 : 20~120mg/dL 소아 : 15~40mg/dL

- 예후
  - 나이가 어릴수록
  - 치료 시작 시기 늦을수록 예후 나쁘다.
  - 치료가 시작될 때의 임상 상태와 밀접한 관련
    (제1기에는 예후가 아주 좋지만, 3기의 환아는 생존하더라도 영구한 장애가 남게 된다).
  - 어린 영, 유아에서 예후가 더 좋지 않다.

4) 진단
  (1) 병력 : 결핵 환자와 접촉한 병력
  (2) 투베르쿨린 검사(Tuberculin test)

▶ Mantoux 검사

2TU PPD (purified protein derivatives) 0.1mL 전반 내측에 피내 주사하여 48~72시간 후 경결(induration)의 크기 판독

- 결핵에 감염되면 3주~3개월 후에 투베르쿨린 검사에서 과민반응(cutaneous hyper-sensitivity)이 나타난다.
- 판정 기준
  - ≤ 5mm : 음성
  - 6~14mm : 양성
  - ≥ 15mm : 강양성
- 5세 미만의 소아에서 10mm 이상이면 결핵감염으로 간주
- 투베르쿨린 반응 강양성이 나타나는 경우
  - 뼈, 관절의 결핵
  - 당뇨병 환아
  - 결핵성 늑막염
  - Erythema nodosum
- 투베르쿨린 반응을 저하 시키는 요인
  - 매우 어린 나이
  - 영양 부족
  - 면역결핍
  - 홍역, 유행성 이하선염, 수두 및 인플루엔자와 같은 바이러스성 감염
  - 생백신 접종
  - 아주 심한 결핵
  - 위양성 투베르쿨린 반응이 나타나는 경우
    - 비정형 결핵균에 의한 감염
    - 과거에 BCG접종 받은 경우

(3) 방사선 : 폐문 림프절 종창

(4) 세균 검사 : 영, 유아에서는 위세척액 등에서 결핵균을 도말 또는 배양검사하는 것이 추천(가래침을 삼키므로)

(5) 증상 : 매우 다양, 결핵의 진행 정도와 임상 증상이 맞지 않는 경우가 많다.

(6) Interferon-γ 분비검사(Interferon-γ Release Assays : IGRA)

 − T 세포가 결핵균 항원에 대해 interferon-γ를 생산하는지를 검사

 − 잠복 결핵과 활동성 결핵을 구분하지 못함

- 5세 미만에서는 사용을 권고하지 않음
- 5~18세는 투베르쿨린검사와 함께 사용

5] 치료

병합 요법이 원칙이다.

(1) 화학요법

Isoniazid (INH)	• 비싸지 않으며 모든 조직 및 CSF를 포함한 모든 체액에 잘 확산되고 부작용 발생률이 낮다. • 부작용 : 간독성, 말초신경염 (말초 신경염은 pyridoxine이 경쟁적으로 억제하여 일어나는데, 소아에서는 드물게 나타나 pyridoxine 투여가 권장되지 않지만, 식사가 부족한 사춘기 소아 및 모유수유를 하는 산모에서는 pyridoxine을 투여해야 한다.)
Rifampin (RIF)	• 공복시 위장관에서 잘 흡수되고, INH와 같이 모든 체액에 잘 확산 • 부작용 : 붉은 요 및 분비물, 위장관 장애, 간독성
Pyrazinamide (PZA)	• CSF 잘 투과하며, 치료효과가 좋다. • 부작용 : 고요산혈증에 의한 관절통, 관절염, 통풍, but 소아에서는 거의 없다.
Streptomycin (SM)	• 소아에서는 거의 쓰이지 않으나 내성균에 의한 결핵균일 경우 중요한 역할 • 부작용 : 8차 뇌신경 장애(전정 및 청각), 신독성
Ethambutol (EMB)	• 소아에서는 안구 독성(시신경염, 적록색맹)으로 인하여 사용이 제한적이다.

① 무증상 감염 (tuberculin 양성, 발병 없을 때) : INH 9개월 요법

② 폐결핵일 때

6개월 요법(표준요법) : INH, RFP, PZA 2개월 + INH, RFP 4개월

오랜 기간 동안 약물을 잘 복용해야 한다는 점과 1차 내성을 포괄할 수가 없다는 제한점이 있음.

③ 폐외 결핵일 때

예외 : 골 및 관절 결핵, 파종성 결핵 및 결핵성 수막염은 6개월 치료로 부족 → 9~12개월 치료, 필요시 외과적 처치

(2) 부신피질호르몬 적응증

┌ 결핵성 수막염 : 혈관염, 염증 및 뇌압을 낮추어 사망률이나 신경학적 후유증을 감소
├ 내기관지 결핵 : 단기간 사용시 효과
├ 급성 결핵성 심낭염으로 인한 협착
├ 종격의 편측 이동을 동반한 심한 늑막 삼출액
└ 속립 결핵

• 반드시 항결핵제와 병용하여 투여해야 하며, 단독 사용은 금하고 항결핵제 사용으로 어느 정도 외상적 호전을 확인한 후에 사용

6) 예방적 화학요법

(1) 활동성 결핵 환자와 접촉했을 때

(2) 2년 이내에 투베르쿨린 반응 검사에서 양전된 경우

(3) 과거에 결핵을 앓았으나 충분한 치료를 받지 않은 경우

(4) 투베르쿨린 반응이 양성이며 비진행성 결핵질환이 있는 경우

(5) 특수한 경우에 투베르쿨린 반응이 양성인 경우 : 당뇨병, 코르티코스테로이드 및 면역억제제 사용

혈액성 또는 내망세피계 질환, HIV 감염, 만성 신질환, 그 외 홍역, 백일해, 인플루엔자, 전신 마취

(6) 위의 조건이 없는 경우에도 35세 이상에서 투베르쿨린 반응이 양성인 경우

☆(7) 2세 미만 소아에서 활동성 결핵 환자와 접촉한 경우

① 활동성 결핵 환자에 노출된 2세 미만 소아가 투베르쿨린 검사 음성이고, 흉부방사선 검사에서 특이 사항이 없는 경우 : 우선 INH 단독 2개월 투여

㉠ 2개월 후 투베르쿨린 재검사에서 양성인 경우 : 잠복 결핵으로 간주하고 INH 투여 9개월 지속

㉡ 2개월 후 투베르쿨린 재검사에서 음성인 경우 : 투약 중단

② 활동성 결핵 환자에 노출된 2세 미만 소아가 투베르쿨린 검사 양성이고, 흉부방사선 검사에서 특이사항이 없는 경우 : 잠복 결핵으로 INH 9개월 투여

③ 활동성 결핵 환자에 노출된 2세 미만 소아가 투베르쿨린 검사 양성이고, 흉부방사선 검사에서 폐결핵이 확인 된 경우 : 폐결핵 표준치료

투베르쿨린 검사	감염증거(X선)	치료
−	−	INH 단독 2개월 투여 후
		투베르쿨린 검사(+) → 치료 9개월 지속
		투베르쿨린 검사(−) → 투약 중단
+	−	INH 9개월
+	+	폐결핵치료(6개월 혹은 9개월 요법)

VI 스피로헤타 감염

1. 매독(Syphilis)
원인균 : *Treponema pallidum*

1) 전파
대부분 임신 후기에 전파, 선천성 매독에 걸린 경우 40%가 태아기나 주산기에 사망

2) 임상증상
(1) 조기 선천성 매독(Early congenital syphilis) : 출생 ~ 2세, 균감염 자체에 의한 증상
　① 지속적인 비염(Rhinitis, snuffles) : 코가 막히고 비분비물이 증가되며, 약 10%에서는 점액성, 화농성, 때로는 혈성 분비물이 나오고 윗입술이 헌다.
　② 피부 및 점막증상 : 손발바닥 반점 구진상(maculopapular)발진-(암적색, 구리빛), 낙설, 구각, 생식기 점막 균열, 항문 편평 콘딜로마(condyloma lata)
　③ 뼈의 변화
　　Ⓐ 뼈연골염(osteochondritis)
　　　• Wegner sign : 골간단선을 따라 평활하기도 하고 톱니 모양이 되기도 하는 짙은 음영
　　　• Wimberger sign : 경골의 내측 골간단에 좀이 먹은 것 같은 파괴성 변화가 radiolucent하게 나타난다.
　　Ⓑ 골막염 : 장골 또는 두개골의 골막이 불규칙하게 비후되어 진하게 음영이 나타난다. 이와 같은 뼈의 변화로 통증이 심하면 환자는 가성마비(pseudoparalysis of Parrot)의 증상을 나타낸다.
　④ 간비장비대(hepatosplenomegaly) : 약 30%, 황달 동반
　⑤ 중추신경계 : 수막염은 드무나 20% 정도에서 척수액의 변화, 때로는 경련, 수두종 초래
　⑥ 외배엽의 변화 : 손톱의 화농 혹은 낙설(exfoliation), 탈모(alopecia)

(2) 만기 선천성 매독(Late congenital syphilis) : 2세 이후, 만성 염증 또는 감각반응에 의한 반흔 현상에 의한 증상(주로 치아, 뼈, 눈, 8차 뇌신경 침범)
　① 치아 : Hutchinson 치아(영구치 앞니가 톱니 모양)어금니 : 오디모양(mulberry molar)
　② 사이질 각막염(interstitial keratitis) : 양축심 잘 치유되지 않음
　③ 귀먹음 : 제8 뇌신경 손상

④ 뼈 : 골막염 진행되어 골피질이 두꺼워지면 군도각(saber shin), 전두골 돌출(frontal bossing), 쇄골의 비후(Higoumeakis sign), 코염에 의해 주위 골격의 파괴로 코가 납작해지며(saddle nose), 경구개가 파괴되어 천공된다(hard-palate perforation).

3) 진단

① 자세한 병력과 진찰 소견

② Bone X선 : 25%에서 나타남, 진단상 중요함(6주 이후 나타남)

③ 검사실 소견

Ⓐ 암시야 검사 : *Treponema pallidum* 증명

Ⓑ 매독 혈청 검사(Serologic Test for Syphilis)

• screening : Nontreponemal test (VDRL, RPR) : 매독이 의심될 때 3~4 간격으로 연속 측정, 값이 떨어지면 감염이 없음을 의미

• 확진 : Treponemal test (FTA-ABS, MHA-TP, TPHA)

• 선천성 매독 : 척수액에서 세포수, 단백량 증가, VDRL 검사

• 위양성 : Nontreponemal Test에서 나타남. 건강한 사람의 1%.

4) 치료

• 선천성 매독의 치료 기준

┌ 분만 시 모체의 매독이 치료되지 않은 상태일 때

├ 모체 매독의 재발 혹은 재감염이 있을 때

├ 매독의 증상이 있을 때

├ 매독의 방사선 소견이 있을 때

├ 뇌척수액의 VDRL이 양성이거나 혈청학적 검사가 양성인 모체로부터 태어난 영아의 뇌척수액의 세포수와 단백이 정상이 아닐 때

└ 신생아 혈청 nontreponemal 항체가 모체 항체의 4배 이상일 때

• 출생 후 치료 : crystalline penicillin G 정주, procaine penicillin 근주

5) 예방

① 모든 임산부는 정기검사를 받는다.

② 임신 4개월 내 치료- 태아 감염 방지됨.

임신 4개월 이후 치료- 태아도 함께 치료(benzathine peniciliin G로 치료)

③ 임산부가 충분히 치료받고 재감염 증거 없으면 치료하지 않아도 좋다.

6) 예후

① 신경성 매독을 치료하지 않으면 예후가 나쁘다.

② 매독에 걸린 임산부가 치료를 받지 않으면 25%에서 자궁 내 사망, 30%에서 주산기 사망.

2. 렙토스피라증(Leptospirosis)

- 원인균 : *Leptospira interrogans*
- 제3군 법정 전염병(여름, 초여름 호발)

1) 증상

① 잠복기 : 7~12일, 대부분 무증상

② 광범위 혈관염에 의한 급성 전신 감염증

2) 진단

⑴ 미생물의 분리

- 혈액, 뇌척수액 : 10일 이내
- 소변 : 2~4주

⑵ 슬라이드 응집법(Slide agglutination test) : 응집 항체 검출

1 : 100 이상이거나 2주 이상 간격을 두고 시행한 검사에서 항체가가 4배 이상 상승

시 진단적 가치

3) 치료

⑴ penicillin 및 tetracycline : 9세 이상 소아에서 발병 1주 이내 투여 시 경과 단축

⑵ doxycycline : 예방적 투여

VII 마이코플라스마 감염(*Mycoplasma* Infection)

Mycoplasma : 일반 배지에서 자라는 가장 작은 병원체로서 세포막은 가지고 있지 않으나 다른 생물학적 성상은 박테리아와 같다.

1. 호흡기 감염

- *M. pneumoniae*에 의한 호흡기 감염은 전세계적으로 발병하며, 연중 발생하면서 4~7년 마다 유행하는 양상
- 3~15세 어린이에서 지역사회 폐렴의 7~30%를 차지

1) 증상

(1) 1~3주의 잠복기

(2) 심한 기침과 열, 인두통, 두통, 무력감등의 전신 증상이 있으며, 콧물이 없는 것이 특징

(3) 기관지 폐렴이나 기관지염, 인후염 등을 일으키며 3~4주 내에 점차 회복

(4) 진찰 소견에 비해 임상증상이 심하다.

2) 진단

(1) 학령기 아동이나 젊은 성인에서의 폐렴은 반드시 마이코플라즈마 의심

(2) cold hemagglutinin이 1 : 32 이상인 경우 진단에 도움

(3) *M. pneumoniae*에 대한 특이 IgM이 양성이거나 IgG 항체가가 4배 이상 증가하면 확진
(cold hemagglutinin은 비특이적인 검사로 adenovirus, EB virus, measles virus등의 감염에서도 증가)

3) 치료

EM(세포막이 없으므로 β−lactam계 항균제는 효과가 없다.)

New Macrolide (azithromycin, clarithromycin) − 투여 간편. 효과 좋다.

4) 호흡기 외 증상

호흡기 감염 1~3주 이후에 다형홍반, 스티븐−존슨 증후군, 수막뇌염, 용혈 빈혈

드물게 간염, 췌장염, 심근염

대부분 후유증 없이 회복되나 중추 신경계 질환은 20~30%에서 후유증이 남음

2. 비뇨생식기 및 출생 전 후기 감염

(1) 성 접촉으로 감염. 근래 발생 빈도가 점차 증가 추세

(2) 출생체중 1,500g 이하의 저체중아나 융모막염이 있는 경우 잘 발생

(3) 치료 : 신생아에서 증상있는 중추신경계 감염시 Doxycycline, 사춘기 · 성인 요도염은

azithromycin, doxycycline

VIII 클라미디아 감염(Chlamydial Infection)

C. trachomatis, C. pneumoniae, C. psittaci, C. pecorum, 이중 *C. trachomatis*와 *C. pneumoniae*가 인체에 감염된다.

1. *Chlamydia trachomatis* 감염증

1) 트라코마(Trachoma)

- follicular conjunctivitis로 시작해 → 각막 궤양, 반흔 → 실명
- 예방가능(국내에서는 크게 감소)

2) 생식기 감염(Genital infection)

- 청소년기에 주로 문제, 임질과 중복감염된 경우가 많으며 임질에 비해 발병이 느림
- 남자에서 요도염, 부고환염, 직장염
- 여자에서 자궁경부염, 요도염, 난관염 → 불임, 자궁외 임신(75%가 무증상)
- 치료 : 합병증 없는 청소년에서 doxycycline, azithromycin. 임신부에서 EM, amoxicillin

3) 출생 전 후기 감염(Perinatally Transmitted Disease)

- 산모 감염시 태아에게 분만시 감염
- 감염 산모의 신생아의 50%에서 봉입체 결막염(분만 1주일 이후), 폐렴(생후 1-3개월에 서서히)유발
- 치료 : EM, EM안연고

2. *Chlamydia pneumoniae* 감염증

- 사람에서 사람으로 비말 감염을 통해 전파
- Community acquired atypical PN의 2~19%
- 임상 증상은 마이코플라스마 폐렴과 비슷
- 치료 : EM, TC, azithromycin, clarithromycin

IX   리케차 감염(Rickettsial infections)

- *R. prowazekii* 제외하고는 인체는 우연이나 사고로 인한 종말 숙주
- Q fever를 제외하고 사람에서 사람으로는 전염되지 않는다.
- 광범위한 혈관염 유발 : 고열, 두통, 피부발진(Q fever 제외)과 함께 근육통과 호흡기 증상
- 치료하지 않으면 급격히 악화. 발병 1주 후에는 적절한 치료에도 효과 적다 → 조기치료 중요
- 치료 : 발병 5일 이내 doxycycline이나 tetracycline 또는 chloramphenicol 투여 – 5일 이상 투여. 열 소실 후 2~4일 이상 더 치료

1. 발진티푸스

1) 증상

　(1) 40℃ 이상 고열

　(2) 피부발진

　　발병 4~7일 경 반점, 구진, 점상출혈 등 형태로 몸통에서 시작하여 사지로 퍼짐. 얼굴이나 손, 발에는 잘 오지 않는다.

2) 원인 및 감염경로

　*R. prowazekii*가 병원체이며 이(louse)를 통해 감염

3) 진단

　indirect IFA 사용. 항체가 4배 이상 증가시 확진

4) 예방

　이(louse)를 박멸

2. 쯔쯔가무시열

1) 원인 및 역학

　*Orientia tsutsugamushi*가 병원체, 진드기 유충으로 매개

2) 증상

　(1) 피부발진

　　발병 후 5~8일 경 반점 구진상, 몸통, 사지에 주로 생기며 손이나 얼굴에 드물다.

⑵ 가피(eschar)

진드시 물린 곳에 피부 궤양이나 가피 형성

3) 치료

Chloramphenicol, tetracycline

4) 예방

진드기에 물리지 않는 것이 중요, 예방적 화학요법(doxycycline)

3. 기타 리케차 감염

1) Rocky mountain spotted fever (m/c)

2) Q fever

X 진균 감염(Mycotic infections)

1. 칸디다증(candidiasis)

1) 원인

대부분 *Candida albicans*

2) 신생아 감염

(1) 증상

- 피부 병변
- 신장 : 약 50%에서 침범
- 중추신경계 : CSF 검사 필요
- 폐렴(70%), 내안구염(20~50%), 골관절염(20%), 심내막염

(2) 치료 : Amphotericin B, Fluconazole 등

3) 정상 소아 및 청소년에서의 감염

(1) 아구창(oral candidiasis)

- 혀, 구개 및 구강 점막에 진주 빛깔의 흰 위막으로 나타남
- 치료가 필요한 경우 nystatin이나 fluconazole을 사용

(2) 기저귀 부위 피부염(diaper dermatitis)

- *Candida* 감염 중 m/c
- 회음부의 간찰 부위에 구진성 홍반으로 나타남
- 치료는 nystatin, clotrimazole 또는 miconazole등의 항진균제를 도포
- 심한 경우에는 첫 1~2일간 1% hydrocortisone 연고를 추가함
- 가능하면 기저귀를 채우지 않고 기저귀를 자주 바꾸어 준다.

(3) 손톱 주위 감염, 외음질염 등

2. 아스페르길루스증(aspergillosis)

대부분 *Aspergillus fumigatus*가 원인

1) 과민반응

(1) 천식, extra alveolar alveolitis 등

(2) Allergic Bronchopulmonary Aspergillosis (ABPA)

* 진단기준
  - 천식발작
  - *A. fumigatus* 항원에 대한 IgE 검출
  - 혈청 IgE 농도의 증가
  - 호산구 혈증
  - *A. fumigatus* 항원에 대한 precipitating Ab
  - 중심성 기관지확장증
  - 과거 폐 침윤의 병력 등

2) 비침습 질환

3) 침습 질환

폐렴 및 파종 감염, 외이도염, 부비동염 등 유발

3. 크립토코크스증(Cryptococcosis)

- *Cryptococcus neoformans*가 원인
- 포자 흡입을 통해 감염
- 치료 및 HIV 환자의 재발 예방으로 fluconazole 투여

4. 모균증(Zygomycosis, mucormycosis)

- Class Zygomycetes의 order mucorales에 의한 여러 가지 기회감염으로 발생
- 진단 : Silver stain
- 치료 : 광범위 외과적 절제와 고용량의 amphotericin B로 치료

5. 어루러기균(Malassezia)

- 모낭 주위 피부 상재균 – 카테터 관련 *Malassezia* 패혈증 유발
- 피부 병변의 KOH 검사 – 스파게티와 미트볼 모양
- 치료 : *Malassezia* 패혈증은 정맥 내 지질 영양 중단하고 카테터 제거
- 침습 감염증 지속 시 amphotericin B. fluconazole, itraconazole 사용

6. 주폐포자충 폐렴(*Pneumocystis jirovecii* pneumonia)

- 정상 숙주 에서는 무증상 감염. 악성종양, 선천 또는 후천면역결핍 및 장기 이식 환자 에서는 폐렴.
- 증상 : 발열이 없는 빠른 호흡, 늑간, 흉골위와 아래의 함몰, 코 벌렁거림, 청색증, 고열, 빈호흡
  호흡곤란 및 기침
- 진단 : 흉부 X선상 양측폐에 과립모양의 미만 폐포질환 양상
- 치료 : 면역저하자는 치료 받지 않으면 3-4주 내로 사망
  TMP-SMX으로 2주간 치료.

XI 바이러스 감염(Viral Infections)

1. 홍역(Measles, Rubeola)

1) 감염양식

- 호흡기 분비물 등의 비말(m/c)에 의하거나 오염된 물건을 통하여 간접적으로 결막을 통하여 호흡기로 감염
- 전염성이 매우 강하고(감염 지수 95%), 불현성 감염은 드물다.
- 전염력은 발진이 나타나기 6~7일전부터 나타나고 2~3일 후가 가장 높다.
- 격리 : 환자와 접촉한 후 발진 전 7일부터 발진 후 5일까지
- 모체로부터 얻은 수동면역은 생후 첫 4~6개월까지만 유효하다.

2) 증상 – 진단(특징적 임상경과 관찰이 진단방법)

★(1) 전형적인 홍역

잠복기 (8~12일)	• 면역글로불린을 투여받은 경우에는 잠복기가 21일까지 길어지는 수가 있다

전구기
(prodromal stage)
(3~5일)
	• 전염력이 가장 강한 시기
	• 3 C (cough, coryza, conjunctivitis) + fever
	• Koplik's spot (pathognomonic sign)
	  – 첫째 번 하구치의 맞은편 구강 점막에 충혈된 작은 점막으로 둘러싸여 있는
	  – 회백색의 모래알 크기의 작은 반점
	  – 발진 1~2일 전에 나타나 12~18시간 내에 소실

발진기 (eruptive period) (Koplik's spot 후 1~4일)	• 홍반성 구진상 발진(형태 불규칙)이 귀 뒤에서부터 생긴 후 첫 24시간 내에 얼굴, 목, 팔과 몸통 상부, 2일째에는 대퇴부, 3일째에는 발까지 퍼진 다음 발진이 나타났던 순서대로 소실되기 시작 • 발진이 서로 융합되며, 때로는 점상출혈반 등이 생긴다. • 발진 출현 후 2~3일째 임상증상이 가장 심해서 40℃이상의 고열이 나지만, 24~36시간 내에 열이 내리고 기침이 적어진다.
회복기 (convalescence)	• 발진이 소실되면서 색소 침착을 남기고 작은 겨 껍질 모양으로 벗겨지면 (brany desquamation) 7~10일 내에 소실 • 손과 발은 벗겨지지 않으며, 이 시기에 합병증이 잘 생긴다.

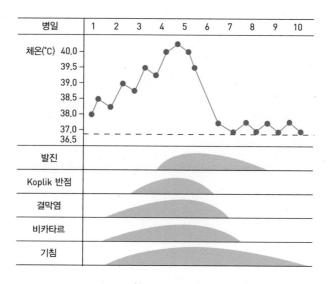

(2) 경증화된 홍역(Modified Measles)

- 예방접종 실패로 홍역에 대한 불완전한 면역상태를 가진 사람이 홍역 바이러스에 감염되어 발생
- 백신 실패 원인
  - 모체로부터 받은 수동면역항체를 보유하고 있는 상태에서 접종
  - 면역글로불린이나 혈액제제를 투여 받은 후 충분한 기간이 경과되지 않은 채 접종
  - 홍역환자에게 노출되고 면역글로불린을 주사한 경우
- 모든 증상은 경하다. 잠복기가 길어져 21일까지도 될 수 있다.
- 발진은 드물게 나타나며, Koplik's spot도 거의 나타나지 않는다. 합병증의 빈도도 낮다.

(3) 비정형 홍역(Atypical Measles)

- 과거에 불활성화 홍역 예방 접종을 받은 경우(→ 항체를 만들지 못함) 후에 자연 홍역에 감염되면 비정형적인 임상경과를 취한다(delayed hypersensitivity reaction).
- 중독한 경과

★3) 합병증

호흡기 합병증	• 가장 흔하다(4%) • 중이염이 m/c • 기관지염, 모세기관지염, 크루프(croup), 기관지 폐렴의 형태
신경계 합병증	뇌염(Encephalitis) • 1/1,000의 비율로 발생, 사망률 50%, 대부분 신경학적 후유증 • 뇌염의 초기 증상으로 기면, 구토, 두통 및 경련 　SSPE (subacute sclerosing panencephalitis) • 1/100,000의 비율로 발생. 매우 천천히 발병하여 홍역을 앓고 난 후 평균 7년 뒤에 발병 • 처음에는 성격변화, 행동변화, 지능저하 등을 보이다가 점진적으로 경련, 간대성 근경련(myoclonic seizure), 　혼수상태에 이르러 사망 • 척수액에서는 measles-specific IgG와 IgM이 모두 검출 • 홍역백신군에서는 적다.

4) 예방

(1) 능동면역 : 약독화된 생백신. 효과는 95% 내외, 유행지역에서 6~9개월에 measles 단
독, 12~15개월에 /MMR, 4~6세에 추가접종

(2) 수동면역 : 예방접종을 하지 못한 소아가 홍역환자와 접촉한 경우 즉시 감마글로불린
주사

→ 우선 홍역을 걸리지 않게 할 수 있거나 경한 임상 증상을 기대

→ 예방량 : 접촉한 지 5일 이내에 0.25 mL/kg IM하고 2개월 후에 능동면역

→ 경화량 : 접촉한 지 5일 이내에 0.05 mL/kg IM

(3) 적응증

① 6~12개월 미만의 영아 : 접촉 후 5일 이내에 면역글로불린 접종

② 면역결핍아 : 면역글로불린 접종

③ 6개월 미만의 영아 : 모체가 홍역에 대한 면역력이 없는 경우만 면역글로불린 접종

④ 12개월 이상의 영 · 유아 : 3일 이내에 백신만 접종

5) 치료

• 합병증이 없는 한 대증요법

• 세균성 합병이면 항생제 투여

• 비타민 A는 모든 홍역 환자에게 투여

2. 풍진(Rubella, German measles, 3 day measles)

1) 역학

• 사람이 유일한 숙주

- 감염 양식 : 주로 비말 감염, 분변, 소변, 혈액, 태반을 통해서
- 격리 : 발진 전 7일 ~ 발진 후 8일(임상 증상 발현 안되어도 전염성 있음)
- 전염력이 강하여 집단 내 발생률이 높고 가족 내에서 발생 할 경우 50~60% 정도에서 감염
- 예방접종이 시행되기 이전에는 5~14세에 호발 / 예방접종이 활성화 된 이후에는 10대 소아 및 젊은 성인 층에서 주로 발생

☆2) 증상

잠복기	• 대개 17일 정도(14~21일) • 감염된 경우 ⅔정도에서 임상증상이 발현되지 않는다(2/3는 불현성감염)
전구기	• 발진 출현 1일 전에 귀뒤(postauricular), 목뒤(postcervical), 후두부(suboccipital)의 림프절이 커지기 시작하여(lymphadenopathy) 발진 지속될 때까지 계속 되며, 통증을 동반한다.★
발진기	• 발진은 처음에는 얼굴에서 시작하여 2~3시간 내에 머리, 팔, 몸통 등의 온몸에 급속히 퍼진다. • 발진은 연분홍색의 홍반성 구진으로, 수는 많으나 홍역처럼 형태가 불규칙하거나 서로 융합되지 않고 색소침착도 되지 않는다.★ 　1일째 : 홍역과 비슷(morbilliform rash) 　2일째 : 성홍열과 비슷(scarlatiniform rash) 　3일째 : 소실 • 전신 증상은 홍역보다 경하다. 색소침착은 없다.

▶임산부 풍진 노출

- 즉시 항체검사 ┌ IgG(+) : 안심　　　┌ IgG(+) : 감염
　　　　　　　　└ IgG(−) : 3주후 재검　└ IgG(−)→3주후 재검 ┌ IgG(+) : 감염
　　　　　　　　　　　　　　　　　　　　　　　　　　　　　　└ IgG(−) : 안심

- 감염 : 임신중절, IM으로 1gG 주사

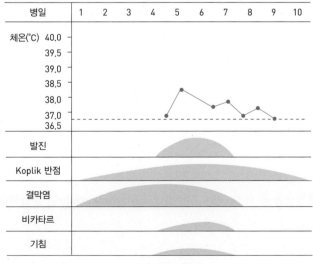

풍진의 임상 경과

3) 합병증
- 관절염 : 사춘기나 성인에서 보일 수 있다(여자 > 남자).
- 뇌염 : 드물게 발진이 나타난 후 발생(1/6,000)
- 혈소판감소증 : 자반증 및 출혈 경향을 보일 수 있다.

☆4) 진단
- EIA, Latex agglutination, passive hemagglutination
- 급성기, 회복기 혈청 검사하여 IgG가 4배 이상 상승
- 풍진 IgM 항체 : 선천성 풍진 증후군 진단

▶ 선천성 풍진 증후군
☆① 임신 초기 3개월에 산모가 풍진에 이환→태내감염으로 선천기형 초래하기 쉽다.
② 10주 이내에 감염 시 동맥관 개존과 청력장애가 100% 발생한다.
③ 20주 이후 : 선천성 기형 확률 거의 없으나 눈, 귀, CNS의 이상 초래

- 임상증상
  ① IUGR (m/c) 간비장비대, 혈소판감소증, 전신 림프절 종창, 용혈성 빈혈, 간염, 황달, 뇌수막염
  ② 백내장, 망막병변(salt & pepper retinitis 특징적), 소안구증, 청력장애
  ③ 심장질환 : PDA, 폐동맥 형성 저하
  ④ 정신박약 동반한 소두증(microcephaly)
- 진단 : 임상증상, virus분리, 신생아 혈청 : 풍진 IgM Ab 검출
- 치료, 예방
  ① 임신부 풍진 노출 후 감염확진인 경우 임신 중절 또는 IM으로 IgG 주사(예방효과는 불확실)
  ② 모든 가임기 여성은 풍진에 대한 항체가 있어야 한다(예방접종 4주 이내에 임신금지).
  ③ 분만 후 예방 접종 시 모유수유 금지

5) 치료 : 대증요법
홍역과 풍진의 감별진단을 꼭 숙지. 특히 피부병변과 lymphadenopathy는 풍진진단의 중요

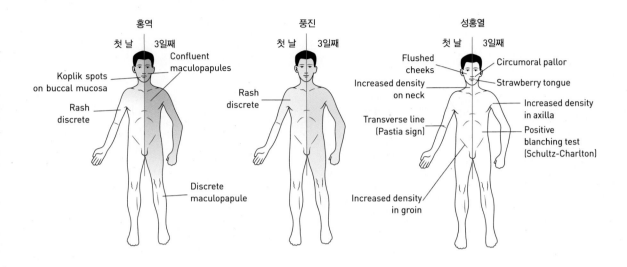

3. 볼거리(유행 귀밑샘염, Mumps)

1) 원인

paramyxovirus

2) 전파 경로

타액의 비말 감염

3) 환자 격리

- 전염성 있는 시기 : 침샘 비대 1~2일 전부터 비대가 사라지고 3일 후
- 타액에서 virus 분리 : 침샘 비대 6일 전~9일 후

4) 임상증상

- 잠복기 : 16~18일(12~25일) (30~40%에서는 무증상 감염)
- 전구기 : 발열, 두통, 근육통, 식욕 부진
- 타액선 종창과 통증이 특징적(대부분 이하선 침범 85%)
  : 처음에는 한쪽에서 시작하여 양쪽으로 붓게 되지만(2~3일 후), 25%에서는 한쪽만 붓게 된다. 이하선을 침범한 경우 귀가 상측방으로 밀리면서 하악골 후연과 유양돌기 사이에서 종창이 시작되어 점차 아래쪽과 앞쪽으로 진행

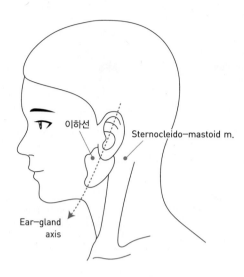

이하선

Sternocleido—mastoid m.

Ear—gland
axis

멈프스 때의 이하선의 종대

5) 진단

(1) 특징적 임상소견

(2) 타액, 소변, 혈액, 뇌척수액에서 바이러스 검출

(3) 혈청학적 검사 : 볼거리 특이 IgG 및 IgM 검출

☆(4) serum amylase 증가 : 이하선 종창과 비례하여 증가하며 2주내에 정상화(lipase와 같이 측정해서 pancreatitis와 감별)

6) 감별진단

- 이하선 종창을 초래할 수 있는 다른 바이러스 감염(influenza virus, parainfluenza virus, coxsackievirus, cytomegalovirus)
- 경부림프절염
- 화농섬 이하선염
- 재발성 비화농성 이하선염
- Stensen관 결석
- Mikulicz 증후군 및 종양

7) 합병증

수막뇌염 (meningoencephalitis)	• m/c 합병증이며, 남자에서 3~5배 많다. • 대부분 타액 종창 후 3~10일 후에 생기며, 실제로 임상증상이 나타나는 경우는 약 10% 정도
고환염, 부고환염 (orchitis, epididymitis)	• 사춘기 이후에 나타남(14~35%) • 이하선 종창 후 7일경에 시작하여 4일 정도 앓게 된다. • 대부분(70%) 한쪽만 발생하며, 수정능력의 장애는 13%정도이나 불임이 되는 경우 아주 드물다.
난소염 (oophoritis)	• 사춘기 이후에 나타남(7%) • 난소염으로 인해 불임증이 되는 일은 없다.
췌장염 (pancreatitis)	• 심와부 통증(epigastric pain), 발열, 오한, 구토 • 혈청 amylase와 함께 lipase를 측정하는 것이 중요
청력장애	• 일측성 감각 신경성 난청의 중요한 원인
기타	• 삼근염, 심낭염, 신장염, 갑상샘염, 누선염, 관절염 및 혈소판감소증

8) 치료

대증요법

9) 예방

모든 소아는 생후 15개월 MMR을 1차 접종, 4~6세에 2차 접종

4. 장바이러스(Enterovirus)

▶ 종류

- Poliovirus : 1~3형
- Coxsackievirus A : 1~22, 24형(23은 echovirus 9로 재분류) B : 1~6형
- Echovirus : 1~9, 11~27, 29~33형(10형과 28형은 non-enteroviruses로, 34형은 cox-sackie A virus 24로, 22와 23형은 Parechovirus 속으로 재분류
- Enterovirus : 각 번호로 표시됨(72형은 A형 간염 바이러스로 재분류)
- Poliovirus 외의 장 바이러스

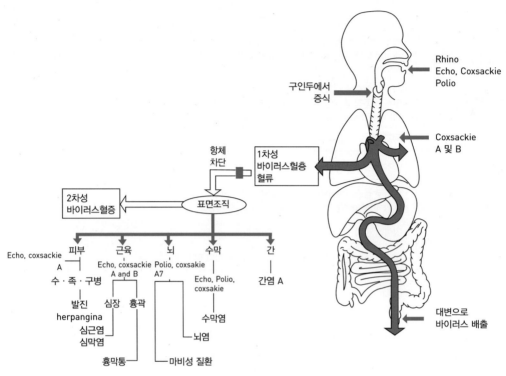

장 바이러스 감염의 병인론(Morag A, Ogra PL)

1) Poliovirus

- 소아마비는 예방접종이 효과적으로 시행된 이후 전세계적으로 발생한 예가 거의 없다.
- 신경계의 주된 병소 : 척수(주로 ant. horn), 수질, 소뇌, 중뇌. 시상 하부, 대뇌 운동
  피질
- 증상
  - 불현성 감염 : 90~95%
  - 부전형 회백수염(abortive poliomyelitis)
  - 비마비성 회백수염
  - 마비성 회백수염

2) Poliovirus 외의 장 바이러스

- 사람이 유일한 자연 숙주이며, 주로 분변 – 경구 또는 경구 – 경구 경로를 통해서 사
  람에서 사람으로 전파된다.
- 유행시기 : 8, 9, 10월

⑴ Coxsackievirus의 종류

　Group A : 심한 감염은 드물다.

　　⌐ Herpangina

　　├ Hand, foot & mouth disease

　　└ Lymphonodular pharyngitis

　Group B : 심한 감염을 일으킨다.

　　⌐ Myocarditis, pericarditis, meningitis, encephalitis, orchitis

　　├ Epidemic myalgia (pleurodynia)

　　├ Nonspecific febrile illness

　　└ Aseptic meningitis & paralytic disease

⑵ 수족구병(hand, foot & mouth disease)

☆ • 원인 : Coxsackievirus A16

　• 최근 enterovirus 71이 수족구병 집단발생의 원인으로 규명된 적이 있다.→ 무균성 뇌막염, 뇌염, 마비성 질환 등 초래

　• 잠복기 : 4~6일, 여름과 가을철에 호발

　• 내진과 발진의 복합형 : 영유아에서 100%, 학동기에서 38%, 성인에서는 11%

　• 구내병소 : 혀와 혀점막에 주로 나타나며, 4~8mm 크기의 궤양성

☆ • 손, 발의 발진 : 발보다 손에 더 흔하며 3~7mm 크기의 수포성, 손바닥과 발바닥 보다는 손등과 발등에 많다.

　• 대개 1주일 이내에 수포 내의 액체가 흡수된다.

　• 치료 : 특별한 치료는 없다(대증요법). 다른 합병증을 최소한 줄여야 한다.

⑶ 헤르페스 목구멍염(Herpangina)

☆ • Coxsackie A virus가 원인

　• 급작스런 발열(나이가 어릴수록 열이 높다.)

　• 발진 : 발열이 있는 동안 구인두 부위에 1~2mm의 5개(1~14개)의 구진

☆ → 3~4mm의 소포, 궤양으로 진행, tonsillar pillars, 연구개, 목젖, 편도, 인두벽 등에 발생

　• 부작용 없고 대개 3~6일 지나면 완전히 회복

⑷ 급성 출혈성 결막염 : Enterovirus 71

⑸ 호흡기 질환

⑹ Aseptic meningitis : 소아의 무균성 수막염의 m/c cause

(7) 심근염과 심낭염 : Coxsackievirus B군

(8) 췌장염

(9) 고환염

(10) 신경계 증상

- 장바이러스 : 소아의 바이러스 수막염의 m/c 원인(90%)
- 영아, 특히 3개월 이하에서 흔함
- 신경질환 : enterovirus 71의 최근 유행

5. 파르보 바이러스 B19 감염증(Parvovirus B19 infection)
사람에게만 감염

1) 감염 홍반(제5병, Erythema infectiosum, Fifth disease)
- 전구기 : 미열, 두통 및 경미한 상기도 감염 증상
- 발진
  1기 : 얼굴, 특히 뺨에 진한 홍반, 열감은 있으나 통증은 없다, 발진의 모양은 뺨을 맞은 것 같은 모양(slapped check appearance), 입주위 창백(circumoral pallor)
  2기 : 체간과 사지의 근위부로 급격하게 퍼지면서 미만성의 구진성 홍반
  3기 : 구진의 중심부분부터 없어지며 레이스 모양의 망상(lace−like network)의 흔적을 남긴다.
- 대증요법으로 치료, 임산부가 환아와 접촉을 피하는 것이 반드시 필요하지는 않다.

2) Human parvovirus B19에 의한 기타 질환
① 관절병증
② 일과성 골수 무혈성 위기(transient aplastic crisis) : 만성 용혈성 빈혈이 있는 환아에서의 aplastic crisis
③ 면역저하자의 감염
④ 태아 감염(5% 미만)
- 비면역성 태아수종(fetal hydrops)와 태아 사망(∵적혈구 형성부진 : 심한 빈혈, 심부전 및 수종)
- 선천성 기형 보고는 아직 없음.
⑤ 심근염, 기타 피부 증상

3) 치료 및 예방

대증요법. 면역결핍 환자의 만성감염– IV Ig 전염력이 약하다.

6. 단순 포진 바이러스 감염(Herpes simplex virus infections)

1) 원인 : Double strand DNA

　(1) HSV–1 : 입술 구강, 허리 위 피부의 감염

　(2) HSV–2 : 생식기와 허리 아래 피부 감염, 신생아 감염

2) 감염 양식

　(1) 1차 감염(Primary infection)

　　• 단순포진 바이러스의 초감염

　　• 대부분(90%) 불현성 감염으로 경과하여 면역을 얻음

　　• 나머지 일부는 국소에 표재성 병변 유발(헤르페스성 구내염, 피부포진, 결막염, 음
　　　문 질염, 수막염 등)

　(2) 비 1차 초감염(First infection, nonprimary)

　　한 가지형에 대한 항체, 예를 들어 HSV type1에 대한 항체가 있는 숙주에서 HSV type
　　2와 같은 다른 형에 의해 감염(원발성 감염에 비해 증상이 경하다).

　(3) 반복 감염(recurrent infection)

　　유발인자 (추위, 발열, 자외선 조사, 외상, 월경, 위장관 장애, 정신적 긴장)에 의해 잠
　　재해 있던 바이러스가 재활성화되어 재발을 일으켜 국소성 병변을 유발

3) 증상

피부 및 점막 병변 **급성 헤르페스 치은 구내염** **(acute herpetic gingivostomatitis)**	• 피부에 홍반으로 둘러싸인 수포가 무리를 지어 일어나며, 터지고 딱지가 　생기면서 7~10일이 지나면 상처를 남기지 않고 회복. 대상포진과 감별필요 　– 1~3 세의 소아에서 보이는 구내염의 가장 흔한 원인 　– 고열, 구강의 통증, 먹으려 하지 않고, 침과 입에서 악취를 동반 　– 초기에 수포 → 작은 궤양 → 회색의 곱이 끼며 　– → 곱이 떨어지면 궤양이 남는다. 　– 혀, 뺨, 구강 점막에 흔히 발생
재발 구내염 **(recurrent stomatitis)**	• 국소성 병변으로 발열이 동반되기도 한다 • 입천장이나 입술주위의 구강 점막에 병변이 와서 3~7일간 지속
포진상 습진 **(eczema herpeticum)**	• 습진이 있는 피부에 감염되어 오는 것이다 • 병소가 가벼워 간과할 수도 있지만 사망할 수도 있다 • 수분 전해질 평형이 중요
눈 병변	• 결막염 및 각결막염 : 전염성이 매우 높다. • adenovirus와 감별
생식기 헤르페스	– 사춘기 및 젊은 성인층에서 가장 흔하게 발생 – 성 접촉에 의하여 전파되며 HSV-2에 의해 기인 – (10~25%에서는 HSV-1이 원인) – 성인 여성에서는 자궁 경부가 1차 감염 병소 – 무증상이어도 바이러스 배출은 되므로 신생아에게 감염을 일으킴 – 재발이 흔하다.
중추 신경계 감염	• HSV-1, HSV-2 모두가 신생아 수막뇌염을 일으킴 • 호발 부위 – temporofrontal • 비유행성 뇌염의 흔한 원인 중 하나이며 사망률이 높고 생존하더라도 심한 　후유증을 남긴다
면역 약화 환자 **(immunocompromised person)**	• 만성적인 구강 내 또는 생식기의 감염 • 주로 출생 시 산도에서 감염, 간혹 태반을 통해서 전염되거나 출생 후에 　감염되기도 한다.

★4) 치료 : Acyclovir, 탈수 및 전해질 불균형 치료

　　각막염 : Trifluorothymidine, Vidarabine, idoxuridine

7. 수두(Chickenpox, varicella), 대상포진(Shingles, Herpes zoster)

1) 원인

- Varicella zoster virus – 수두와 대상포진 일으킴

　① 수두 : 초회 감염시 일어난다.

　② 대상포진 : 지각신경질에 잠복해 있다가 재발한다.

2) 역학

- 비말감염, 직접 접촉
- 호발연령 : 1~4세

- 전염성이 매우 강해서 접촉을 한 경우 거의 100%에서 감염을 일으킨다.
☆ • 전파기간 : 발진 나타나기 24~48시간, 발진 시작 후 3~7일(딱지형성)까지 전파 가능
  하다. 그러므로 모든 부위의 가피가 가라앉을 때까지 환아의 격리가 필요하다.
- 계절적으로 가을과 겨울철에 호발(대상포진은 계절적 분포없이 산발적 발생)
- 대상포진은 소아에서는 매우 드물다.

3) 증상

(1) 잠복기 10~21일

(2) 발진이 나타나기 24시간 전에 발열, 식욕부진, 권태감 등의 증상이 2~3일간 나온다.
   (특히 성인에서 심하다).

(3) 수두발진의 특징

☆ • 반점, 구진, 수포, 농포, 가피 등의 순서로 나타나는데, 동시에 모든 발진이 관찰될
  수 있다.
- 홍반성 구진은 곧 눈물 방울(tear drop) 모양의 수포로 되고, 24시간 이내에 혼탁한
  삼출액으로 변한다.
- 먼저 가슴과 배, 몸통 부위에 나타나, 얼굴과 어깨, 맨 나중에 사지로 퍼져 나간다.
☆ • 수포는 매우 가려우며, 마지막에는 가피가 생긴다.
  ① 진행성 수두(Progressive varicella)
    - 내장장기 침범, 응고장애, 심한 출혈 등의 경과, 복통, 출혈 수두의 양상을 보임
    - 주로 선천세포면역결핍 환자, 악성종양 환자, 장기 이식 환자에 발생
  ② 신생아 수두(neonatal chickenpox)
    - 분만 일주일 이내에 발병한 산모에서 태어난 아기의 17%에서 발병
      : 생후10일 이내에 증상이 나타나 30%에서 사망
    - 분만 일주일 이상 전에 수두를 앓은 경우 산모의 수동면역을 받아 증상이 약하다.
    - 분만 5일전에서 2일 사이에 산모가 수두를 앓았다면 신생아에게 VZIG을 주사하
      고 필요하면 acyclovir를 정맥주사
  ③ 선천 수두 증후군(congential varicella syndrome)
    - 임신 8~20주 사이 산모의 수두 감염에 의해 발생.
    - 사지형성부전증, 근위축, 뇌피질위축, 눈기형, 저체중아 등이 나타난다.
  ④ 대상포진(Herpes Zoster)
    - 주로 성인이 된 후에 후근 신경절(dorsal root 또는 cranial nerve ganglia)에 잠복해
      있던 바이러스가 면역기능이 저하되면서 다시 재활성화 되어 발생

- 유행의 양상없이 대개 한쪽의 피판에만 국한된 통증과 수포성 발진이 특징(tho-racic nerve의 피판이 가장 호발)
- Ramsay Hunt synd. : 고막과 외이도에 발진이 나타나며 facial palsy를 동반

4) 진단

(1) 전형적 임상상 : 모든 발진이 동시에 나타남

(2) 직접 형광 분석, PCR : 빠르게 확진

(3) 처음 72시간 동안의 백혈구 감소증이 특징적이며 림프구 증가증으로 이어진다.

(4) 감별진단 : 전염성 농가진

5) 합병증

☆ • 발진부위 세균 감염(2차 감염) : 가장 흔함, 주로 *Streptococcus pyogenes*, *Staphylococcus*
- 폐렴, 패혈증, 관절염, 골수염, 국소성 괴저(gangrene)
- 수두 바이러스 자체에 의한 폐렴, 뇌염, 소뇌 실조증, 사구체 신장염, 혈소판감소성 자반증

6) 예방

(1) 능동면역

① 대상 : 12~15개월 모든 영유아를 대상으로 필수 예방접종 1회 시행

② 금기증

Ⓐ 중증의 면역저하

Ⓑ 감마글로불린제제 투여 중

Ⓒ 임신 중

Ⓓ 급성 발열성 질환, 항생제 과민반응, 전신상태가 나쁜 경우

(2) 수동 면역

대상 : 면역저하자, 임신중인 여자, 감염 산모의 신생아에게 노출 후에 ZIG or VZIG 근주

7) 치료

- 소아에서의 수두나 대상포진의 경우 항바이러스제의 사용이 병의 경과를 완화시킬 수 있지만 반드시 사용하지는 않는다.
- 그러나 성인 대상포진의 경우 acyclovir, famciclovir, valacyclovir 사용은 효과적이다.
- 합병증이 없는 경우 특별한 치료법은 필요하지 않다.

- 매일 피부를 청결히 하여 2차 세균감염을 방지하고 손톱을 짧게 하여 피부에 상처를 주지 않게 한다.
- 가려움증의 완화를 위해 calamine lotion을 피부에 도포한다.
- ☆ 해열제로서 Aspirin은 사용 금기 ∵ Reye syndrome 유발
- 면역 부전 등의 고위험 환아가 수두나 대상포진에 이환된 경우에 항바이러스제인 acyclovir를 정맥투여

8. 거대 세포 바이러스 감염증(Cytomegalovirus Infection)

- CMV는 선천성 바이러스감염을 일으키는 바이러스 중 가장 빈도가 높다.
- 임신 중 자궁내 감염이나 주산기 감염이 많으며, 출산후 1년 이내에 많은 수가 감염되어 청장년이 되면 대부분의 사람이 CMV 항체를 보유한다.
- 일단 CMV에 감염이 된 경우 상당 기간 동안 바이러스를 배출하며, 다른 사람을 감염시킨다.

1) 전파경로

- 수직 전파(vertical transmission) : 선천성 or 주산기 감염
- 수평 전파(horizontal transmission) : 성적 접촉, 가족 내 접촉, 수혈 및 장기이식

2) 증상 – 대부분은 증상이 약하다.

(1) 면역저하자의 감염 : 폐렴이 가장 적합

(2) 선천 감염

Cytomegalic inclusion disease (CID)

- 매년 태어나는 신생아의 1%가 선천성 CMV감염을 일으키고 있으며, 이 중 약 5%는 출생 시 임상증상을 나타낸다.
- 임신전 CMV에 대한 항체를 가지고 있지 않았던 임신부에게서 초회 감염이 발생하면 태아 감염이 40~50%에서 일어남.
- 90%는 무증상이지만, 10%에서는 중추신경계 후유증 동반
- 체내 여러장기에 병변을 일으키는데 주로 RES와 CNS를 침범
- 간비대, 비장비대, 소뇌증, 황달, 점상 출혈

(3) 출생 전 후기 감염

- 분만 시 산도를 통하거나 출산 후 모유 또는 수혈에 의한 감염
- 생후 2주 이내 바이러스 검출시 : 선천성 감염

3) 진단

- 양수의 바이러스 배양과 PCR 이용 – 가장 특이도 높고 예민한 검사 방법
- 생후 첫 2주 이내 소변, 타액, 눈물 등에서 바이러스 검출 – 주산기 감염과 DDx

4) 치료

Ganciclovir 투여

9. Epstein-Barr 바이러스 감염(전염성 단핵구증)

1) 원인

- EB 바이러스
- 최초의 종양 발생 바이러스로 알려진 EBV와 관계된 질환

  : 전염성 단핵구증(infectious mononucleosis), Burkitt lymphoma, 비인두암(nasopharyngeal carcinoma), 위 림프 상피증(gastric lymphoepithelioma), 림프증식질환(lymphoproliferative disorder)

2) 역학

(1) EB 바이러스 감염은 전세계적으로 흔하여 대부분의 사람들이 성인이 되면 EB 바이러스 항체를 지니게 된다.

(2) 한국에서는 5세까지 이미 대부분의 소아가 항체를 가지고 있어 전형적인 단핵구증 환아는 드물다.

(3) EB 바이러스 환자의 타액분비물에 의해 전파

(4) 17~25세에서 초회감염(primary infection)이 일어나는 경우에는 약 50%에서 임상증상을 동반하나, 사춘기 이전의 소아에서는 증상이 없거나 가볍다.

3) 증상

- 잠복기는 30~50일
- 주로 발열(38~40℃), 권태감, 식욕 부진, 인후통, 오한, 두통, 복통 등을 호소

☆① 전신 림프절비대(generalized lymphadenopathy) (90%) : 주로 경부 림프절 침범

☆② 비장비대(splenomegaly) (50~60%)

☆③ 인두염(pharyngitis) : 발병 첫 주에 나타나며, 회백색 막과 인두부 종창과 편도 비대를 동반, 입 천정 점상 출혈이 나타나기도 한다.

☆④ 피부발진(3~15%)

- 연한 홍역양(faint morbilliform) 발진이 24~48시간 지속 후 소멸
- ampicillin을 투여받은 환자의 80%에서 나타남
- 발병 초기 안와 주위 부종(periorbital edema)은 흔히 오며, 간혹 신장염으로 오인

⑤ 비정상 간기능 : 간비대(10~15%), 간세포 손상에 의한 간 효소치의 상승, 빌리루빈치 상승

4) 진단

(1) 비정형 림프구(Atypical lymphocyte)(m/i)

- 발병 초 2주 동안 백혈구증가증을 보이는데, 이 가운데 50%는 림프구이며, 약 20%는 비정상의 모양을 나타낸다.
- 감염은 B cell에 되지만 atypical cell은 T cell이다.
- 비정형 림프구는 정상 림프구보다 크며, 액포성 세포질(vacuolated cytoplasm)과 길쭉하고
- 함입된 핵(elongated, indented nucleus)에 굵은 염색질이 나타난다.
- atypical lymphocyte를 보이는 경우
  : CMV, hepatitis, HIV, toxoplasmosis, roseola, rubella, Tb, *Mycoplasma*

(2) 이종 항체 반응(heterophil antibody test, Paul-Bunnell test) : 4세 이하의 소아에서는 항체가가 낮아서 양성으로 나타나지 않는 수도 있다.

(3) BM은 정상(Leukemia와 DDx)

(4) EBV 특이 항원에 대한 항체 검사 : 확진

Viral capsid antigen (VCA)에 대한 IgG	• 발병 초기에 나타나 최고치, 평생 지속
Viral capsid antigen (VCA)에 대한 IgM	• 진단적 가치가 있다 • RF에 의해 가양성이 나올 수 있다 • 항체의 지속 기간은 몇 개월
Early antigen complex (EA)	• 바이러스 증식과 관련 • 감염 초기에 나타나서 6개월~수 년 후에 사라짐
EB nuclear antigen (EBNA)에 대한 IgG 항체	• 잠복 감염 항원으로 가장 늦게 나타나며(증상 시작 후 3~4개월) 영구히 지속

	Anti-VCA IgG	Anti-VCA IgM	Anti-EA(D)	Anti-EBNA
감염 받은 일이 없는 경우	0	0	0	0
급성 초회 감염	+	+	+/0	0
최근 감염	+	±/0	+/0	±
과거의 감염	+	0	0	+

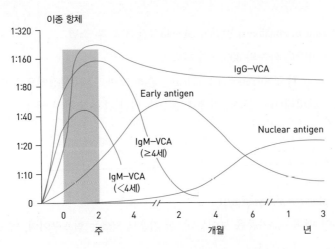

Epstein-Barr virus 감염 때 항체 반응

5) 합병증
⭐ • 비장 파열 : 가장 위험한 합병증, 2주 내에 주로 발생하나 매우 드물다.
  • 신경계 합병증 : 수막염, 뇌염, 길랑-바레 증후군
  • 심근염, 간질성 폐렴
⭐ • 혈액학적 합병증 : 용혈 빈혈, 혈소판감소성 자반증, 재생불량성 빈혈
  • 인두부, 기도폐쇄
  • 기타 : 췌장염, 이하선염, 고환염, Reye 증후군
  • 지속적 중증, 치명적 감염

⭐ 6) 치료 : 대증요법, 합병증이 있는 경우 steroid

  steroid 투여 시 acyclovir 병용투여 시 더 효과적이다.

10. 장미진, 돌발진(Human herpes virus 6 및 7 감염)

1) 원인
⭐ Human herpes virus 6, 7

2) 역학
  • HHV-6 : 6~15개월 사이에 잘 걸린다.
  • HHV-7 : 더 늦은 나이에 감염

3) 증상

(1) 전구기

☆ • 급작스럽게 체온이 37.9~40℃까지 올라가지만 심한 발열을 설명할 수 없는
   진찰 소견이 없는 것이 특징 (ex. 인후발적 등이 없다)

☆ • 5~10%에서 열성경련을 일으킨다.

 • 눈 주위의 부종이 특징

☆ (2) 발진기 : 고열이 3~5일간 있다가 갑자기 내리면서 12~24시간 내에 발진이 나타난다.

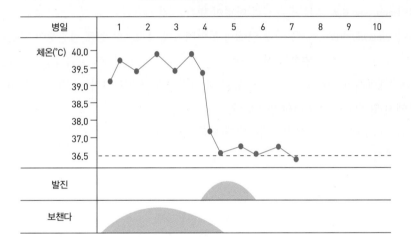

 • 발진은 빨간 장밋빛이며, 반점(macular) 또는 반점 구진상(maculopapular)이고 풍진
   과도 비슷.

 • 발진은 수 시간~수 일 지속되며 주로 몸통, 목, 귀 뒤에 나타나며 얼굴, 다리는 적다.

 • 피부착색, 낙설은 없다.

 • 경부, 후두 및 후이림프절이 커져 있는 경우가 많다.

4) 감별진단

Rubella, Measles

5) 치료

☆ • 대증요법

 • ganciclovir, cidofovir, foscarnet 등

11. 인플루엔자 바이러스 감염(Influenza Viral Infection)

1) 원인 및 역학

- 항원형에 따라 A, B, C형 3가지가 있으며 유행성 질환은 A, B형에 의해 발생
- A형, B형의 돌기에는 hemagglutinin와 neuraminidase가 포함(C형에는 neuraminidase가 없다).
- A형은 표면항원인 hemagglutinin(H)와 neuraminidase(N)의 항원형에 따라 다시 아형으로 분류(H3N2, H1N1, H2N2 등)
  - 대변이(antigenic shift) : H 또는 N의 아형이 변하는 것
  - 소변이(antigenic drift) : 같은 아형 안에서 돌연변이의 축적으로 인해 항원성이 약간 변하는 것
- 대변이는 A형에서만 일어나고, 10년 이상의 긴 간격을 두고 일어나며, 소변이는 A, B형 모두에서 일어나며 거의 매년 일어난다.
- 인플루엔자 A의 대유행은 항원의 대변이에 의해 10~40년을 주기로 일어나며, 그 중간에는 소변이로 인하여 2~3년을 주기로 소유행이 있다. / B형의 큰 유행은 대개 4~7년을 주기로 일어난다.

2) 증상

- 감염경로는 비말을 통한 호흡기이며, 잠복기는 2~3일
- 조류의 바이러스가 직접 사람에게 전염 될 수 있다.
- 갑자기 시작되며, 콧물, 결막염, 인두염, 기침 등의 호흡기 증상이 나타난다.
- 상기도 감염, croup, 모세기관지염, 폐렴 등의 호흡기의 특정한 부위 질환의 증상이 주로 나타날 수 있다.
- 다른 호흡기 바이러스에 비하여 발열, 근육통, 병감 및 두통 등의 전신증상이 동반 (∵호흡기 상피세포에서 생산되는 cytokine에 기인)

3) 치료

- 대증요법, salicylate는 Reye synd.의 위험으로 사용하지 않는다.
- Amantadine, Rimantadine : A형 인플루엔자의 예방과 치료로 사용
- Zanamivir, Oseltamivir : 최근에 개발된 neuraminidase 억제제, A형 & B형 인플루엔자에 유효

4) 합병증

- 중이염, 폐렴 (2차적인 세균감염에 의한 경우가 많다).
- B형 경과 중에 발병 5~7일 후에 급성 근육염이 올 수 있다.
- 심근염과 GBS의 감염과 동반되어 toxic shock synd.이 올 수 있다.

5) 예방

▶ Vaccination 적응증

① 6개월 이상의 만성질환자(폐기종, 만성 기관지염, 천식, 울혈성 심부전, 당뇨병, 신부전, 혈색소병증, 면역기능저하)

② 요양원이나 치료소에 장기 거주하는 의료인 및 고용인

③ 6개월~18세 사이의 아스피린 장기 복용자

④ 고위험자의 가족

⑤ 65세 이상 노인

- 고위험군이나 고위험군과 자주 접촉하는 사람 중 백신 접종의 금기대상이거나 접종 받지 못한 사람 : Amantadine or Rimantadine 복용

12. 파라인플루엔자 바이러스 감염(Parainfluenza Viral Infection)

영아 및 소아 호흡기 감염의 흔한 원인으로 상기도 감염 및 하기도 감염을 모두 일으키나 특히 후두 기관염, 기관지염, 크룹을 일으킨다.

13. Respiratory Syncytial Virus 감염

- 영아 및 어린소아에서 모세기관지염과 폐렴의 중요한 원인(생후 몇개월 내의 영아기에 발병률이 높다)
- 모세기관지염의 병인에 면역학적 손상이 기여한다는 증거
  - 모세기관지염에서 회복되는 환아의 분비물에서 RSV에 대한 IgE 항체가 발견
  - RSV 감염시 염증을 유발하고 조직손상을 초래 할 수 있는 여러 가지 물질들(IL, LT, chemokines)이 분비
  - 불활성화 RSV 백신을 접종받은 소아가 이후에 RSV에 노출되면 모세기관지염의 발생빈도가 높고 더 심하다.
  - 모세기관지염을 앓은 환아에서 천식으로 이행하는 경우가 많으며, RSV가 1~5세 소아의 천식발작의 흔한 원인이다.

- 기침이 발생한 직후에 천명(wheezing)이 들리기 시작, 청진시 전반적으로 rhonchi, fine rale 및 천명이 들린다.
- 흉부 X선은 흔히 정상
- 치료—심한 감염증 영아 또는 청색증 선천성 심장 기형이나 BPD가 있는 고위험 영아에서는 ribavirin의 분무 요법 고려 가능

14. 아데노 바이러스 감염(Adenoviral infection)

1) 호흡기 감염(1, 2, 3, 5, 6형)

소아 및 성인에서 m/c 임상양상으로 설사가 동반되는 경우가 많다.

☆① 인두염 : 콧물, 인후통 및 발열

② 폐렴 : 3, 7, 21형

③ 유사백일해 증후군(pertussis−like synd.) : adenovirus가 백일해같은 발작성 기침을 일으킬 수 있는 것으로 보고. 이러한 경우 *B. pertussis*와 같이 감염된 경우가 많다.

④ 인두 결막염(pharyngoconjunctival fever) : 3형에 의하여 발생하며, 발열, 인두염, 결막염, 경부 림프절염 및 비염이 특징

2) 결막염 및 각막결막염(8, 19, 37형)

▶ 유행성 각결막염(Epidemic keratoconjunctivitis; EKC)

- 결막 충혈, 통증, 눈물 흘림, 이물감, 눈부심, 심한 눈곱, 이전 림프절 종창
- 전염성이 매우 강하여 세면도구를 같이 쓰는 사람이나 여름철 수영장이나 풀장에서 급격히 다른 사람에게 옮길 수 있다.
- 치료 ┬ 대개 1~3주 지나면 치유
  ├ 2차 감염 예방 위해 항생제 점안약으로 치료
  └ 주위에 전염되지 않도록 개인의 위생을 철저히

3) 심근염

4) 위장관 감염(40, 41형)

5) 출혈 방광염(11, 21형)

갑자기 나타나는 혈뇨, 배뇨곤란, 빈뇨 및 절박뇨가 특징

6) Reye 증후군 또는 유사 Reye 증후군

15. 리노바이러스 감염증(Rhinoviral Infection)

- 비염, 인두염 등의 상기도 감염증 소위 감기를 일으키는 m/c 바이러스
- 잠복기 2~4일을 거쳐 코막힘, 콧물 및 인후통 등이 나타나며, 30~40%에서 기침이 동반되고 목이 쉰다.

16. 로타바이러스 및 기타 위장관 감염을 일으키는 바이러스 감염증
(Rotavirus & other agents of viral gastroenteritis)

1) 원인 및 역학
  - 로타바이러스는 개발도상국에서 입원을 요하는 급성 위장관염의 60%까지 차지
  - 온대 지방에서는 주로 추운 계절, 특히 1~2개월에 가장 많다.
  - 생후 3개월~2세 이하의 소아에 빈발하며, 무증상 감염도 흔하다.
  - 분변–경구로 전파

2) 발병기전
  소장의 융모 끝(villous tip)의 세포를 감염시켜 파괴(exotoxin에 의한 것이 아니다). 이로 인하여 소장 내 수분의 흡수에 장애를 받으며, lactose같은 복합 탄수화물의 흡수에 장애를 받는다(glucose stimulated Na absorption의 장애).

3) 증상
  - ★ 48시간 이하의 잠복기를 거쳐 중등도의 발열과 구토로 증상이 시작되며 이어 수양성 설사가 시작
  - 구토와 발열은 2일째 호전되나 설사는 흔히 5~7일간 지속
  - 변에는 혈액이나 백혈구는 포함되어 있지 않다.

4) 진단
  - Immunoassay 검사 kit : A군 로타바이러스와 장 아데노바이러스를 검출하는데 예민도와 특이도가 각각 90%

5) 치료
  탈수의 교정과 영양상태를 유지

17. 일본 뇌염(Japanese Encephalitis)

1) 역학

- 뇌염 모기인 *Culex tritaeniorrhynchus*가 사람을 물어서 흡혈할 때 감염
- 바이러스는 가축(돼지, 닭 등)의 체내에서 잘 번식하며, 이들 가축이 중요한 숙주 역할
- 8~9월에 많이 발생, 5~8세의 어린이에게 잘 발생

2) 증상

- 대부분은 불현성 감염(subclinical infection)이며, 뇌염까지는 발전하지 않는 부전형 (abortive type)이 많은 것으로 생각됨(95%는 무증상으로 지남) : 뇌염 발생시 사망률, 후유증 발생이 높다.
- 잠복기(4~14일) → 전구기(2~3일) → 급성기(3~4일) → 이급성기(7~10일) → 회복 기(4~7주)의 4기에 걸쳐 진행
- 급성 발병 : 고열(39~40℃), 두통, 호흡기 증상, 식욕부전, 구역, 구토, 복통, 지각이 상
- 병이 진행되면서 : 의식 장애, 경련, 혼수, 사망
- 환아의 10~24%에서 대발작의 증상
- 대개 발병 10일 이내에 사망하게 되나 경과 좋으면 1주 전후하여 회복

3) 진단

　(1) CSF 소견

　　┌ color : 투명 혹은 약간 혼탁
　　├ 압력 : 정상 혹은 약간 상승
　　├ 세포 : 100~1,000/mm^3(대부분이 림프구)
　　├ 단백 : 정상 또는 약간 상승
　　├ 당 : 정상
　　└ 글로불린 반응 : 약양성

　(2) 확진

　　① 혈청학적 검사 : Virus-specific IgM 항체 검사, Hemagglutination inhibition test (HI), Complement fixation test (CF), Neutralization test, enzyme immunoassay등을 이용하여 급성기와 회복기의 항체가가 4배 이상 증가
　　② 뇌조직에서의 virus 추출 및 형광 항체 염색을 통한 항원 검출

4) 치료 : 적절한 대증요법

- 뇌부종 : 뇌압상승 시 hydrocortisone, mannitol, 저체온
- 경련 : phenobarbital, diazepam 투여
- 고열 : acetaminophen, 물수건, 얼음주머니
- 기도의 분비물을 자주 제거시켜 기도가 막히지 않도록 해야 한다.
- 항생제 : 2차 감염시에만 투여
- 부신피질호르몬 및 면역글로불린은 효과가 없음

5) 예후

- 사망률 : 24~42%(5~9세와 65세 이상에서 사망률 높다), 후유증 : 5~70%
- 예후가 나쁜 경우 : 뇌척수액 바이러스나 interferon이 존재 시, 혈청 및 뇌척수액의 IgM, IgG가 낮을 때, 10세 이하에서 발병시나 입원 당시 감각 이상이 있을 때

18. 신증후군 출혈열(Hemorrahgic fever with renal syndrome)

1) 원인 : Hantaan virus

들쥐의 배설물을 통해 호흡기 또는 상처를 통한 직접 접촉으로 감염

2) 증상

- 잠복기 : 1~3주
- 발열기(3~5일간) → 저혈압기(1~3일간) → 감뇨기(3~5일간) → 이뇨기(7~14일간) → 회복기(1~2일간)

3) 치료

대증요법, 최근 ribavirin 사용으로 사망률 저하

19. 공수병(Rabies)

1) 원인 : Rhabdovirus 군의 Rabies virus

2) 역학

- 공수병에 걸린 동물(주로 개, 그 밖에 고양이, 박쥐, 다람쥐, 여우, 스컹크)의 타액 속의 virus가 상처를 통해 감염(혈액이나 소변이 아님)
- 공수병에 걸린 개에 물리더라도 약 50% 정도만이 발생

3) 잠복기

- 대개 20~180일(30~60일이 m/c).
- 물린 장소로부터 머리까지의 거리, 상처의 정도, 바이러스의 양에 따라 다르다.
  (목이나 머리를 물린 경우, 백신을 준 후 발병한 경우 잠복기가 짧다).

4) 증상

(1) 전구기(2~10일)

- 침범 부위의 피부가 저리거나 쑤신다.
- 열, 두통, 구토 등을 동반
- 보채고, 흥분하거나 불안해하거나 우울

(2) 급성 신경기(2~21일)

- 공수(hydrophobia) : 수분을 삼킬때나 때로는 음식이나 물을 보기만 해도 근육 경련, 침을 흘림
- 공기(aerophobia) : 얼굴에 바람을 스치게 할 때 인두 및 경부 근육 경련이 시기에 심폐 정지로 사망하지 않으면 결국에는 경련, 마비, 혼수상태에 이르고 사망

5) 예방(치료 : 진정제)

- 물린 상처는 되도록 빨리 많은 양의 물로 철저히 씻은 다음(10분 이상) 비누나 세척제로 다시 씻고 소독약을 바른다(포비딘같은 항 바이러스제로 10분 세척한다).
- ☆ 사람을 문 개를 구금하여 10일 간 관찰
  - ① 건강하면 : 치료 필요 없음
  - ② 도망가거나 죽은 경우, 미친 증상이 있거나 의심되는 경우
    물린부위가 목이나 머리인 경우, 물린 상처가 심하거나 여러 곳일 때
    → HRIG(수동) + Vaccination(능동) (0, 3, 7, 14, 28일)
- 야생동물은 즉시 죽여서 형광항체 검사 실시하여 뇌조직에 바이러스 항원이 있는지 알아낸다.

20. 후천 면역 결핍증(Acquired immuno deficiency syndrome : AIDS)

1) 임상상 – 수직감염은 성인에 비해 빠르게 진행되어 2년 이내 사망

- 성인과 면역계 변화가 비슷하나 상대적으로 CD4+세포고갈이 덜하다.
- 성인보다 중추신경계 손상이 심하며, 가장 흔한 만성하기도 질환으로 림프구성 간질성 폐렴이 있다.

- 반복세균감염 : 주로 *S. pneumoniae* 또는 *Salmonella spp.*
- 기회감염 : 성인보다 더 심한 임상경과

2) 진단

- 18개월 이상 소아 : HIV IgG가 효소면역분석법상 두 번 이상 양성+ Western blot 확인 시 확진
- <u>HIV 감염 모체의 경우</u> : <u>18개월까지 반복 검사하여 음성이면 감염이 없다고 확진</u>

3) 치료 및 예방

- 항레트로바이러스제
- TMP−SMX : *P. jirovecii* 예방목적
- Clarithromycin : *M. avium* complex 예방목적, CD4+감소 시
- IVIG : 2회 이상의 심한 세균성 감염, 저감마 글로불린 혈증
- ZDV : HIV 양성 임산부(임신 14주부터 분만 전까지)
- 신생아(출생후 6주까지)
- HIV 감염아의 예방접종
  - BCG, 소아마비 생백신 금기
  - 2세 이전에는 7가 단백 결합 폐구균 백신, 2세 이상일 때는 23가 다당질 폐구균 백신
  - 6개월 이상에 인플루엔자 백신(매년)
  - Hib, A형 간염 백신(매년)

XII 예방소아과학

1. 예방접종개요

1) 개요

(1) 능동면역 : Vaccine이나 Toxoid 투여해 세포면역 반응이나 항체생성유도 "질병에 대한 방어력을 만들어 주는 것"

(2) 수동면역 : 이미 만들어진 Ab를 투여해 일시적 면역효과를 기대하는 것. (예 : IVIG)

- 백신의 종류

  ┌ 생백신 : 약독화시킨 생균 – BCG, MMR, smallpox, rabies, yellow fever
  └ 사백신 : 불활화시킨 것, 독성을 제거한 균의 외독소, 정제된 단백항원

- 2가지 백신(사백신과 사백신, 사백신과 생백신)을 동시에 접종해도 되며, 다른 주사기로 다른 부위에 주사

- 단, 2가지 생백신은 적어도 4주 이상의 시간간격을 두고 접종(예외 : OPV와 MMR, OPV와 경구용 장티푸스)

- Vaccine 주사부위 : 성인, 연장아 : 삼각근 / 영 · 유아 : 대퇴 근육(anterolateral aspect of thigh)

  ┌ 피내주사 : BCG
  ├ 피하주사 : MMR, 일본뇌염
  ├ 경구복용 : TOPV
  └ 근육주사 : 나머지

2. 기본 및 특수접종

〔대한소아과학회 추천 소아 및 청소년 정기 예방접종표, 2015〕

연령	종류	연령	종류
0~1주	B형 간염①	12~15개월	MMR⑥, 수두⑦, Hib, PCV
0~4주	BCG②	12~36개월	일본뇌염⑧, A형 간염③
1개월	B형 간염	15~18개월	DTaP
2개월	DTaP, 폴리오③, Hib④, PCV⑪ Rotavirus⑫	4~6세	DTaP, 폴리오, MMR
4개월	DTaP, 폴리오, Hib, PCV Rotavirus	6세	일본뇌염
6개월⑤	B형 간염, DTaP, 폴리오, 인플루엔자⑤ Hib, PCV, Rotavirus	11~12세	TdaP/Td⑨, HPV⑩
		12세	일본 뇌염

	2, 4, 6개월(3번)	12~15개월	18개월	4~6세
Hib, PCV	●	●		
폴리오	●			●
DTaP	●		●	●
수두(VZV)		●		
MMR		●		●

※ PCV (폐구균 단백 결합 백신), A형 간염백신, 로타바이러스 백신, HPV (인유두종 바이러스) 백신은 기본 접종에 포함되지 않는 선택접종 백신

★(1) B형 간염
- 모체가 HBsAg 양성 : 초회 접종으로부터 12시간 이내에 HBIG와 함께 부위를 달리하여 B형 간염 백신 을 투여하며, 반드시 0, 1, 6개월 방법으로 3회 접종
- 모체가 HBsAg 음성 : 백신을 신생아실에서 퇴원 전에 접종
- 모체의 HBsAg 여부를 모를 때 : B형 간염 백신을 출생 직후(12시간 이내)에 접종 후 모체의 HBsAg 검사하여 양성이면 HBIG을 빨리(늦어도 7일 이내) 근육주사

(2) 접종 후 2~3개월 내에 투베르쿨린 반응 검사하여 5 mm 이하(음성)이면 재접종

(3) 주사용 폴리오 백신으로 4회 접종

(4) Hib (b형 헤모필루스 인플루엔자) 백신은 2013년부터 국가필수예방 접종에는 포함되었으며, 2014년부터는 PCV도 국가필수예방에 포함되었다.

⑸ 인플루엔자 백신은 매년 6~59개월 되는 소아와 0~59개월 소아를 돌보는(동거중인 사람포함) 모든 사람, 인플루엔자 감염위험요인을 가진 2세 이상의 소아, 고위험군과 가까이 접촉하는 사람, 접종을 원하는 모든 사람에게 접종

⑹ 홍역, 볼거리, 풍진혼합백신(MMR)은 4~6세에 2차 접종, 홍역 유행 시 6개월부터 홍역 단독 백신(없으면 MMR)을 접종

⑺ 수두를 앓은 적이 없거나 백신을 접종하지 않은 12세 미만에는 1회만 접종하고, 13세 이상에서는 4~8주 간격으로 2회 접종

⑻ 불활성화 백신의 경우 기초 접종은 7~10일 간격으로 2회 접종하고, 다음 해에 1회 접종하며 추가 접종은 6세, 12세에 한다. 생백신의 경우 기초접종은 처음 방문하여 1회만 접종, 추가접종은 12개월후 1회 접종

⑼ Tdap/Td 백신은 11~12세에 TdaP 접종 후 10년 마다 Td 접종, 11~18세에 Td만 접종 시 Tdap을 1회 접종 후 10년 마다 Td접종

⑽ 인유두종 바이러스 백신(HPV)은 11~12세의 여성을 대상으로 1차 접종, 1차 접종 후 1개월(서바릭스, GSK) 또는 2개월(가다실, MSD)에 2차 접종, 1차 후 6개월에 3차 접종

⑾ 폐구균 단백 결합 백신(PCV)은 2, 4, 6개월에 3회 기초 접종, 12~15개월에 추가접종

⑿ 로타바이러스 백신은 생후 6주부터 접종 가능, 제품에 따라 2회(로타릭스, GSK) 또는 3회(로타텍, MSD) 접종, 최소접종 간격은 4주, 마지막 접종은 생후 8개월 0일까지 완료, 생후 15주 이후에는 접종시작하지 않음

⒀ A형 간염 백신은 2015년부터 국가필수예방 접종에 포함되었으며 12개월 이상부터 6-18개월의 간격을 두고 2회 접종한다.

1) B형 간염

⑴ 모든 임산부에서 반드시 출산 전 HBsAg 검사 실시

★① HBsAg 양성 : 출생 12시간 이내에 HBIG 0.5 mL와 간염 백신을 동시에 부위를 달리하여 투여하며, 반드시 0, 1, 6개월 방법으로 접종

② HBsAg 양성 여부를 모를 때 : 출생 시 B형 간염 백신을 접종하고 모체의 결과가양성이면 HBIG를 가능한 빨리(늦어도 7일 이내) 근육 주사하고 백신 은 반드시 0, 1, 6개월 방법으로 3회 접종

③ HBsAg 음성 : 첫 접종을 출생 시 하거나 편의상 타 예방접종 시기와 맞추어 생후 2개월에 시작해도 무방

⑵ 근육주사가 원칙. 출혈 성향이 있는 환자는 피하 접종

　① 성인이나 연장아 : 삼각근

　② 영 · 유아 : 대퇴 근육(엉덩이는 면역효과가 떨어지므로 피함)

2) DTP

⑴ Diphtheria, Tetanus, Pertussis 혼합 백신

⑵ 기본 접종 3회는 생후 2개월에 시작하여 4~8주 간격(생후 2/4/6 개월), 추가접종은 15~18개월과 4~6세에 접종, 총 5회 접종

☆⑶ 기본접종 5회가 끝나고 11~12세부터 10년 마다 Td 또는 Tdap를 추가 접종

⑷ 7세 이전에 백일해 접종이 금기된 경우에는 DT를 사용

⑸ 디프테리아와 파상풍은 외독소에 의한 질환으로 자연감염에서 회복되어도 면역획득이 이루어지지 않아 예방접종을 해야 함

⑹ 백일해 백신의 부작용

　① 절대적 금기

　　• 접종 후 7일 이내에 뇌증(다른 이유로 설명되지 않는)

　　• 즉각적 아나필락시스 반응

　② 조심해서 투여

　　• 접종 후 3일 이내에 발열을 동반하거나 동반하지 않는 경련 발생

　　• 접종 후 48시간 이내에 3시간 이상 달랠 수 없을 정도로 고성으로 몹시 우는 경우

　　• 접종 후 48시간 이내에 허탈 또는 쇼크 양 반응(저긴장성 저반응상태)

　　• 접종 후 48시간 이내에 다른 이유로 설명되지 않는 40.5℃ 이상의 고열발생

3) 소아마비(polio), 회색질 척수염

부작용으로 드물게 마비증상이 나타날 수 있는데, 이러한 이유로 불활화 소아마비 사백신(eIPV)으로 접종을 대체하는 경향이 있음

경구용 소아마비 혼합 약독화 생백신	불활화 소아마비 사백신(eIPV)
투여 방법이 쉬움(수유중단 불필요) 장관 면역 유도 가능 접촉자도 면역 획득	면역력 획득에 손색없음 상온에서도 안정되어 냉장 필요 없음 마비 부작용이 없어 면역저하시도 가능

4) MMR(생백신)

(1) 홍역, 볼거리, 풍진 혼합 백신으로 12개월 이후에 2회 접종(12~15개월, 4~6세)을 원칙으로 하며, 6세 이후의 소아 중 2차 접종을 받지 못한 경우에도 접종

(2) 홍역 유행 시 : 6개월 이후~12개월 미만 소아에게 홍역 백신 단독 투여(단독 백신이 없으면 MMR로 접종)

☆(3) 홍역 백신 접종 금기

① 임신 중

② 백혈병 또는 임파성, 기타 악성 종양 : 불활성화 백신 사용

③ HIV 감염을 제외한 면역결핍질환, 백혈병, 림프종 및 기타 악성질환, 면역억제요법을 받고 있을 때, 면역억제치료 중지 후 3개월 후에 접종

④ 면역글로불린, 혈액, 혈청 등을 사용했을 때 : 투여량에 따라 접종 시기를 잡음

⑤ 지연성 과민반응 기전이 결여되어 있을 때

⑥ gelatin, neomycin에 알레르기가 있을 때(달걀 알레르기는 더 이상 금기가 아님!!!)

- 급성 열성 질환은 일반적 예방접종의 금기
- 홍역백신이 결핵을 악화시킨다는 증거는 없음

(4) 풍진 백신의 부작용

① 미열, 발진, 림프절 종창, 상기도 감염, 관절통, 관절염

② 접종 3개월 전후에는 임신을 피해야 함

(5) 멈프스 : 부작용은 매우 드물며 이하선염, 미열, 발진, 가려움증, 두드러기 등이 있음

면역글로불린, 수혈	용량(투여 방법)	접종 간격
면역글로불린		
A형 간염		
접촉 후 예방	0.02 mL/kg(IM)	3개월
국제 여행	0.06 mL/kg(IM)	3개월
홍역		
면역 정상	0.25 mL/kg(IM)	5개월
면역결핍	0.50 mL/kg(IM)	6개월
특수 면역글로불린		
파상풍(TIG)	250 U(IM)	3개월
B형 간염(HBIG)	0.06 mL/kg(IM)	3개월
수두(VZIG)	125 U/kg(IM)	5개월
공수병(RIG)	20 IU/kg(IM)	4개월
정맥용 면역글로불린		
특발 혈소판 감소 자반증	400 mg/kg(IV)	8개월
	1,000 mg/kg(IV)	10개월
	1,600~2,000 mg/kg(IV)	11개월
가와사키병	1,600~2,000 mg/kg(IV)	11개월
면역결핍 치료	300~400 mg/kg(IV)	8개월
RSV-IVIG	750 mg/kg(IV)	9개월
수혈		
RBCs, washed	10 mL/kg(IV)	0개월
RBCs, adenine-saline 첨가	10 mL/kg(IV)	3개월
packed RBCs	10 mL/kg(IV)	5개월
전혈	10 mL/kg(IV)	6개월
혈장/혈소판 제품	10 mL/kg(IV)	7개월

5) 결핵

(1) 시기 : 되도록 빨리(생후 1개월 이내) 접종하는 것을 원칙으로 하며, 접종 후 2~3개월 내에 투베르쿨린(PPD 2TU) 반응 검사를 실시하여 5mm 이하(음성)로 반응을 보인 어린이에는 재접종 한다.

(2) 접종 방법 : 0.1mL를 삼각근에 피내주사

(3) 심한 피부질환, 영양장애, 발육지연 및 면역기능저하 등이 동반될 때는 BCG접종을 피하는 것이 좋음

(4) 결핵 환자를 포함하여 투베르쿨린 반응 양성자는 접종해도 해롭지는 않으나 강한 국소 반응을 일으키게 되며 BCG에 의한 예방효과는 없음

6) 일본 뇌염

(1) 백신 접종은 환자 발생하기 1개월 전(6월 말)까지 적어도 첫 회 접종하는 것을 원칙으로 함

(2) 초기 면역은 모두 3회 기초접종으로 실시, 피하주사

① 첫 해에 1~2주 간격으로 2회 접종하고 12개월 후 1회 접종

② 기초 면역 후에는 6세와 12세에 1회씩 추가 접종 시행

(3) 백신 접종 대상자 : 12개월에서 24개월 사이의 연령층(유행 시에는 6개월 이상의 소아에까지 확대 시키는 것이 바람직)

7) 수두

(1) 12~15개월에 1회 접종하고, 수두를 앓은 적이 없는 12세 이하의 소아에 1회 접종하며, 12세 이후에는 4주 간격으로 2회 접종하도록 함

(2) 접종 금기 사항

: 중증 면역저하, 감마글로불린제제 투여자, 임신 중, 급성발열성 질환, 항생제에 과민반응, 심혈관질환, 신질환, 간질환으로 전신상태 나쁠 경우

(3) 노출 후 3~5일 이내에 백신 접종은 감염을 예방하거나 증상을 경미하게 하는데 효과

8) 인플루인자 바이러스

(1) 적응증

① 6개월 이상의 만성 질환자(폐기종, COPD, 천식, 울혈성 심부전, 당뇨병, 신부전, 혈색소병증 및 면역 기능저하)

② 요양원이나 치료소에 장기 거주 의료인 및 고용인

③ 6개월에서 18세 사이의 아스피린 장기 복용자

④ 고위험자의 가족

⑤ 50세 이상의 노인(2003년도에 65세에서 50세로 바뀌었음)

⑥ 임신 14주 이상이면서 인플루엔자 유행 시

∵ 6개월 미만에서는 부작용 발생이 높아 금기

(2) 불활성화 인플루엔자 백신의 금기사항

① 6개월 미만에서는 부작용 발생이 높아 금기

② 계란이나 다른 백신 성분에 아나필락시스성 과민 반응이 있는 사람

③ Guillain-Barre 증후군을 앓은 적이 있는 경우

④ 중증도 이상의 급성 열성 질환

9) 폐렴사슬알균

(1) 24개월 미만의 영·유아에게도 접종 가능(10가, 13가 단백결합 백신, 최근 개발)

(2) 기존의 23가 다당질 백신은 2세 이상에서 사용 가능

(3) 접종 대상

① 23개월까지의 모든 소아

② 24~59개월 연령의 소아 중 미국 흑인, 북미 원주민, 알래스카 원주민, 겸상구 빈혈 환아, HIV 감염, 만성질환 환아 및 다른 면역기능저하 환아

③ 사회경제적으로 빈곤한 계층의 소아, 중이염을 자주, 반복적으로 않는 소아

(4) 접종방법

① 2, 4, 6개월에 접종, 12~15개월에 추가 접종

② 고위험군 영아에서는 24개월 이전에 10가 또는 13가 백신 접종, 24개월과 5~7세에 23가 다당질 백신을 다시 접종

10) 공수병

(1) 이전의 접종력 없을 경우

① 공수병 면역글로불린 + 인간 이배체 세포 백신(HDCV) 1mL 근주

② 이후 2, 6, 14, 28일에 걸쳐서 5회 반복접종

(2) 이전에 접종이 완료된 경우 : 노출 후 3일 간격으로 2회 백신 접종만하고, 면역글로불린은 접종하지 않는다.

→ 정맥주사용 면역글로불린(IVIG) : 경구용에 비해 다량을 쉽게 투여할 수 있고 효과가 빠름

① 항체결핍질환 : 선택적 IgA 결핍증에서는 금기

② AIDS : 증상 있는 HIV 감염아에서 매달 400mg/kg

③ 미숙아 : 미숙아 감염증 예방 및 치료에 대한 효과는 차이가 있음

④ ITP : 13세 이하, 발병 6개월 이내인 경우 효과 있음

⑤ 가와사키 병 : 발병 10일 내에 투여함으로써 관상 동맥 합병증 빈도 및 발열 기간을 줄일 수 있음(2g/kg/1회)

※ 접종 방법

① 피내주사 : BCG

② 피하주사 : MMR, 일본뇌염, 수두

③ 근육주사 : DTP, Td, B형 간염, 인플루엔자 바이러스

④ 경구복용 : TOPV

3. 대상별로 본 특수 상황

1) 미숙아

(1) 출생 후 연령에 따라 접종(재태 연령이 아님)하며 접종량을 줄이지 않음

(2) 미숙아가 생후 2개월째에도 입원해 있는 경우에는 혼합 DTP백신만 접종하고 경구용 소아마비 생백신 접종은 백신 바이러스가 병원 내에 전파될 우려가 있으므로 퇴원 시까지 연기

(3) 2kg 미만의 미숙아에서 B형 간염의 예방

① 모체 B형 간염 항원 양성

- 출생 12시간 내에 HBIG 주사 + 동시에 다른 부위에 B형 간염 백신 접종
- 생후 12시간 이내에 접종한 것은 B형 간염 예방을 위해 필요한 접종 횟수 3회에 포함하지 않으며, 생후 1개월 때의 접종을 초회로 하여 총 3회를 더 접종

② 모체 B형 간염 항원 음성 : 체중이 2kg 이상 또는 1개월까지 기다렸다가 접종

(4) 만성 호흡기 질환이 발생된 미숙아에서는 생후 6개월에 인플루엔자 백신을 접종하는 것이 좋으며 미숙아와 접촉할 사람에게도 접종하는 것이 좋음

2) 면역결핍성 질환 또는 면역 억제 치료를 받고 있는 소아

(1) 모든 종류의 생백신은 접종금기(단, HIV 환아는 MMR과 수두 백신을 접종해야 함)

- 안전성이 확보된 경우 불활성화 백신은 접종할 수도 있으나 예방 효과는 감소한다.

(2) 치료가 끝난 후 불활성화 백신의 추가 접종을 할 수 있으며, 생백신도 이때부터 고려할 수 있음

(3) 면역학적으로 정상인 형제나 다른 가족들도 경구용 소아마비 백신은 접종 금기

(∵ 백신 바이러스가 면역결핍환자에게 전파될 수 있기 때문)

3) 무비증

(1) 무비증 환아에서 생백신은 접종 금기

(2) 불활성화 백신, 다당질 백신, 또는 톡소이드 백신은 접종 가능

(3) *S. pneumoniae*, *H. influenzae* type b, *N. meningitidis* 백신 접종

4) 신경계 질환

(1) 진행 중인 신경계 질환이 있는 경우 모든 백신 접종은 금기

(2) 경련의 과거력이나 가족력이 있는 소아에서는 백일해 또는 홍역 접종 후 경련의 위험 증가

(3) 최근에 경련을 경험한 영·유아에서는 백일해 접종은 지연해야 함

(4) 경련의 가족력이 백일해나 홍역의 예방접종의 금기사항이거나 접종 시기를 지연시킬 수 있는 조건은 아님

5) 만성 질환 소아

(1) 감염성 질환에 걸리기 쉽기 때문에 적극적 예방접종이 필요

(2) 심장, 호흡기 등의 만성 질환 소아에게는 폐렴사슬알균이나 인플루엔자 백신 권장

(3) 면역 기능이 저하된 환자에서는 생백신의 접종은 금기

XIII 바이러스 감염(Viral Infection)

질환	전염기간
AIDS	성적접촉과 혈액접촉
Chickenpox	모든 병소의 가피가 가라 앉을때까지
Rubella	발진 전 7일전부터 발진 후 5일까지
HAV	황달 발생 전 3주전부터 발생후 3주까지
HBV	HBsAg 양성 기간동안
Measles	잠복 5일 때부터 발진 4일째까지(호흡격리)
Mumps	이하선염이나 다른 증상 발현 전 7일부터 발현 후 9일까지
Pertussis	4주 또는 기침이 멈출 때까지(호흡격리)
Polio	발생 시작 직전부터 직후까지
RSV	질병기간, 특히 첫째주
Scarlet fever	치료하지 않는 경우 다양, 치료 후 1주일까지
Salmonella	질병기간 및 그 후에도 다양

XIV 기생충 감염(Parasitic Infection)

1. 요충증(Enterobiasis)

1) 원인 : 요충(Enterobius vermicularis)

2) 감염 경로

- 항문 주위에 산란된 충란이 주위 환경을 오염시키며 항문을 긁거나 오염된 침구, 잠옷, 가구 등을 만질 때 또는 충란이 섞인 먼지를 통하여 입으로 감염
- 폐이행은 하지 않으며, 대장, 특히 맹장이나 상행결장 등에 내려와 성충으로 자란다.
- 수명이 다하면 항문 주위로 기어나와 산란한다.

3) 증상

- 소아 연령에 감염이 흔하다(현재 한국의 연충감염 중 가장 유행도가 높다).
- 항문가려움증, 불면증, 소화기 장애, 신경증상, 정서적 불안, 수음, 빈뇨, 야뇨증

4) 진단

scotch tape 항문 주위 도말법으로 충란 검출

5) 치료

- 환자와 가족을 동시치료 해야 함
- Pyrantel pamoate, Mebendazole, Albendazole, Pyridium pamoate

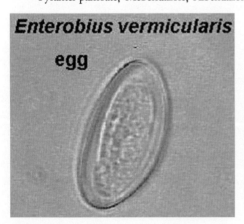
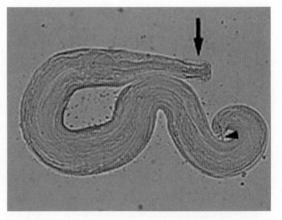

2. 람블편모충증(Giardiasis)

1) 원인

람블리아 편모충(*Giardia lamblia*)의 포낭이 경구 감염된 후 탈낭하고 영양형이 되어 십이
지장의 점막에 기생

2) 증상

- 가벼운 감염이 있을 때에는 가끔 물설사(젖은 모래 모양)를 하며, 기운이 없어 보인다.
- 심한 감염이 있을 때에는 celiac 증후군, 복통, 복부 팽만, 식욕 부진, 신경질, 체중감
  소, 구토 등이 나타날 수 있다.
- 면역결핍증이 있는 소아의 만성 설사의 중요한 원인

3) 진단

정상 분변에서 포낭을 발견하거나 설사변에서 영양형을 발견

4) 치료

Metronidazole : 250mg 1일 3회, 5~10일 간 복용

13 소화기 질환

Power Pediatrics

Ⅰ 소화기의 주요증상

1. 설사

- 전 세계 소아 사망의 9%가 설사 질환
- 사회·경제적 발전, 환경 위생 및 영양 상태 호전 : 탈수로 인한 사망률 급격히 감소
- 호흡기 감염 다음으로 흔함.
- 영·유아 : 수분 필요량이 성인에 비해 많다.
  - → 설사로 인한 탈수의 예방과 치료가 중요

1) 정의

① 영아 : 하루 10g/kg 이상

② 정상 성인치(하루 200g)이상 : 소아와 성인 모두 설사로 정의됨.

③ 14일 이내에 호전되면 급성 설사, 14일 이상 지속되면 만성 설사

2) 기전

- 의미 : 대변으로 다량의 수분과 전해질이 소실되는 것, 임상적으로 변의 양과 횟수가 많아지는 경우
- 소아의 대변량 : 하루 5~10g/kg(성인 : 100g/day)

	삼투성 설사	분비성 설사
대변량	• 하루 200mg 이하 • 양이 적다	• 하루 200mg 이상 • 양이 많다
금식시 반응	• 설사가 멈춤	• 설사가 지속
대변 Na	• 70mEq/L 미만 • 낮다	• 70mEq/L 초과 • 높다
대변 환원당	• 양성	• 음성
대변 pH	• 5 미만 • 산성 대변	• 6 초과 • 약 산성 대변
대변 삼투압	• 100~160mOsm 이상	• < 100mOsm/kg
대변 삼투질 농도	• 증가	• 정상
예	• Mg, P과 같은 비흡수성 용질 • 당류, 알코올, sorbitol • 소장질병에 의한 젖당 불내성	• 콜레라 독소 • 장내 지방산, 담즙염의 일부도 분비설사 유발

*** osmotic gap = measured osm − 2 (Na + K)

3) 원인

　(1) 감염성 급성 설사

　　• 소아의 급성 설사(2주 이내)는 감염성인 경우가 많으며, 특히 viral origin

　　① 바이러스성 장 병원체(Viral enteropathogens)

　　　Ⓐ rotavirus, enteric adenovirus, astrovirus, norovirus, sapovirus

　　　Ⓑ 면역저하자의 경우 CMV, HSV도 다른 증상과 함께 설사 유발

　　　* Rotavirus

　　☆ • 영아기 설사의 m/i 원인

　　　• 추운 계절에 전국적으로 유행(늦겨울~초봄)

　　☆ • 임상 증상 : 48시간 이하의 잠복기를 거쳐 중등도의 발열과 구토와 함께
　　　　수양성 설사가 시작, 구토와 발열이 먼저(2일째) 호전되고 설사는 5~7일
　　　　간 지속, 유당 흡수장애가 생길 수 있고 대변에 혈액이나 백혈구가 없음.

　　　• 진단 : Stool에서 ELISA법으로 viral Ag 검출(immunoassay검사)

　　　• 치료 : 대증치료, 수액 및 전해질 보충(탈수를 치료하는 것이 주목적)

　　　• 경구 수액요법 + 탈수 교정 후 모유 + 설사 시작 후 24시간 내 정상식이
　　　　시작

* Adenovirus

- type 40, 41
- 국내 설사 환아의 약 10%에서 발견

② 세균성 장 병원체(Bacterial enteropathogens)

Ⓐ 염증성 설사 : *Shigella, Salmonella*, 대장균(enteroinvasive, <u>enterohemorrhagic *E. coli*</u> <u>(O157)</u>), *Campylobacter jejuni, Clostridium difficile, Vibrio parahaemolyticus, Yersinia enterocolitica*

Ⓑ 비염증성 설사 : <u>대장균</u>(enteropathogenic, enterotoxigenic *E. coil), Vibrio cholerae, Clostridium perfringens, Bacillus cereus, S. aureus*

* 세균성 이질(shigellosis)

1) 원인 : 한국포함 선진국에서는 group D-*S. sonnei*가 多

2) 역학 : ⑴ 생후 6개월 이전에는 드물며 2~3세에 호발

⑵ 더운 계절, 주로 fecal to oral

⑶ 식품매개, 수용소, 탁아소

⑷ 집단급식에 의해서 발생가능

3) 병인 : 하부 대장 상피에 shiga toxin이 침투

4) 임상증상 : 뒤무직(tenesmus), 잠복기 후 복통, 고열, 구토, 다량의 수양 성 설사를 비롯한 점액 및 혈액성 대변

* 장외 소견으로는 신경계 증상(경련, 기면, 환각등)

5) 진단 : 대변 내 RBC, WBC, 말초혈액의 leukocytosis 확진은 대변배양검사

6) 치료 : 수분, 전해질교정, 항생제(cefixime, ceftriaxone)

* 콜레라(cholera)

1) 원인 : cholera에서 분비되는 장독소

2) 역학 : 오염된 물과 음식, 어패류

3) 병인 : 장의 세포 표면에 있는 receptor에 부착하여 세포내의 cAMP의 축적 을 일으킴

4) 임상증상 : 무통성의 대량의 물설사

5) 진단 : *V. cholerae*를 대변에서 분리배양(대변내 백혈구증가 없음)

6) 치료 : 수분 및 전해질 보충

9세 미만 : TMP-SMX, erythromycin, chloramphenicol / 9세 이상 : tetracyclime

* 대장균(*E. coil*)

장병원성 대장균의 분류			
균주	기전	환자군	임상양상
Enteropathogenic (EPEC)	Shiga–like toxin Adherence O serogroups	소아 신생아실 유행	물설사
Enterotoxigenic (ETEC)	Heat–labile toxin (LT) 및 Heat–stable toxin (ST) Adherence (fimbriae) O serogroups	소아(개발 도상국) 여행자 음식물로 다발생	물설사
Enteroinvasive (EIEC)	Shiga–like toxin Epithelial cell invasion O serogroups (9가지 형, 많은 것이 Shigella LPS와 관련)	소아 및 성인 음식물로 다발생	이질 (대변에 백혈구 및 적혈구)
Enterohemorrhagic (EHEC)	Shiga–like toxin(다량) O serogroups(대개 O157:H7)	소아 및 성인 음식물로 다발생 (햄버거 등)	혈성 설사 Hemolytic– uremic syndrome
Enteroaggregative (EAEC)	Adherence to HEp–2 cells O serogroups (O119, O125) : 만성 설사를 하는 소아에서	소아(오래 지속) 여행자	만성 설사 또는 물설사(급성)

③ 기생충성 장 병원체(Parasitic enteropathogens)

(2) 비감염성 급성설사

감염 외 설사의 원인	
항생제 사용	장관 내 glucose 흡수 억제, disaccharidase 억제로 설사하거나 위막성 대장염(pseudomembranous colitis)으로 온다.
장 외 감염증	요로 감염이나 상기도 감염, 중이염이 있을 때 생기는 설사를 parenteral diarrhea라 한다.
식이성 설사	과식, 과농도 우유, 부적절한 이유식 등이 설사를 일으킬 수 있다.
영양 불량	단백질 영양 불량(Kwashiorkor), Marasmus때 설사를 일으킬 수 있다.
알레르기성 설사	우유 알레르기, 알레르기성 위장염 때 설사를 일으킨다.
면역결핍성 설사	선택적 IgA 결핍증, 복합 면역결핍 질환이 있을 때 만성 설사를 일으킨다.
독성 설사	중금속(lead, arsenic), 유기인(organic phosphate)섭취 때 설사를 일으킨다.

(3) 만성 설사(기본항목)

정의 : 영아와 소아에서 설사변이 10g/1kg/1일 이상, 또는 성인 정상치인 200g/1일 이상, 14일 이상 지속될 때

① 만성 설사의 원인 : 95%

    Ⓐ 만성 비특이적 설사

    Ⓑ 감염

    Ⓒ 염증성 장질환

    Ⓓ 낭성 섬유증

    Ⓔ 이당류 결핍증

② 연령별 원인

영아 초기	영 유아기	학동기
1. 우유/대두단백 알레르기	1. 만성 비특이 설사	1. 염증성 장질환
2. 지연 감염 설사	2. 지연 감염 설사	2. 충수 농양
3. 유전 장질환	3. 설탕 분해 효소-이소말테이스 결핍증	3. 원발 후천 젖당 불내증
4. 인위적 설사	4. 분비 종양	4. 변비와 연관된 유분증
5. 수송 단백의 이상	5. celiac 질환	
6. 거대 결장증		

(4) 음식 알레르기

① 확진법 : 유발 음식을 먹지 않은 뒤

   → 이중맹검으로 실시하는 음식유발시험(double−blind, placebo−controlled food challenge, DBPCFC)

② 피부반응검사 & RAST : IgE allergic reaction이 이상, 음식알레르기의 원인인자를 알아내는데 매우 효과적이다. 단, IgE검사에서 양성결과의 유효성은 병력청취와 환자의 나이에 따라 결론 지어야 한다.

③ 음식 알레르기가 있는 영아와 소아에서 90%는 달걀/우유/땅콩/대두/밀에 반응

④ 치료

   • 알레르기 유발 음식 안 먹음.

   • 3일내 위장 증상이 좋아짐.

(5) 만성 비특이 설사(Toddler's diarrhea)

① 4세 미만에서 발생하는 기능성 설사와 5세 이상에 발생하는 과민 대장 증후군을 포함.

② 수양성 대변 + 정상 변 : 주기적 번갈아가며 발생

③ 선진국 만성 설사 : m/c 원인

④ 원인

- 과다한 수분 섭취(150 mL/kg/일 이상)

- 과식 → 4F (fiber, fluid, fruit juice, fat)

- 저지방 & 고탄수화물 식이

⑤ 대변 : 소화되지 않는 섬유질 & 점액 & 전분 입자로 구성

⑥ 장 통과 시간 빠르지만 흡수 능력은 정상

⑦ 성장 발육 : 정상

⑧ 치료

- 보호자 안심

- 야채 + 과일 → 식이 섬유의 섭취 시도

- 고지방식(총 열량의 40%를 지방)

- 단 수분 섭취량이 많은 환아는 고지방식과 수분 섭취를 제한

(6) 흡수장애 증후군

복부 팽만 + 창백함 + 고약한 냄새 + 양이 많은 대변 + 근육질 저하 + 성장 부진 + 체중감소

① 탄수화물 흡수장애

선별 검사	확진 검사
1. 대변 pH : 5 이하 　① 탄수화물 흡수장애 　② 당분 과다 섭취	1. 호기 수소 검사 : 　① 유당 불내성 검사에 가장 좋음 　② 흡수되지 않은 유당 　　→ 대장내 세균이 수소로 분해 　　→ 15~20% 점막을 통과해 폐로 배출 　③ 이것을 측정
2. 환원당 : 2+ 이상 　→ 흡수장애 의심	2. 유당 내성 검사
3. 대변 삼투압	3. 생검 조직의 유당 분해효소 검사

Ⓐ 유당 불내성 : 소아 만성 설사의 m/c 원인이며 장염 후 일시적 lactase 결핍증은 당흡수장애의 m/c 원인이다.

ⓑ 기전

ⓐ lactase(lactose 분해 효소) : 장점막 효소에 비해 양 적음 + 가장 표면에 존재

┌ 가장 먼저 감소

└ 가장 늦게 회복

ⓛ 장내 유당 증가 ┌ 삼투압 증가 → 장관 내 수액 + 전해질 유입

└ 삼투성 설사 + 장운동 증가

ⓒ 장내 비흡수 탄수화물 ┌ 대장내 세균이 분해

├ short chain 지방산 + 수소 + 이산화탄소 + 메탄

└ 삼투압 증가로 삼투성 설사 악화

ⓔ 대장 pH 감소(산성) → 장 운동 증가 + 설사 악화

② 지방 흡수장애

Ⓐ 음식을 잘 먹어도 성장 부진이 있는 소아가 대변량이 많고, 기름기가 있고 악취가 날 경우

Ⓑ 췌장기능이상, 담즙이상, 세균의 과증식, 소장점막 질환을 의심

ⓒ 검사 : 72시간 수집 변 지방 검사, 땀 검사(sweat test), D-xylose흡수 검사

③ 단백 흡수장애

Ⓐ 췌장 부족 증후군(syndromes of pancreatic insuffciency)에서 가장 흔히 보이며 지방변 동반

Ⓑ 선천 장림프관 확장증(congenital intestinal lymphangiectasia)은 단백 소실 장증을 일으키는 질환의 하나임(저단백혈증, 저감마글로불린혈증, 지방변과 림프구 감소 소견)

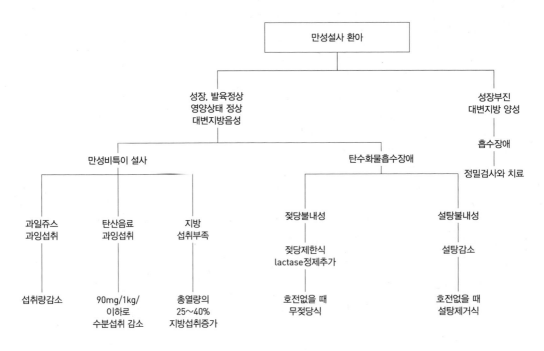

만성 설사 환아의 접근법

4) 진단

- viral : 구토를 동반하는 수양성 설사(소장 근위부 침범)
- bacterial : 혈변, 점액변, 복통 동반
- 일반적인 경우일 뿐, 임상 증상만으로 원인균을 짐작하기는 어려움

[1] 급성 감염성 위장관염의 감별진단

급성 감염성 위장관염의 감별진단								
임상증상	Rotavirus	Salmonella	Campylobacter	Yersinia	Shigella	EPEC	ETEC	EIEC
연령	(대개 2세 이하)	전연령	대개 1~5세	전연령	전연령	1세 이하	전연령	전연령
설사 기간(일)	2~4	2~5	3~5	2~4	2~4	2~5	1~3	2~4
발열(>38℃)	드물다	드물다	드물다	약 50%	빈번하다	드물다	일정치 않다	
상기도 감염	흔하다	일정치 않다	–	–	흔하다	–	–	–
경련	–	–	–	–	흔하다	–	–	–
구토	흔하다	보통 있다	약 30%	약 40%	없다	흔하다	–	드물다
복통	경하다	중등도	심하다	경련성이다	심하다	–	–	빈번하다
후증기(뒤무직)	–	드물다	빈번하다	–	빈번하다	–	–	–
설사	수양성	묽은 변	점액, 수양성	녹색변	점액, 수양성	수양성		점액, 수양성
대변 내 혈액	–	보통 있다	보통 있다	25%	>50%	–	–	흔하다
대변 내 백혈구	없는 수가 많다	꼭 있다	꼭 있다	보통 있다	꼭 있다	–	–	보통 있다

⑵ 대변 검사(육안검사, 화학검사, 현미경 검사, 배양검사)

① 육안검사 : 양, 수분함유 정도 등을 살펴 병적인 설사 변인지 약간 묽은 정도의 정상 변인지 구분한다.

② 다량의 점액이 섞인 경우 대장의 염증병변을 의미한다.

③ 대변의 전해질과 삼투압을 측정하면 설사의 기전이 분비성인지 삼투압성인지 구분할 수 있다.

④ 대변도말 검사를 통해 백혈구나 기생충 여부를 검사한다.

대변에서 많은 수의 백혈구가 보일 경우 대장점막에 광범위한 균의 침범에 의한 염증 대장염이 있음을 의미

⑤ 대변 내 지방은 sudan 염색을 하여 관찰할 수 있으며, 흡수장애 감별진단에 이용된다.

5) 치료

★⑴ 경구 수액요법(ORT, oral rehydration therapy)

- 소아 설사는 대부분 자연히 좋아지므로 탈수 방지와 수분 보충이 가장 중요
- 대개 경구 수액요법으로 가능
- 분비성 설사와 삼투성 설사 모두 유용
- rehydration + maintenance

* 초기 4시간 내에 탈수를 빨리 교정하고 정상적인 수유나 정상식이를 조기에 하도록 하는 것이 최근의 표준적 지침이다.

* ORS (oral rehydration solution)

- 영·유아 급성 설사의 가장 심각한 합병증인 탈수를 안전하고 매우 효과적으로 치료하는 방법으로 입증됨.
- WHO ORS : 탈수 치료의 초기 교정 용액으로 적합(Na^+가 높다)

* ORS의 sodium과 포도당이 Na-glucose cotransport를 통해 수분의 흡수를 용이하게 한다(glucose는 당분의 공급이 아닌 Na-glucose cotransport를 통해 Na 흡수를 돕는다).

경구용 수액과 음료수의 성분						
용액	Na⁺ (mEq/L)	K⁺ (mEq/L)	Cl⁻ (mEq/L)	Base (mEq/L)	Carbohydrate (g/L)	mOsm/kg H₂O
WHO(1975)	90	20	80	30	20	310
WHO(2005)	75	20	65	10	13.5	245
Pedira	45	20	35	30	25	250
스포츠 음료수*	21	2.5	1.7		59	377

* 탈수 교정에 사용하지 않는다.

- 시판 음료(콜라, 주스) 등은 ORS로 적합지 않음(전해질 농도에 비해 당질의 농도가 너무 높기 때문)

(2) ORS 투여 원칙

① 최소의 탈수(탈수가 없거나 3% 미만 체중 손실) : 초기 수액요법은 하지 않고 설사나 구토로 인한 소실량을 ORS로 보충하고, 모유 수유나 연령에 맞는 정상 식이를 유지한다. 보충하는 ORS양은 몸무게가 10kg 미만인 경우 구토나 설사마다 60-120mL, 10kg 이상인 경우 120-240mL를 먹인다.

② 경도에서 중등도의 탈수(3~9% 체중 소실) : 몸무게 kg 당 50-100mL를 3-4시간 이상에 걸쳐서 투여하고, 설사나 구토에 의한 지속적인 소실량을 추가로 투여한다.

③ 심한 탈수(≥9% 체중 소실) : 정맥주사로 초기 수액요법을 시행한다.

(3) Rehydration 후 조기 영양

- 탈수 상태가 교정되면 가급적 빨리 전에 먹이던 영양 공급(모유 or 조제 분유)
- 복합 탄수화물, 육고기, 요구르트, 과일과 채소는 먹을 수 있고, 지방이 많은 음식이나 단순 당이 많은 음식은 피함.
- 조기 영양의 근거 : 이전의 영양 공급을 조기에 시작하는 것이 설사의 증상이나 경과를 악화시키는 것이 아니라 오히려 설사의 기간을 단축시킴.

✚ 성공적인 급성 장염 치료를 위한 8가지 권고사항

I. 탈수 회복은 ORS (oral rehydration solution)로 한다.
II. 탈수에 대한 초기 경구 수액요법은 첫 3~4시간 내에 끝낸다.
III. 초기 탈수가 교정되면 바로 정상적인 영양을 한다.
IV. 회복기에 젖당과 우유 단백이 없는 특수 분유의 일괄적 남용은 바람직하지 않다.
V. 회복기에 희석한 분유를 먹이는 것은 바람직하지 않다.
VI. 설사 기간 중 언제라도 모유 먹이기는 중단하지 않는다.
VII. 탈수 교정 후에도 계속되는 설사에 의한 수분 손실은 ORS 유지 요법으로 보충해 준다.
VIII. 불필요한 설사 치료용 약물요법은 피한다.

⑷ 한계점 : WHO ORS가 탈수의 치료와 예방에 매우 효과적이기는 하나 설사의 기간이나 양을 줄이지는 못함.

항생제 치료 : 항생제 치료가 반드시 필요한 경우는 많지 않으나, 적응증은 아래와 같다.

세균	항생제
소아 세균성 장염의 항생제 치료	
Shigella (심한 이질과 EIEC dysentery)	Ciprofloxacin*, ampicillin, ceftriaxone, azithromycin, TMP–SMZ
EPEC, ETEC, EIEC	TMP–SMZ or ciprofloxacin*
Salmonella	정상인에서 non–typhoidal species에 의한 위장관염은 항생제 필요없음 3개월 미만 영아, 악성 종양, 만성 소화기 질환, 면역 억제 환자, 심한 대장염, HIV 감염자에서 *Shigella*에 사용하는 항생제 투여
Aeromonas/Plesiomonas	TMP–SMZ, Ciprofloxacin*
Yersinia	설사 환자에서 보통 항생제 투여 필요없음 면역 억제 환자에서 패혈증을 치료
Campylobacter jejuni	Erythromycin, azithromycin
Clostridium difficile	항생제 중단 Metronidazole(1st line), vancomycin(2nd line)
Entamoeba histolytica	Metronidazole 투여 후 iodoquinol, paromomycin
Giardia lamblia	Furazolidone, metronidazole, albendazole, quinacrine
Cryptosporidium spp.	Nitazoxanide 경구 투여는 정상인에서 필요없음 면역 억제 환자에서 경구 immunoglobulin+적극적인 HIV 치료

* Ciprofloxacin은 16세 이상에서 승인

2. 변비

- 배변 횟수 감소, 변이 딱딱하여 배변이 힘든 상태, 하나의 증상, 원인 질환을 나타내지는 않음.
- 전체 소아 질환은 5%, 소아 소화기 질환의 25%

1) 배변 기전

- 배변 과정에서 가장 중요한 구조물 : 항문의 내·외 괄약근과 항문 직장각(anorectal angle)

* 대변 배출의 세 가지 중요한 요소 : 적당한 저장장기, 대변의 단단한 정도, 기능적인 괄약기구

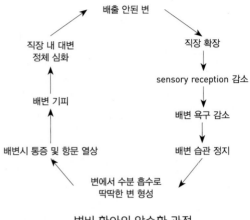

변비 환아의 악순환 과정

2) 증상

- 배변 장애와 관련된 증상 외에 여러 가지 증상들, 특히 비뇨기계 이상 소견이 비교적 자주 동반됨.
- 배변시의 통증 : 환아가 배변 자체를 기피하게 만들어 자꾸 참고, 또 이로 인해 직장벽에 있는 신장 수용기(stretch receptor)가 차츰 둔해져 직장벽이 이완되므로 효과적인 배변이 어려워짐.

3) 원인

- 90%는 특별한 원인이 발견되지 않는 기능적 변비
- 기질적 원인은 흔하지 않지만 만성 변비 환아에서 반드시 고려

4) 진단

- 임상적 변비의 진단기준(Rome III 기준 : 4세 이상 소아에서 다음 증상 가운데 2가지 이상이 나타나며, 각 증상이 일주일에 한 번 이상, 2달 이상 나타남)
  ⓐ 일주일에 2회 이하 배변
  ⓑ 일주일에 1회 이상 변 지림
  ⓒ 변을 참는 행동
  ⓓ 굳은 변 또는 배변 시 항문 통증
  ⓔ 직장수지검사에서 직장에 커다란 변 덩어리
  ⓕ 변기가 막힘
- 진단이 되면 원인을 찾기 위하여 병력 청취 및 신체진찰을 시행

- 검사의 종류 : 직장 수지 검사, 단순 복부 X선 검사, 바륨 관장 및 대장 조영 검사, 배변 조영(defecogram), 소장 조영 검사, 표지자 검사(marker study), 대장/항문 직장 내압 검사, profilometry, 고해상 내압 검사(high resolution manometry), 대장/직장 생검

5) 치료

(1) 교육 : 섭식 및 생활 습관에 대한 교육. 감, 바나나, 다량의 우유 섭취는 변비 치료에 방해

(2) 약물 : lactulose/sorbitol syrup, mineral oil, magnesium hydroxide, polyethylene glycol 제제, 섬유소제, 수분, Dulcolax 좌약(2세 이상에서 단기간 사용), botulinum toxin(항문내괄약근 이완못함증에서 사용)

(3) 수술 : Hirschsprung병, 만성 거짓 장폐쇄, 항문 협착, 항문 위치 이상, 대장 협착, 심각한 대장 무기력증, 항문내괄약근 이완못함증에서 도움

(4) 바이오피드백 : 항문 및 골반부 수의 근육 이완 및 수축을 교육, 치골 직장근과 골반저 이완 장애 치료에 결정적 도움

(5) 정신과 치료 : 우울증으로 인한 변비 치료 시

(6) 줄기세포 치료 : Hirschsprung병, 만성 거짓 장폐쇄, 대장 무기력증에 도움

✚ 변비의 원인

대장의 해부학적 또는 조직학적 이상
항문 협착, 쇄항, 전방으로 밀린 항문, 대장협착, Hirschsprung병/저신경절증, Chaga병, 거짓 장폐쇄, 대장 무기력증, 큐라티노 삼중증, 장신경 이형성, 항문 내괄약근 이완못함증, 신경 전달 물질 장애

신경 또는 근육 질환
뇌성마비를 포함한 뇌질환, 선천성 근무력증, 수막 척수류, 척수 종양, Prune-belly 증후군, 배벽 갈림증, 감염성 다발 신경염, 척수 갈림증, 척추 피부동관, 척수 견인 증후군, 신경섬유종증, 듀센 진행성 근육 퇴행증, 천골 기형종

결체 조직 질환
전신 홍반 루푸스, 전신 굳음증, 낭성 섬유증

약제
전신 마취제, 알루미늄 함유 제산제, 항콜린제, 항경련제, 항우울제, 비스무트, 바륨 설페이트, 이뇨제, 철, 납/수은 중독, 아편제, vincristine

정신질환
우울증, 거식증, 성폭행, 정신지체

내분비 및 대사질환
갑상샘 저하증, 고·저칼슘혈증, 당뇨병, 요붕증, 영아 신세뇨관산증, 저칼륨혈증, 요독증, 저마그네슘혈증, 저인산혈증, 포르피린증, 영아 보툴리눔 독소증

식습관 및 생활 습관
적은 섬유소 섭취, 과다한 우유 섭취, 적은 수분 섭취, 적은 식사량, 강압적 배변 훈련, 자기 집 이외 화장실 기피, 과도한 배변 참기, 충분하지 않은 운동량

기타
Soto 증후군, 다운 증후군, 임신, 음식 알레르기
(예 : 우유 단백 알레르기)

기능성 변비와 선천성 거대결장 질환의 감별		
	기능성 변비(심인성 변비)	선천성 거대 결장(기질성 변비)
병력 시작 시기 유분증 성장 부진 장염 변기 훈련 강요	2세 이후 흔하다 대변 실금 가능 × ○	출생시부터 드물다 가능 ×
진찰 소견 복부 팽만 체중 미달 직장 검사 영양 불량	드물다 대변 촉진 가능 ×	흔하다 직장이 비어 있다 가능
검사 소견 항문 직장 압력 검사 직장 생검 대장 조영술	직장 팽창시 → 내괄약근 이완 정상 – 대변이 많은 – 이행부 없음	직장 팽창시 → 내괄약근 압력 상승 신경절 세포가 없음 – 이행부 존재 – 24시간 이상 배출 지연

3. 구토(Vomiting)

- 소아에서 보는 가장 흔한 증상의 하나
- 구토(vomiting)와 역류(regurgitation)의 구별
  ① 구토 : 오심(nausea)이 선행, 하부식도 괄약근이 이완되고 가로막과 복근이 경련성 수축을 일으켜 복압이 상승하고 흉곽내압이 상승하며 위 내용물이 입 밖으로 튀어나옴.
  ② 역류 : 식도나 위의 내용물이 힘없이 입 밖으로 나오는 것, 오심이나 복근의 수축 등이 동반되지 않음.
  cf. 뇌압 상승으로 인한 구토는 오심을 동반하지 않음.

1) 감별진단

구토는 원인이 다양하므로 ① 유발하는 자극의 위치, ② 동반 증상에 따라 분류 한다.

(1) 구토를 유발하는 자극의 위치에 따른 원인

① 대뇌피질 자극 : 심인성 구토, 두개강 내압 상승, 멀미 등

② 화학 수용체 방아쇠역(trigger zone)의 자극 : 약물, 독소, 대사 산물

③ 위장관이나 말초 기관의 자극

(2) 동반된 증상에 따른 분류

① 토물의 종류를 봤을 때 소화가 안된 음식(분문이완증), 혈액이나 커피색(위염, 위, 십이지장궤양, 식도염, 정맥류) 담즙이 섞인 경우(십이지장 이하부 폐쇄), 다량의 수양성(Zollinger–Ellison 증후군)

② 분출구토가 심할 경우 – 위장관 폐쇄나 대사이상 질환

③ 구토하는 시간이 이른 아침 – 뇌압상승, 부비동염

④ 식사 때 토하면 – 위궤양, 신경성

⑤ 특정음식에 의한 구토 – 그 물질에 대한 알레르기나 분해효소 결핍증

⑥ 신경학적 증상(두통, 시야변화, 경련, 유두부종) – 중추신경계 질환, 독물섭취, 대사질환

2) 합병증

- 체내수분 상실 및 구토에 의한 탈수
- Mallory–Weiss syndrome
- 위산, Na, K의 소실에 의한 알칼리혈증
- 토물을 흡입할 수 있고 쇼크, 기흉, 기종격동, 점상 출혈반, 망막 출혈 등이 발생할 수 있다.

3) 치료

- 근본적인 원인을 제거하는 것이 원칙
- 소량씩 자주 먹이며 수액을 보충하고 동반된 증상도 같이 치료
- 진토제(ondansetron)를 단기간 사용하기도 한다.

4. 복통

소아의 급성 위장관 통증의 특징					
질병	발생	위치	연관통	양상	주석
췌장염	급성	상부, 좌상복부	등	지속적, 예리함, 찌르는 듯함	오심, 구토, 압통
장폐쇄	급성, 진행성	배꼽 주위–하복부	등	경련과 무증상의 반복	복부 팽만, 변비, 구토, 장음 항진
급성 충수염	급성	배꼽 주위, 이후 우하복부로 이동; 복막염이 있을 경우 전체	등, 골반	예리함, 지속적	식욕 부진, 오심, 구토, 국소 압통, 복막염 시 발열
창자겹침증	급성	배꼽 주위–하복부	없음	경련과 무증상의 반복	혈변, 무릎을 끌어올린 자세
요로 결석	급성, 돌발성	등(편측)	사타구니	예리함, 간헐적, 경련성 통증	혈뇨
요로 감염	급성	등	방광	둔한 통증, 예리한 통증	발열, 늑골척추각 압통, 배뇨통, 빈뇨

소아의 만성 복통			
	질 병	**특 징**	**진단을 위한 평가 방법**
비기질성	기능성 복통	비특이적, 주로 배꼽 주위	문진, 신체진찰; 필요한 검사
	과민성 대장 증후군	간헐적인 위경련, 설사, 변비	문진, 신체진찰
	비궤양성 소화 불량	소화성 궤양같은 증상, 상부 위장관 검사에서 이상이 없음	문진; 상부위장관 내시경
위장관	만성 설사	배변 지연의 병력, 검진에서 변비의 증거	문진, 신체진찰
	유당 불내성	유당 섭취와 관련된 증상; 더부룩함, 방귀, 위경련, 설사	유당 제거 식단; 유당 수소 호흡 검사
	기생충 감염 (주로 편모충)	더부룩함, 방귀, 위경련, 설사	대변 기생충란 검사; 편모충 특이 면역 분석 검사
	과당 또는 소비톨의 과량 섭취	비특이 복통, 더부룩함, 방귀, 설사	사과, 과일 주스, 또는 소비톨이 함유된 사탕이나 껌의 다량 섭취
	크론병	배꼽 주위의 만성 복통, 치루	대장 내시경
	소화성 궤양	작열통, 선통; 아침 공복이나 식전에 심하며 제산제 복용으로 호전됨	상부 위장관 내시경 또는 상부 위장관 조영술
	식도염	명치 부위의 작열통을 동반한 상복부 통증	상부 위장관 내시경
	멕켈 게실	배꼽 주위나 하복부의 통증; 혈변	멕켈 스캔, enteroclysis
	재발성 창자겹침증	발작적인 심한 위경련통; 주기적인 혈변	위장관 조영술로 창자겹침증을 확인하거나 장내 리딩포인트를 확인
	서혜부, 복벽 탈장	복부 또는 복벽의 둔한 통증	신체진찰, 복벽 CT
	만성 충수염 또는 충수돌기의 점액낭종	반복적인 우하복부 통증; 종종 오진됨, 만성 복통의 드문 원인	바륨관장, CT
담낭과 췌장	담석증	우상복부 통증, 식후 악화됨	담낭 초음파
	총담관낭	우상복부 통증, 종괴, 빌리루빈의 증가	우상복부 초음파 또는 CT
	재발성 췌장염	지속적인 천자통, 등으로의 방사통, 구토	Amylase, lipase, 트립시노젠; 췌장 초음파 또는 CT
비뇨 생식관	요로감염	둔한 치골위통, 측복부 통증	소변 검사, 소변배양검사; 신장 스캔
	물콩팥증	편측 복통 또는 측복부 통증	신장 초음파
	요로결석	심한 진행성 통증; 측복부에서 서혜부, 고환으로 퍼짐	소변 검사, 초음파, 정맥신우조영술 CT
	그 밖의 비뇨생식기 질환	치골 상부 또는 하복부 통증; 비뇨생식기 증상	신장 초음파, 골반 초음파(산부인과)
그 밖의 다른 원인	복성 편두통	오심, 편두통의 가족력	문진
	복부 간질	경련의 전구 증상을 보일 수 있음	뇌파(각성 뇌파를 포함해 2회 이상)
	길버트 증후군	경도의 복통; 비결합 빌리루빈의 경도 상승	빌리루빈
	낫적혈구 빈혈 발작	빈혈	혈액학적 평가
	납 중독	모호한 복통 ± 변비	혈액 내 납 농도
	Henoch–Schonlein 자색반	반복적인 심한 경련성 복통, 대변 내 잠혈, 특징적인 발진, 관절염	문진, 신체진찰, 소변 검사
	혈관 신경성 부종	얼굴이나 기도의 부종, 위경련	문진, 신체진찰, 상부 위장관 조영술, C1 esterase inhibitor
	급성 간헐 포르피린증	약물 피로 또는 감염에 의해 유발되는 심한 통증	소변 내 포르피린 측정

1) 영아 산통(infantile colic)

급성 복통의 원인으로서 주로 생후 3개월 이하의 영아에서 나타남.

발작적 복통으로 몹시 울며 보챈다. 복부가 팽만되어 있고 하지를 구부리고 손을 꽉 쥐고 있다(허탈해지거나 가스를 배출하면 소실됨).

2) 기능성 위장관 질환(Functional gastrointestinal disorder; FGID)

(1) 정의

구조적 또는 생화학적 이상으로 설명할 수 없는 만성 또는 반복적 위장관 증상의 다양한 조합을 포함하는 위장관 질환군을 의미한다.

만성 복통의 유병률은 9~15%로 보고되고 있다.

(2) 원인

내장의 과민 반응과 장운동 기능 장애가 관여하는 것으로 생각.(특히 내장 과민 반응이 주된 역할을 하는 것으로 보임)

(3) 평가와 진단

만성 복통을 가진 환자를 평가할 때에는 기질적 통증과 기능성 통증을 구분하는 것이 중요하다. 하지만 기질적 통증과 기능성 통증을 구분하는 것은 쉽지 않다.

만성 복통을 가진 환자는 더 많은 불안과 우울 증상을 가지고 있기 때문에 정신적 요인을 조사하고 치료하는 것이 중요하다.

경고 증상과 징후가 없고 정상 신체진찰을 보이며 변에 출혈의 증거가 없으면 일단 기능성 복통으로 진단내릴 수 있다.

✚ 추가적인 검사를 필요로 하는 경고 증상

- 아동이 복통으로 인해 잠에서 깰 때
- 지속적인 우상복부 또는 우하복부의 통증
- 의미 있는 구토(담즙성 구토, 지속적이거나 주기적인 구토, 또는 의사가 의심할 만한 패턴의 구토)
- 설명할 수 없는 발열
- 비뇨생식기 증상
- 연하 곤란
- 만성적으로 나타나는 심한 설사나 한밤중의 설사
- 위장관 실혈
- 의도하지 않은 체중감소
- 성장 속도의 감소
- 사춘기 지연
- 염증성 장질환이나 만성 소화 장애, 소화성 궤양 질환의 가족력

> ✚ 추가적인 검사를 필요로 하는 경고 징후
>
> • 우상복부의 국소 압통
> • 우하복부의 국소 압통
> • 국소 부위가 붓거나 종괴가 있을 경우
> • 간비대
> • 비장비대
> • 황달
> • 늑골척추각의 압통
> • 관절염
>
> • 척추의 압통
> • 항문 주위의 압통
> • 비정상적이거나 설명할 수 없는 신체진찰 소견
> • 의도하지 않은 체중감소
> • 성장 속도의 감소
> • 사춘기 지연
> • 염증성 장질환이나 만성 소화 장애, 소화성 궤양 질환의 가족력

(4) 치료

① 환아의 부모에게 증상의 모양과 병리기전을 잘 설명하여 이해하도록 해야함.

- 복통은 확실히 존재하는 것이고 스트레스로 인하여 장이 과민해져 발생
- 중요한 기질적 질환이 없음을 확신시킴.

② 치료의 목적은 정상 생활을 하고 통증을 완화하는 것이다.

소아의 복통에 대한 치료의 효과		
치료	질환의 정의	유효성
인지 행동(가족) 치료	재발성 복통	효과 있음
Famotidine	재발성 복통, 소화 불량 증상	논의 중
식이 섬유 보충	재발성 복통	효과 없는 것 같음
유당 제거 식이	재발성 복통	효과 없는 것 같음
Peppermint oil	과민성 대장 증후군	효과 있는 것 같음
Amitriptyline	기능성 위장관 질환, 과민성 대장 증후군	결과에 일관성이 없음
Lactobacillus GG	RomeIII 기준에 맞는 과민성 대장 증후군	효과 없는 것 같음

진통제, 진경제, 진정제와 항우울제의 효과는 현재 알려져 있지 않다.

5. 위장관 출혈

- 흑혈변(melena) : 암적색 또는 검은색의 혈액이 섞인 대변, 식도나 위·십이지장 등 상부 위장관 출혈 의심, 다량에서는 선혈변도 가능
- 선혈변(hematochezia) : 선홍색의 혈액이 있는 대변, 대개 대장 출혈
- 토혈(hematemesis) : 토물이나 혈액이 입으로 나오는 경우

1) 위장관 출혈 원인에 대한 진단 검사

검사 방법	적응증
식도 위 십이지장 내시경	토혈이나 흑혈변 시
대장 내시경	선홍색 혈변 또는 혈액의 항문 배출 시
상부 위장관 방사선 조영술	연하 곤란, 연하 통증 동반시
대장 방사선 조영술	창자겹침증 의심 시
복부 초음파	문맥압 항진증 의심 시
멕켈 스캔	멕켈 게실 의심 시
설파 콜로이드 스캔	원인 불명의 장출혈
동위원소 RBC 스캔	원인 불명의 장출혈
혈관 조영술	원인 불명의 장출혈

2) 위장관 출혈의 치료

일반 처치
  수액 공급(생리식염수, Ringer's lactate)
  수혈(전혈, 신선 냉동 혈장, packed RBC)
약물치료
  점막 보호제(Sucralfate)
  H_2 차단제(cimetidine, ranitidine, famotidine 등)
  Proton pump inhibitor (omeprazole, lansoprazole)
  Somatostatin analogue

내시경 치료
  혈관 응고법(cautery, heater probe, laser)
  정맥류 경화 또는 결찰법
  위장관 용종 절제

연령에 따른 토혈과 혈변의 감별진단

(1) 신생아기

- 생후 첫 수일 내 : 모체 혈액과 감별(Apt test)

  → 산모 혈액인 경우 color change(+), 신생아 혈액인 경우 color change (−)

- 전신 상태가 중한 신생아 : 괴사성 장염, 세균성 설사

- 응고 이상 : 비타민 K 부족으로 인한 신생아 출혈성 질환, 모체의 NSAIDs 사용

- 출혈성 위염

(2) 신생아 이후 영아기

☆ • 항문 열상 : 대변 끝이나 기저귀, 화장지에 묻는 정도, 많지 않은 혈액량

☆ • 장중첩증 : 자주 반복하는 심한 복통, currant jelly stool, 복부 종괴

☆ • 맥켈 게실 : 건강하게 보이는(무통성) 환아(특히 2세 이하)에서 다량의 선홍색 또는
   검붉은 혈변을 보일 때 우선적으로 의심

- 우유 단백 알레르기 : 혈변 설사, 성장부진, 복통, 팽만

- 미만성 위염 : 역류성 식도염이나 아스피린 사용

- 스트레스 궤양 : 대량 토혈, Curling's ulcer (화상), Cushing's ulcer (CNS)

(3) 학령 전기 및 학령기

- 영아기와 중복
- 연소성 용종 : 항문 열상 다음으로 가장 흔한 비감염성 직장 출혈의 원인
- 심한 구토 후 토혈 : Mallory-Weiss Syndrome

(4) 청소년기

- 성인과 비슷
- 흑혈변 : 소화성 궤양, 위염, 식도염
- 직장 출혈 : 세균성 장염이 흔함, 만성적으로 반복될 때 궤양성 대장염이나 크론병 DDx.
- 대량토혈 : 식도정맥류, 십이지장 궤양 출혈

II 위장관 질환

1. 구강 질환(Disease of the oral cavity)

1) 구강점막의 이상

(1) 아프타 구내염(Aphthous stomatitis, Canker sores)

① 입안에 심한 통증을 동반하는 한 개 또는 여러 개의 궤양, 작은 것은 직경 2~10mm 정도로 10~14일 내에 자연 치유, 10mm 이상 큰 궤양은 10~30일 지나야 치유, 경계가 명확하고 적색이며 내부는 회백색 삼출물

② 원인 : 불명이나 알레르기 또는 면역 반응, 정신적 스트레스, 유전적 요인, 입 안 연부조직 상처, 염증성 장질환, Behcet병, 주기성 호중구 감소증, HIV

③ 유발인자 : 외상, 정신적 스트레스, 혈청철이나 Ferritin의 감소, 비타민 B_{12}의 결핍, 엽산 결핍, 흡수장애질환, 월경 시, 식품알레르기, 약물부작용

④ 치료

- 대증요법– 0.2% chlorhexidine gluconate 세척액
- 국소 부신피질호르몬(0.1% triamcinolone in orabase)은 염증을 감소
- 국소 테트라사이클린 구강세척으로 치유 촉진 가능(단 치아 변색의 부작용 주의)
- 심한 경우 부신피질호르몬, colchicine, dapsone을 투여하면 도움.

(2) 헤르페스 잇몸 구내염

① 연장아에서 볼 수 있으나 5세 미만 소아에서 가장 흔히 보는 구내염

② 볼 점막과 전 구개궁, 입술내측, 혀 특히, 치은에 다수의 조그마한 궤양이 생기며 (1~3mm의 조그만 궤양이 10개 이상), 발열, 통증성 경부 림프절비대와 구강전체에 염증을 보임

③ 대개 3세 이하 소아에 흔하다. 4~9일간 지속 구강 통증을 호소, 음식을 잘 먹지 않고 보채며, 탈수증, 산증이 나타나기도 함

④ 치료 : 진통제로 통증 조절, 수분 공급, acyclovir

(3) 아구창

① 신생아에서 *Candida albicans*의 감염으로 생김. 출생시 모체의 질로부터 감염

② 만성적인 경우는 우유찌꺼기 같은 흰 반점이 볼 점막이나 혀 등 구강 인두 점막을 덮고 있다.

떼면 특징적인 염증소견과 출혈

③ 병변은 KOH 염색 후 현미경검사와 배양검사로 확인

④ 인공영양아, 영양불량 특종 칸디다에 대한 면역결핍 AIDS, 경구 항생제 투여시 흔히 나타남.

⑤ 자연치유도 되나, Nystatin 100만 U를 하루 4회 국소 도포 시 빠른 치유와 전파 감소

⑥ 최근 Nystatin 대신 fluconazole을 복용하기도 함

(4) 외상 구강 궤양

① 궤양은 외상에 의한 구강 점막 손상으로 올 수 있다.

② 기계적 외상에 의한 궤양이 볼점막에 흔히 올 수 있으며 뜨거운 음식에 의해서도 생긴다.

③ 구강궤양은 백혈병에서 나타나기도 하며 백혈구 감소증에서는 반복적으로 발생하기도 한다.

④ 아스피린이나 부식성 용액에 의한 화학적 궤양도 볼 수 있다.

⑤ 2~3일내 통증이 소실되며 특별한 치료가 필요없다.

2. 식도 질환

1) 선천 식도 폐쇄 및 기관 식도루

- 식도 폐쇄는 5,000명당 1명 정도로 발생한다.
- 약 90%에서 기관 식도루(tracheoesophageal fistula)를 동반
- 조기 진단과 치료로 생존률이 90% 이상으로 증가

(1) 식도 폐쇄증의 형태

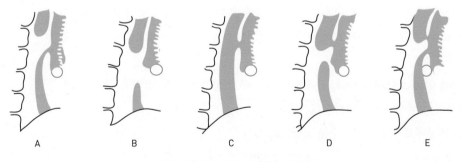

각종 선천성 식도 폐쇄증의 형태

(2) 증상

① 산모에게서 양수과다증의 병력이 있을 경우 의심해 봐야한다.

② 코를 통하여 고무관을 식도에 넣을 때 중간에 저항이 느껴짐

③ 구강 내 분비물이 지나치게 많은 신생아에서 수유와 동시에 호흡곤란, 청색증이 유발

④ 식도 기관루가 있는 경우 기관의 구조적 이상이 흔함.

⑤ 기관 연골 연화증, 반복적인 흡인성 폐렴, 반응성 기도 질환이 잘 동반

(3) 복부소견

① airless abdomen : 식도기관루가 없으면 배가 들어가고 장내 공기를 볼 수 없다.

② abdominal distention : 식도기관루가 있어 공기가 복강내로 들어가 복부팽만

※ 맹관이 없이 식도 기관루만 있는 H형(H type) 즉, 그림의 C type은 반복되는 기침과 흡인 폐렴이 주증상이며, 진단이 수일내지 수개월 간 늦어질 수 있다.

(3) 진단

- X선에 나타나는 고무관을 조금 더 밀어 넣어 꼬이게 한 다음, 흉복부 X선을 촬영하여 확인 : 식도맹관의 위치 확인
- 복강내 공기 유무 → 식도 기관루의 존재 여부 확인
- 조영제를 이용하여 누공을 증명할 수 있고 기관지경 검사로 개구부를 찾거나 기관지경 검사 시메틸렌블루를 뿌려 흡기 시에 식도에서 메틸렌블루 관찰

(4) 동반기형(약 50%) − VACTERL or VATER Syndrome

Vertebral, Anal, Cardiac, Tracheal, Esophageal, Renal dysplasia, Limb

① 심혈관계 : CoA, vascular ring, PDA

② 소화기계 : Duodenal stenosis, imperforated anus

③ 요로 기형

④ CNS defect

(5) 치료

- 수술 전 기도를 확보하여 흡인이 안 되도록 하는 것이 우선!!
- 식도기관루 폐쇄 후 식도끼리 문합술(90%에서 가능) : 해부학적 이유, 다발성 기형의 병존, 미숙아, 극심한 폐 합병증의 존재 등의 이유로 단계적으로 나누어 시행할 경우 우선 식도 기도루 폐쇄와 위루 형성술을 시행한 후 식도끼리의 문합술을 시행한다.
- (흡인성 폐렴이 주된 사망의 원인)
- Aspiration 방지 : prone position(수술전), 식도 맹관 흡입(위내용물을 폐흡인 방지) (흡인 폐렴이 주된 사망의 원인)

2) 위식도 역류

(1) 정의 : LES이완에 의한 위 내용물의 식도 역류

(2) 임상증상

① 반복적 역류(비사출성, 무담즙성)

② 흡인성 폐렴

③ 증상 지속 시, 반복적 기침, 천명, 폐렴 등 동반

④ 성장장애, 체중증가 불량

⑤ 식도염

(3) 진단

① 식도경 검사와 조직생검 : 심한 역류, 식도염이나 식도협착이 있을 때 가장 좋은 방법(영아에서의 조직생검은 식도염이 발생하기 전에 잦은 위식도 역류의 증거를 찾을 수 있는 예민한 방법)

② 하부식도 24hr pH검사 : 역류의 빈도와 지속시간을 알 수 있는 가장 예민한 검사

③ 바륨식도 조영술, 위신티그래피 등

(4) 치료

① 내과적 치료

Ⓐ 자세가 역류방지에 중요 :

• 영아에게서는 앉은 자세에서 역류가 잘 일어나므로 피해야하며 바로누운 자세나 옆누운 자세는 엎드린 자세보다 역류가 다발한다.

• 연장아에서는 왼쪽 옆으로 머리를 높여주는 것이 좋다.

※ 영아 급사 증후군의 위험 때문에 잘 때는 바로 누워 자세를 취하고, 깨어 있어서 관찰이 가능한 시간에는 머리를 높여 엎드린 자세를 취하는 것이 추천된다.

Ⓑ 소량씩 자주 먹이고 우유에 미음이나 쌀가루를 타서 진하게 먹인다.

Ⓒ 꼭 끼는 옷은 피한다.

Ⓓ 식도염이 있을 때는 제산제, H2-blocker, PPI, GABA agonist를 투여한다.

Ⓔ 역류감소 : cisapride, metoclopramide

Ⓕ 산성이거나 역류 유발 음식(토마토, 초콜릿, 박하), 주스, 탄산음료, 카페인 음료 피함.

② 외과적 치료

Ⓐ 내과적 치료가 안 듣거나, 흡인성 폐렴, 무호흡이 반복될 경우 Nissen fundoplication 시행 : 위저추벽 성형술로 90%에서 역류가 치유된다.

Ⓑ 식도 협착 있으면 부기(bougie) 확장술

(5) 예후 : 60~70%는 6~7주 만에 좋아지고, 대부분 6개월까지 호전되며, 18개월까지는
　　90%에서 증상이 소실

3. 위장 질환

1) 비대 날문 협착증

- 비담즙성 구토의 m/c 원인
- 신생아기에 위 유문근의 비후가 일어나, 유문강이 길어지며 좁아져서 위 내용물의 구
  토를 유발하는 질환
- 생후 2~3주부터 증상 발생(보통 생후 3주에 구토가 시작되지만, 빠르게는 생후 1주일
  부터 늦게는 5개월에 나타나는 경우도 있다)
- 남자가 여아보다 4배 정도 흔하게 발병(특히 첫째아이)

(1) 임상증상

★ • 비담즙성 사출성 구토 : 담즙을 포함하지 않으며 먹인 후 바로 나타남.
- 구토 지속시 Hypochloremic metaboloc alkalosis(구토로 인한 H, Cl의 소실)
- 초기에는 사출성이 아닌 경우도 있으며 점차 진행함.

(2) 진단 → 촉진되면 진단을 위한 방사선 검사는 필요없다.

★ • 우상복부에 올리브같은 Mass가 만져진다.
★① 종괴의 촉진 : Olive-like mass in RUQ(우측 늑골연 하부) : 진단에 m/i
- 토하고 난 후가 촉진에 가장 좋다.
★② 복부초음파 : 종과 촉진이 불확실한 경우 시행(Target sign을 볼 수 있다)
　　: 유문부 근육층 두께가 4mm 이상 or 유문부 길이가 14mm 이상일 때 진단가능

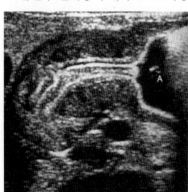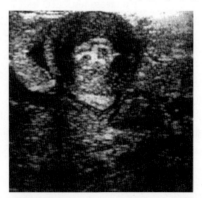

비대 날문 협착증의 초음파 사진

③ 위장관 조영술 : shoulder sign, double track sign(유문근육이 튀어나옴), string sign(유
　문부의 길이가 길어져 보임)

(3) 치료

★① 수술시행 전 수분 및 전해질 교정, 0.45~0.9% saline에 5~10% dextrose와
   30~50 mEg/L KCl을 포함하는 용액으로 탈수와 산 · 염기 및 전해질 교정

★② Ramstedt pyloromyotomy : 수술로 완치된다.

③ 수술 후 반 정도가 구토 : 절개된 유문근에 2차적으로 발생하는 부종 때문

④ 조금씩 자주 먹이는 고식적 치료법은 치료기간이 길고 사망률이 높으므로 추천되지 않는다.

⑤ 수술을 할 수 없는 상황이면 아트로핀으로 약물치료를 한다.

2) *Helicobacter pylori* 위염

(1) *Helicobacter pylori*

① 위점막에 상주하며 만성 위염, 소화성 궤양, MALT 림프종과 위암을 일으키는 균.

② 전 세계 인구의 약 반이 균에 감염되어 있으나 전파 경로는 아직까지 밝혀지지 않음.

③ 감염은 주로 5세 이하 유 · 소아기에 이루어짐

④ 한 번 위점막에 상주하면 평생 지속적으로 만성 위염을 일으킴.

⑤ 위생 상태가 나쁜 지역일수록 유병률이 높다.

(2) 진단

✚ *H. pylori* 위염의 진단방법

1. 위내시경 생검 진단법
    1) 신속 요소 분해 효소 검사법(rapid urease test : CLO test)
    2) *H. pylori* 특수 염색법(Warthin–Starry 은염색, Giemsa 염색 등)
    3) 균 배양검사법

2. 비침습적 진단법
    1) 혈청 항체 검사법(*H. pylori* specific IgG serology test)
    2) 요소 호기 검사(Urea breath test : ^{13}C UBT 또는 ^{14}C UBT)
    3) *H. pylori* 대변 항원 검사(HpSA : *Helicobacter pylori* stool antigen test)
    4) 기타 : 소변 항체 검사법, 타액 항체 검사법

---

(3) 치료

- 무증상인 감염자는 치료하지 않는다. *H. pylori* 균이 양성인 모든 위 궤양 또는 십이지장 궤양환자는 균 박멸 치료를 시행한다.

✚ *H. pylori* 위염의 진단방법

1. Triple therapy 1주 또는 2주(1차 치료)
   Proton pump inhibitor (PPI) based triple therapy
   PPI + Amoxicillin + Clarithromycin
   PPI + Amoxicillin + Metronidazole

2. Quadruple therapy 1주(1차 치료) 또는 2주(1차 치료 실패시)
   Bismuth 제제 + PPI + Amoxicillin + Metronidazole

---

3) 위·십이지장 궤양

- 점막 방어 인자와 공격 인자 사이의 평형이 깨지면서 산과 펩신에 의해 점막근층까지 손상되는 것
- 위궤양은 속발 궤양이 많고 영·유아 궤양의 대부분을 차지하며, 신생아에서 성인까지 모든 연령층에서 일어난다. 반면 십이지장 궤양은 원발 궤양이 많고 대부분 7세 이후에 발생한다.
- 원발 궤양은 대개 만성으로 재발이 잦으나, 속발 궤양은 급성으로 발병하고 주로 다발성
- 원발 궤양은 *H. pylori* 감염과 가장 자주 관련되지만 십이지장 궤양의 20% 정도는 *H. pylori*가 관련되지 않은 특발 궤양이다.
- 속발 궤양은 주로 패혈증, 쇼쿠, 심한 탈수, 두부 손상이나 두부 수술(Cushing 궤양), 심한 화상(Curling 궤양) 등의 전신 질환이나 중증 질환에 의한 스트레스에 의하거나 NSAIDs나 스테로이드와 같은 약물에 의해 발생
- 소아 연령에서 위·십이지장 궤양의 발병률은 매우 낮음.

(1) 증상

- 주증상 : 복통, 구토, 출혈
- 신생아기에 출혈과, 천공, 그 후 연령에서는 2세 이하에서 반복적인 구토, 성장장애, 출혈. 미취학 어린이는 구토, 복통과 함께 식후 배꼽 주위 복통. 6세 이후 학령기에서는 성인과 비슷한 심와부 복통의 증상, 야간 복통도 흔함.

- 스트레스 궤양(6세 이하)
  - Curling's ulcer : 패혈증, 심폐부전, 심한 탈수, 화상에 속발하여 발생
  - Cushing's ulcer : 두부 외상 및 두부 수술에 속발하여 발생
  - 주로 다발성, 심한 출혈이나 갑작스런 천공 증상을 보일 수도 있음.

⑵ 진단
- 과거에 많이 사용했던 상부위장관 조영술은 위양성 및 위음성이 많아 진단에 권장되지 않는다.
- 특징적인 복통, 반복적 구토, 상부 위장관 출혈이 있을 때 의심
- 상부 위장관 내시경으로 진단
- *H. pylori* 감염 확인 : 위 전정부 생검 → culture, CLO test, 특수 염색 등
- 궤양은 남아에게 많으며 가족력이 있는 수가 많다.

⑶ 치료
- 치료목적 : 과거에는 위산 분비 조절이 핵심이었으나, 최근 *H. pylori* 박멸로 전환(특히 원발성)
- 재발 : 과거 잦은 재발(60%/year)이 *H. pylori* 박멸 이후 5%/year로 감소
- *H. pylori* 박멸 Ix. : *H. pylori*(+)인 모든 GU, DU 환아
- *H. pylori* 박멸 최적 요법 : PPI + 2 of clarithromycin, amoxicillin, metronidazole
- 치료제 : 4~8주간 사용
  ① 제산제 : Aluminum hydroxide, Magnesium hydroxide 등(각각 변비, 설사를 일으키므로 두가지를 혼합하여 사용)
  ② 점막 보호제 : Sucralfate
  ③ H_2 receptor blocker : Cimetidine, Ranitidine 등
  ④ Proton pump inhibitor : Omeprazole, Lansoprazole, Pantoprazole 등
    - 수술 Ix
      - 출혈, 천공, 위 배출구의 폐쇄 등의 궤양 합병증, 복통이 심할 때
      - vagotomy + pyloroplasty or antrectomy
    - 예방 : 장기 NSAIDs 투여 환아에서 misoprostol(프로스타글란딘 E의 종류의 하나임)

4. 소장 및 대장질환

1) 창자겹침증

- 상부장이 하부장 속으로 망원경같이 말려 들어가는 것
- 5개월~6세 사이에 발생하는 창자막힘의 m/c 원인

(1) 원인

- 95% unknown
- 만 2세 이후의 아이에서 leading point가 발견될 확률이 높음(2~10% 정도)
  : leading point – 멕켈 게실, 폴립, 림프종 등
- Adenovirus의 Peyer's patch침습이 원인과 관계있다고 생각
- Henoch–Schönlein purpura에서 합병되는 수가 있다.

(2) 빈도

① 호발부위 : ileocecal (95%)

② 60%가 1년 미만에서 발생, 80%가 2년 미만의 영·유아

③ 5~11개월, 남아에 흔하다.

(3) 임상양상(3개월이상 복통이 지속되는 경우 장중첩증보다는 영아 산통일 가능성이 높다)

① 평소 건강하던 아이에게 sudden colicky pain & 담즙성 구토로 울면서 다리를 배위로 끌어 올린다.

② 1~2분간 발작 & 5~15분간 무증상을 반복

③ 발작중 → 아기는 창백하고 복벽은 이완되며 축 늘어진다.

④ 수시간 후 currant jelly stool(혈성 점액성 대변, 토마토케첩 같은) : 직장검사 시 혈성 점액이 묻어나올 수 있다.

⑤ 우상복부에 소시지형태의 Mass가 만져짐(무증상시기의 70%환아)

⑥ 심하면 교액성 장폐색 → 괴사 → 복막염(복부팽만, 복막자극증상) → sepsis, shock

⑦ 약 2/3환자에서 이러한 특징적 증상이 나타나고 나머지 환자에서는 간헐적으로 보채는 비특이적 증상이 나타난다.

(4) 진단방법

① 진단은 임상양상, 대변모양(토마토케첩), 복부종괴(소시지 모양) 등으로 확진

② 단순 복부 촬영

- 맹장부 공기가 안보이는 소견
- 장 폐쇄증

③ 바륨검사 : Coil spring같은 모양(확진된다)

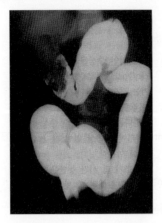

④ 초음파검사

- 종단면에서 원통형종괴(tubular mass)
- 횡단면에서 target or doughnut shape

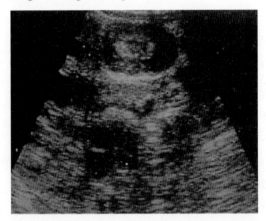

⑤ 치료

Ⓐ 금식과 위관 삽관 및 탈수증에 대한 수액요법 시행

☆Ⓑ 24~48시간 이상 경과할 경우를 제외하고는 공기 정복술 또는 식염수 정복술을 시행

　: 증상발현 48시간 이내 정복술 시행 시 75~80% 성공

Ⓒ 공기압 120mmHg, 수압 1m이상 넘지 않도록 한다.

Ⓓ 투시 중 복부조작은 금기

Ⓔ 수술 : 도수 정복, 도수정복이 안될 때는 장괴사이므로 절제

Ⓕ 재발률 : 관장정복(바륨 or air) 10%

　　　　수술도수 정복 2~5%

　　　　장 절제술 후 재발은 없다.

※ air, barium에 이용한 정복술 – CIx

- 24~48h 이상 경과

- 장천공

- 장벽내 공기 음영(pneumonitis intestinalis)

- 복막자극증상

- 탈진, 쇼크

2) 선천 거대 결장증

(1) 정의

☆ • 대장의 Auerbach plexus의 부교감 신경절 세포 결여로 인한 장운동 질환

- 무신경절 부위에 장연동운동이 없어 폐쇄발생, 정상적인 상부의 장은 확장(무신경절 부위는 좁아져있음) → transitional zone을 확인하는 것이 진단의 핵심

- 대개 rectosigmoid 침범(80%)

- 남 : 여 = 4 : 1

- 신경모세포가 대장원위부로 이동하지 못함.

☆① neonatal lower colon obstruction의 m/c

② down syndrome에서 5~10%

③ 대부분 S결장에 국한(80%)

④ 가족력있다(7~21%).

⑤ 발생빈도 5천명당 1명, 미숙아에서 흔하지 않다.

(2) 임상증상

① 생후 1주일 이내 : 태변 배출이 없고, 수유거부, 담즙성 구토, 호흡곤란을 초래하는 심한 복부팽만, 장천공이 발생가능

② 영아기 : 태변배출은 정상 → 곧이어 변비, 복부팽만, 구토 등의 증상 → 보채거나 잘 먹지 않고 성장부진, 장관 방어벽 손상, 대변정체 → 장염으로 진행, 패혈증, 장폐쇄 동반

③ 소아기

Ⓐ 출생 수주 후부터 변비가 심하고 리본같이 가는 변, 복부팽만, 좌측복부에서 대변 덩어리가 만져짐.

Ⓑ 직장 수지 검사상 직장에 대변이 없다.

Ⓒ 간혹 장폐쇄가 발생하고 빈혈, 저단백증, 성장부진

※ Currarino triad 증후군(항문직장기형, 엉치뼈결함, 엉치앞 덩어리)을 감별진단해야 한다.

(3) 진단

① 직장 수지 검사 : 좁고 비어 있음, 손가락을 넣었다가 빼면 대변과 가스가 갑자기 나옴.

② 방사선 검사

☆Ⓐ 단순 복부촬영 : 골반 내에 공기(-) (lat. erect film)

Ⓑ 대장 조영술 : 좁아진 무신경절 부위와 확장되어 있는 정상적인 상부의 장 사이에 분명한 이행부위(transition zone)를 관찰하는 것이 가장 믿을만한 소견. 조영제가 24시간 후에도 남아있는 것도 중요한 소견

※ 관장 등의 전처치를 하면 안됨.

☆Ⓒ 직장생검 : 확진

- manometry와 함께 가장 믿을 만함(간단하고 안전).
- 항문 2cm 이상 상방에서 시행한다(항문에서 2cm까지는 정상적으로 신경절이 적다).
- 병리 소견에서 신경절 세포가 없으며 acetylcholinesterase 염색 양성 반응을 보이는 비후된 신경 다발(nerve bundle)의 수적 증가가 있으면 진단된다.

Ⓓ 직장압력검사

- rectoanal inhibitory reflex : 정상에서는 직장이 stretch되면 반사적으로 anal sphincter의 압력이 감소되어 내괄약근이 이완된다.
- 정상적인 rectoanal inhibitory reflex(-), 오히려 압력 증가
- 영아에서는 검사하기 어렵고, 결과가 확실치 않으면 직장흡인 생검실시

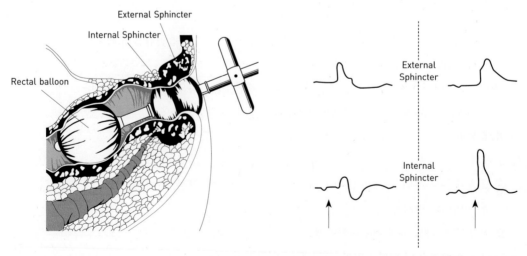

(4) 치료

- 수술(Swenson법, Duhamel법, Soave법) : 6개월~1년 사이에 시행

- 신경절이 있는 부위와 직장을 연결하는 근치수술

- 예후는 비교적 좋다.

(5) 기능성 변비와 선천성 거대결장의 감별

3) 염증성 장질환 : 궤양성 대장염과 크론병

(1) 증상

- 공통된 3가지 주요 증상 : 설사, 복통, 혈변(수주~수개월 이상 반복)

- 점액, 혈변이 섞인 설사는 UC의 특징

- 소아에서는 성장 장애가 염증성 장질환의 주요 증상, 특히 크론병

- 장외 병변 : CD > UC

  : 구강 궤양, 관절통 및 관절염, 피부 병변, 눈의 병변, 간병변, 사구체신염, 응고
  장애 등

(2) 치료

① 소아 궤양성 대장염의 치료

- 경증 궤양성 대장염 : 5-ASA 제제를 사용(직장염과 하부 대장염 치료시 효과)

- 중증도-중증 궤양성 대장염 : 5-ASA 치료 효과 없으면 스테로이드(prednisone)
  를 경구 투여

- 급성 중증 궤양성 대장염 : 관해 유도가 잘 오지 않으면 methylprednisolone을 정
  맥주사하고 효과가 좋으면 prednisone으로 변경(methylprednisolone보다 20% 증
  량). 이후 지속적 관해 유지를 위해 azathioprine이나 6-MP를 사용(only 유지 용
  법에만 사용)

- Steroid 의존성이 있는 소아의 경우 infliximab, adalimumab 등 생물학적 제제 투여
  나 수술

- 심한 전격 장염 환자 : cyclosporine을 투여(but 부작용 빈도 높다), 최근 Infliximab을 선호

- 난치성 전격 대장염 : 전 대장 절제 수술을 권함.

- 궤양성 대장염의 수술의 적응증 : 지혈이 불가능한 출혈, 독성 거대결장증, 심한
  복통과 설사, 악성 종양 발생의 경우 전 대장 절제로 완치

- 소아의 UC는 성인 UC에 비해 대장염이 심하고 진단부터 수술까지의 시간이 짧다.

- colectomy with endorectal pull-through 술식을 사용(프로바이오틱스가 합병증 치
  료에 효과)

② 소아 크론병의 치료

- 크론병에서는 수술 후 누공의 합병증이 올 수 있다.
- 경한 크론병 : 메살라민을 투여(5-ASA를 코팅한 것, 소아의 경우 많이 사용)
- 하부 대장 병변 : 국소 메살라민이나 국소 스테로이드를 경구 약제와 함께 사용
- 항문 주의 병변 : 메트로니다졸 항생제를 사용(장기간 사용 시 말초 신경염의 부작용)
- 회장 또는 우측 대장 병면 : 경구 부데소나이드(Budesonide) 사용
- 장관 영양요법 : 스테로이드 부작용을 우려한 대체 요법(궤양성 대장염에서는 도움이 안됨)
- 중등도, 중증 크론병
  - 관해 유도로 스테로이드(prednisone) 사용.(50%는 스테로이드 효과 X)
  - 관해 유도 후 azathioprine 또는 6-MP로 관해 유지 치료를 시행
  - 효과 없을 시 메토트렉세이트 제제를 피하 또는 경구로 투여하거나 infliximab 등 생물학적 제제 또는 수술적 치료를 시도(infliximab 사용 시 결핵 감염 염부 확인)
- 수술적 치료(장 절제 배농) : 천공, 협착, 난치성 출혈, 농양, 지속적 누공, 성장 부진, 약물 치료 실패 시. 재발 방지를 위해서 메살라민, 메트로니다졸, 아자티오프린, 인플릭시맵 등을 사용

궤양성 대장염과 Crohn병의 감별점		
구분	궤양성 대장염	Crohn병
1. 임상증상		
설사	+ + + +	+ + +
선홍색 혈변	+ + + +	+ +
복부 압통	+ +	+ + +
복부 종괴	없음	+ +
독성 거대 결장	+	+
천공	+	+
누공 형성		
Perianal, perineal	없음	+ +
Enteroenteric	없음	+
2. 내시경 소견		
직장 병변	+ + + +	+ +
병변의 연속성	+ + + +	+
Friability, purulence	+ + +	+
Aphthous, linear ulcer	없음	+ + +
Cobble stone 양상	없음	+ +
가성용종(pseudopolyps)	+ +	+
3. 방사선 소견		
병변의 연속성	+ + + +	+ / −
회장의 병변	없음	+ +
협착	+ / −	+ +
누공 형성	없음	+ +
병변의 비대칭성	없음	+ +
4. 병리 조직 소견		
Granuloma	없음	+ + +
Transmural inflammation	+ / −	+ + +
Crypt abscess	+ + +	+
Skip area	없음	+ + +
Linear aphthous ulcer	없음	+ + +
ANCA*	70%	20%
ASCA†	5%	55%

*ANCa : Anti−neutrophil cytoplasmic antibody
† ASCA : Anti−saccharomyces cerevisiae antibody

4) 만성 설사 및 흡수장애 증후군

- 만성 설사 : 설사 기간이 14일 이상 지속될 때
- 원인
  ① 장내 요인 : 소화 효소 부족에 의한 흡수장애
  ② 점막 요인 : 세균, 바이러스, 기생충, 진균에 의한 점막 손상

만성 설사의 감염성 및 비감염성 원인	
감염	**구조적 문제**
세균, 바이러스, 기생충	Microvillous inclusion 병
소장 내 세균 과증식	Tufting enteropathy
Postenteritis 증후군	림프관 확장증
외인성 물질	**전해질 수송 장애**
탄산음료, 이당류 식품 과다 섭취	무베타지방단백질혈증
제산제, 하제 과다 섭취	장성 말단피부염
소화기 장애	**장운동 장애**
낭성 섬유증	선천성 거대 결장증
Shwachman–Diamond 증후군	만성 거짓 장폐쇄
만성 췌장염	갑상샘 중독증
돌창자 절제	
영양소 흡수장애	**신생물 질환**
낭성 섬유증	VIPoma
짧은창자 증후군	Zollinger–Ellison 증후군
만성 췌장염	갈색세포종
돌창자 절제	림프종
면역 질환	**만성 비특이 설사**
음식물 알레르기	기능성 설사
호산구 위장염	Toddler's diarrhea
염증성 장질환	과민 대장 증후군
자가 면역 장병	

(1) 기전

① 삼투성 설사

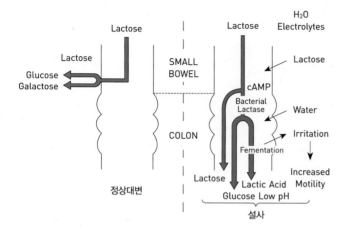

Osmotic diarrhea

Lactase 결핍에 의한 lactose malabsorption시의 설사 기전이다. 좌측은 2정상 lactose 흡수 영아, 우측은 장관 내 lactose가 분해 흡수되지 못하여 설사를 일으키는 기전이다.

② 분비성 설사

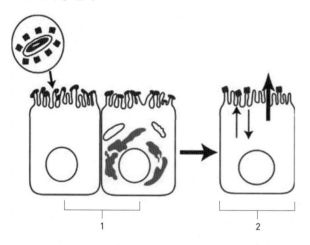

Secretory diarrhea의 기전

1. Enterotoxin 생산형 세균이 enterocyte의 brush border에 부착되어 exotoxin을 내면 microvilli에 붙게된다. 이 exotoxin이 adenyl cyclase 생성을 촉진시킨다.
2. 세포 내 cyclic AMP를 증가시키고, 이것은 전해질과 수분 배설을 증가시킨다.

삼투 설사와 분비 설사		
구 분	삼투 설사	분비 설사
대변의 양	평소보다 증가	매우 심하게 증가
금식에 대한 반응	설사가 멈춤	설사 지속
대변 삼투질 농도	증가	정상
이온차(ion gap)	≥100mOsm/kg	<100mOsm/kg

③ 수송단백의 이상 : 유전자 변이가 원인, 임신중 양수과다의 History(+)

④ 흡수면적의 감소

- 장절제술
- celiac 질환

⑤ 장관운동의 변화

- 운동저하 : 음식물의 정체와 세균의 지나친 증식
- 운동항진 : 소화흡수 저하

(2) 진단

만성 설사 환아의 진단	
단계	기본 검사
1단계	장관 내 감염확인 　대변 배양검사 　기생충 검사 　바이러스 검사 　대변 전해질 측정 　호기 수소 검사 　음식 알레르기 검사
2단계	장관 내 구조 이상 확인 　소장 · 대장 생검 　PAS 염색 　전자 현미경 검사 　Morphometry
3단계	특수 검사 　조직 면역조직화학 검사 　Anti-enterocyte antibody 측정 　혈청 카테콜아민 검사 　솔가장자리 효소 활성도 측정 　장관 운동 기능 및 전기 생리학적 기능 검사

(3) 만성 설사를 일으키는 주요질환

① 장관 감염

가장 흔한 원인이며 주로 대장균이나 로타바이러스 또는 노로바이러스에 의한다.

증상이 심할 경우 거대세포 바이러스나 *Clostridium difficile* 등을 의심해야 한다.

② 음식 알레르기

음식 과민 반응에 의한 위장 증상의 분류	
IgE 매개	즉시형 위장관 과민증, 구강 알레르기 증후군
혼합형	알레르기 호산구(식도염, 위염, 위장염)
IgE 비매개	음식 유발(소장결장염(enterocolitis), 직장염(proctitis), 장증(enteropathy)), Celiac 질환

Ⓐ 확진법 : 유발 음식을 먹지 않은 뒤 → 이중맹검으로 실시하는 음식 유발 시험 (DBPCFC)

Ⓑ 피부반응검사 & RAST : IgE allergic reaction이 음식알레르기의 원인인자를 알아내는데 매우 효과적이다. 단, IgE검사에서 양성결과의 유효성은 병력청취와 환자의 나이에 따라 결론지어야 한다.

Ⓒ 음식 알레르기가 있는 영아와 소아에서 90%는 달걀/우유/땅콩/대두/밀에 반응

Ⓓ 치료
- 알레르기 유발 음식 안 먹음.
- 3일내 위장 증상이 좋아짐.

③ 염증성 장질환 : 연장아에서는 크론병이나 궤양성 대장염 등도 만성 설사의 중요 원인

④ 만성 비특이 설사(Toddler's diarrhea)

Ⓐ 4세 미만에서 발생하는 기능성 설사와 5세 이상에 발생하는 과민 대장 증후군을 포함.

Ⓑ 수양성 대변 + 정상 변 : 주기적 번갈아가며 발생

Ⓒ 선진국 만성 설사 : 가장 흔한 원인

Ⓓ 원인
- 과다한 수분 섭취(150 mL/kg/일 이상)
- 과식 → 4F (fiber, fluid, fruit juice, fat)
- 저지방 & 고탄수화물 식이

Ⓔ 대변 : 소화되지 않는 섬유질 & 점액 & 전분 입자로 구성

Ⓕ 장 통과 시간 빠르지만 흡수 능력은 정상

Ⓖ 성장 발육 : 정상

Ⓗ 치료
- 보호자 안심
- 야채 + 과일 → 식이 섬유의 섭취 시도
- 지방은 공복 시 운동 양식을 방해하여 장 통과를 지연시키므로 고지방 음식 권장
- 단 수분 섭취량이 많은 환아는 고지방식과 수분 섭취를 제한

⑤ 흡수장애 증후군 : 복부 팽만 + 창백함 + 고약한 냄새 + 양이 많은 대변 + 근육질 저하 + 성장 부진 + 체중감소

Ⓐ 탄수화물 흡수장애

선별 검사	확진 검사
1. 대변 pH : 5 이하 　① 탄수화물 흡수장애 　　② 당분 과다 섭취	1. 호기 수소 검사 : 　① 유당 불내성 검사에 가장 좋음 　② 흡수되지 않은 유당 　　→ 대장내 세균이 　수소로 분해 　　→ 15~20% 점막을 　통과해 폐로 배출 　　③ 이것을 측정
2. 환원당 : 2+ 이상 　→ 흡수장애 의심	2. 유당 내성 검사
3. 대변 삼투압	3. 생검 조직의 유당 분해효소 검사

ⓐ 유당 불내성 : 소아 만성 설사의 가장 흔한 원인이며 장염 후 일시적 lactase 결핍
　증은 당흡수장애의 가장 흔한 원인이다.

ⓑ 기전

　　a. lactase(lactose 분해 효소) : 장점막 효소에 비해 양 적음 + 가장 표면에 존재

　　　　　┌ 가장 먼저 감소
　　　　　└ 가장 늦게 회복

　　b. 장내 유당 증가 ┌ 삼투압 증가 → 장관 내 수액 + 전해질 유입
　　　　　　　　　　　└ 삼투성 설사 + 장운동 증가

　　c. 장내 비흡수 탄수화물 ┌ 대장내 세균이 분해
　　　　　　　　　　　　　├ short chain 지방산 + 수소 + 이산화탄소 + 메탄
　　　　　　　　　　　　　└ 삼투압 증가로 삼투성 설사 악화

　　d. 대장 pH 감소(산성) → 장 운동 증가 + 설사 악화

Ⓑ 지방 흡수장애

　ⓐ 음식을 잘 먹어도 성장 부진이 있는 소아가 대변량이 많고, 기름기가 있고 악
　　취가 날 경우

　ⓑ 췌장기능이상, 담즙이상, 세균의 과증식, 소장점막 질환을 의심

　ⓒ 검사 : 72시간 수집 변 지방 검사, 땀 검사(sweat test), D-xylose흡수 검사

Ⓒ 단백 흡수장애

　ⓐ 췌장 부족 증후군(syndromes of pancreatic insuffciency)에서 가장 흔히 보이며
　　지방변 동반

ⓑ 선천 장림프관 확장증(congenital intestinal lymphangiectasia)은 단백 소실 장증
을 일으키는 질환의 하나임(저단백혈증, 저감마글로불린 혈증, 지방변과 림
프구 감소 소견)

⑥ 만성 단백 열량 영양실조
⑦ 장염 후 속발하는 만성 설사

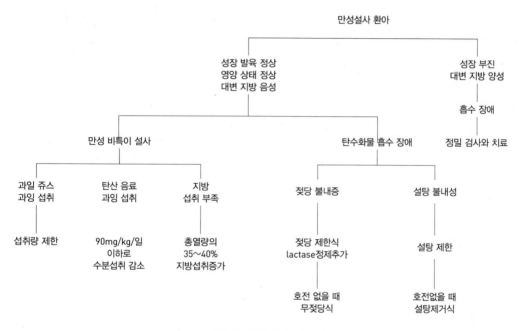

만성 설사 환아의 접근법

5) 급성 충수염

- 복통을 호소하는 어린이에게 우선적으로 감별해야 할 흔한 외과적 응급 질환
- 평균 발병 연령 : 6~10세
- 충수의 위치 : rectocecal (65%), pelvic (30%), 약 5%에서 이상 위치
- 소아의 특징 : 어른에 비해 충수가 길고 얇아 조기에 천공되기 쉬우며 10세까지는 대
망(omentum)이 얇고 짧아 범발성 복막염으로 더 잘 진행함.

(1) 증상

- 복통이 주 증상 : 충수의 위치에 상관없이 배꼽 주위에서 처음 시작
- 서서히 onset, 지속적, 점차 RLQ로 옮겨 가서 localized 됨

- 통증의 위치 변화는 매우 중요한 진단적 가치를 지님
- 식욕 감퇴, 오심, 구토 : 복통 이후에 하나나 둘 이상이 나타남. 복통보다 구토 등이 선행할 때는 위장관염일 가능성이 높음

(2) 진단

- 조기 진단이 필수적
- 대부분 병력과 복부진찰로 진단 가능
- Point tenderness : 손가락으로 가리킬 수 있는 통증이 가장 극심한 부위, 대개 배꼽에서 ant, sup, iliac spine을 연결하는 선의 lat. 1/3에 위치하는 McBurney point이며 그 부위에 근육강직과 반발통이 있을 수 있음.
- Lab : 대개 leukocytosis, shift-to-left.
- 초음파 : 충수의 위치에 상관없이 충수 병변을 볼 수 있고, 농양 형성시 정확한 진단이 가능하고 다른 질환과의 감별이 용이. 진단이 확실하지 않은 복통 환자에게는 꼭 시행

(3) 치료

- 수술적 조기 충수 절제술
- 천공성 충수염 : 항생제 치료 8주 후에 수술적 충수 절제술 시행

6) 선천 십이지장 폐쇄증

(1) 원인(고빈도순)

- 내인자
  ① Duodenal atresia : m/c
  ② Duodenal stenosis
  ③ Diaphragmatic web
- 외인자
  ① Annular pancreas
  ② malrotation
  ③ midgut volvulus : 초응급 수술을 요함(2시간 이내)
  ④ 십이지장 전치 문맥

(2) 동반 기형

  ① Down syndrome : 30%
    cf. Down에서 흔히 동반되는 소화기 기형
    Ⓐ Duodenal atresia

Ⓑ Imperforate anus

Ⓒ Congenital megacolon

Ⓓ Umbilical hernia

② Malrotation of midgut

③ Congenital heart disease

④ Esophageal atresia

⑤ Genitourinary tract anomaly

⑥ Anorectal anomaly

⑦ 17~75%에서 산모의 양수 과다증, 50%는 미숙아이고 저체중아

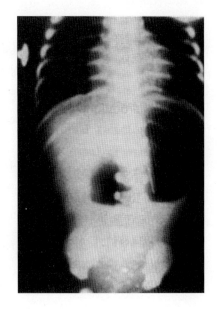

(3) 증상

- m/c Sx. : 구토(80% 정도에서 담즙성), 보통 출생 첫날
- 복부 팽만은 거의 없으나 복부 X선에서 특징적인 double bubble이 나타남.
- 체중감소, 전해질 불균형

(4) 치료 : 수술적 교정 : jejuno-jejunostomy

7) 멕켈 게실

(1) 정의 : 배꼽 장관막관(omphalomesenteric duct) 또는 난황관(Vitelline duct)이라고도 불리는 태생기 난황관(York sac)의 잔유물로 출생 후에도 회장 하부에 남아있게 된 것.

(2) 소화기 선천 기형증 가장 흔함(전체 영아의 2~3%).

☆(3) 가장 중요한 임상증상은 장출혈이다(∵ 게실내에 이소성으로 위점막이 있어서 위산이 분비되어 혈관이 헐기 때문).

(4) 1~2살의 어린이에서 무통성의 대량직장출혈이 있는 경우 → 멕켈 게실 출혈을 우선적으로 의심

☆(5) 진단 : 멕켈 게실 동위원소 스캔으로 확진. 위 점막에 선택적으로 섭취되는 Tc-99m pertechnetate 동위원소를 정맥으로 주사

→ 정상 위점막과 함께 게실내 이소성 위점막에 동위원소가 축적되는 것을 보고 진단

☆(6) 치료는 수술적 절제

8) 항문직장기형

(1) 해부학적 분류

① 고위기형(high type) : 막힌 직장 위치가 pubococcygeal line 상방에 위치

　→ 대장 gas가 배뇨 시 복압 상승으로 요도와의 fistula를 통해 배출

② 중간기형 : P–C line을 통과했으나 ischium point 상방에 위치

③ 저위기형(low type) : P–C line과 I point를 모두 지나 하방에 위치

　㉠ 남아의 80%, 여아의 90%

　㉡ 대부분 직장과 회음부를 연결하는 누공이 있다.

　㉢ 동반기형의 빈도가 고위기형보다 낮다.

　㉣ 치료는 예비적 결장루 없이 회음식 항문 성형술을 시행한다.

항문 직장 기형의 Wingspread 분류법(1984)		
여아		남아
Anorectal agenesis 　with rectovaginal fistula 　without fistula Rectal atresia	고위 기형	Anorectal agenesis 　with rectoprostatic urethral 　fistula 　without fistula Rectal atresia
Rectovestibular fistula, Rectovaginal fistula Anal agenesis without fistula	중간 기형	Rectobular urethral fistula, Anal stenosis
Anovestubular fistula Anocutaneous fistula Anal stenosis	저위 기형	Anocutaneous fistula Anal stenosis
클로아카		
드문 기형		드문 기형

* type을 감별할 수 있는 가장 좋은 방법은 항문 부위의 시진!

(2) 진단

① Wangensteen invertogram

② 엎드린 상태에서 골반을 높여 찍는 cross table lateral

(3) 치료(수술)

① 저위기형

　• 남아 : 출생 직후 cut–back anoplasty

　• 여아 : 생후 2~3개월쯤 cut–back or jump–back anoplasty

② 중위 or 고위기형

- 신생아기 : 예비적 결장루 만듦.
- 3~6개월 : 후방 중앙 절개식 항문직장성형술
- 술후 2~3개월 : 결장루를 닫음
- 배변 조절 : 특별한 괄약근 또는 신경이상 없으면 만족할 만함.

9) 단백소실 장질환(Protein-losing enteropathy)

- 여러 가지 원인으로 인해 장관으로부터 과량의 혈청단백이 소실되는 질환

(1) 원인

장 단백 소실을 일으키는 질환	

장 림프관으로부터 소실
 원발성 장 림프관 확장증
 속발성 장 림프관 확장증
 심질환
  교착성 심낭염(Constrictive pericarditis)
  울혈성 심부전(Congestive heart failure)
  심근병증(Cardiomyopathy)
  Post Fontan procedure
 림프관 폐쇄(Obstructed lymphatics)
  장 이상 회전(Malrotation)
  림프종
  결핵
  Sarcoidosis
  Radiation therapy/chemotherapy
  Retroperitoneal fibrosis/tumor
 감염
  침습성 세균 감염(예 : *Salmonella, Shigella*)
  기생충(예 : *Giardia*)
  Clostridium difficile
  Helicobacter pylori
  장내 세균 이상 증식(Bacterial overgrowth)
	장점막으로부터 소실
	 Immunologic and inflammatory disorders
	  위장관에 염증을 유발하는 질환
	   Ménetrier 병
	   호산구성 위장염(Eosinophilic gastroenteritis)
	   Milk and soy-induced enteropathy
	   Common variable immunodeficiency
	   방사선 장염
	   이식편대 숙주병(Graft versus host disease)
	   궤양성 공장염(Ulcerative jejunitis)
	  대장에 염증을 유발하는 질환
	   궤양성 대장염(Ulcerative colitis)
	   Crohn병
	   선천성 거대 결장(Hirschsprung disease)
	   괴사성 장염(Necrotizing enterocolitis)
	 혈관염성 질환
	  전신홍반루푸스(Systemic lupus erythematosus)
	  Mixed connective tissue disease
	  Henoch-Schönlein 자반증

(2) 증상 : 원인에 의한 증상+저단백혈증에 의한 부종

(3) 진단 : 대변에서 α-antitrypsin의 양 측정 → 위장관에서 분비되는 albumin양 추정

(4) 치료 : 근본질환의 치료(2day)

(단 Primary intestinal lymphangiectasia에서는 저지방, 고단백, medium-chain triglycerides 포함식이로 처방)

III 간 및 담도질환

1. 급성 및 만성 감염

1) 개요

(1) 소아 간염의 원인

소아 간염의 원인과 감별진단	
소아 감염	**원인과 감별진단**
감염성	간 친화 바이러스(HAV, HBV, HCV, HEV, HDV, Hepatitis non-A-E viruses) 전신 감염(CMV, EBV, HSV, Enterovirus, HIV) 간의 비바이러스 감염(농양, Amebiasis, 세균 패혈증, Leptospirosis)
자가 면역 이상	만성 자가 면역 간염, 기타(예: SLE, JRA)
유전 및 대사 질환	윌슨병, 당원병, tyrosinemia, mitochondrial hepatopathy, 지방산 산화 장애, 낭 섬유증, α_1-antitrypsin 결핍증
독성	의인성/약제 관련(예: acetaminophen), 환경(예: 살충제)
해부학적 이상	총담관낭, 담도 폐쇄증
혈역학적 이상	쇼크, 울혈 심부전, Budd-Chiari 증후군
비알코올성 지방간질환	
기타	특발성, 경화 담관염, Reye 증후군

(2) 간친화성 바이러스성 간염 : 임상적으로 중요한 간염 바이러스는 A형, B형, C형, D형, E형 간염 바이러스 등 5종

바이러스 간염의 특징					
특징	**A형**	**B형**	**C형**	**D형**	**E형**
바이러스 구조	RNA	DNA	RNA	RNA	RNA
잠복기	15~50일	45~180일	7~9주(2~24)주	2~8주	15~60일
전파					
비경구	드물다	있다	있다	있다	없다
대변-경구	흔하다	없다	없다	없다	흔하다
성관계	없다	있다	있다	있다	없다
출생 전 후기	없다	흔하다	드물다	있다	없다
만성 간염	없다	있다	있다	있다	없다
전격 간염	드물다	있다	드물다	있다	있다

(3) 전신 감염 유발성 바이러스 간염

- 대개 급성 간염
- self-limited
- Enterovirus, Epstein-Barr virus (EBV), Cytomegalovirus (CMV), HIV

(4) 전신 질환과 연관된 간질환

- 패혈증, 요로 감염 등의 세균성 질환에 동반
- 자가 면역성 질환, 근육질환, IBO, 종양, 약물, 면역결핍증, 유전 대사성 간질환(윌슨병 등), 지방간 등이 원인이 될 수도 있음.
- 최근 비만아에서 비알콜성 지방간염 증가

(4) 간친화성 virus의 특징

임상적 특징					
	HAV	**HBV**	**HCV**	**HDV**	**HEV**
Genome	RNA	DNA	RNA	RNA	RNA
Family	Picorna	Hepadna	Flavi : Pesti	Viroid	Calici
Incubation (days)	15~45	30~180	15~150	30~180	15~60
Transmission	Faecal Oral	Blood Saliva	Blood Saliva	Blood	Faecal Oral
Acute attack	Depends on age	Mild or severe	Usually mild	Mild or severe	Usually mild
Rash	Yes	Yes	Yes	Yes	Yes
Serum diagnosis	IgM anti-IgM HAV	anti-HBc HBsAg HBV DNA	Anti-HCV HCV RNA	IgM anti-HDV	IgM anti-HEV
Peak ALT	500~1,000	1,000~1,500	300~800	1,000~1,500	800~1,000
Up and down	No	No	Yes	No	No
Prevention	Vaccine	Vaccine	–	–	–
Treatment	Symptomatic	Symptomatic Antivirals	Symptomatic Antivirals	Symptomatic Antivirals	Symptomatic

2) A형 간염(Hepatitis A)

(1) 증상

① 영유아에서는 감기같이 가볍게 지나가는 것이 특징, 연장아나 성인은 증상이 심해지며 황달발생

② 2~3세의 약 80%, 4~6세 아동의 50%에서 급성 A형 간염(HAV) 시 황달이 없었음.

③ 항체가 없는 구미 선진국 : 성인의 HAV 감염 시 증상이 중하고(황달↑) 소아에 비해 mortality↑

- 급성 간염의 전형적인 임상 증상
    - Ⓐ 전구기(황달이 나타나기 전 수일간)
        - ㉠ 발열, 쇠약감, 위장관 증상(구역질, 구토, 식욕 부진, 우측 상부 또는 명치 부위의 복통 등)
        - ㉡ 대부분의 환자에서 간의 비대와 압통을 볼 수 있음.
        - ㉢ 일부에서는(20~25%) 비장비대
    - Ⓑ 황달기
        - ㉠ 소변 색깔은 담황색으로 진해짐(bilirubinuria)
        - ㉡ 대변 색깔은 간조직 내 담즙 정체가 심하면 회백색의 진흙 색깔
        - ㉢ 담즙의 피부 침착으로 인한 가려움증이나 정신적 우울 상태가 올 수 있다.
        - ㉣ 어른에 비해 소아의 황달은 빨리 없어짐(대개 1~2주간).
        - ㉤ 드물게 심한 가려움증과 함께 황달이 12주 이상 지속되는 비전형적 담즙 정체간염(cholestatic hepatitis)으로 이행하기도 함.
    - Ⓒ 회복기
        - ㉠ 환자의 식욕이 돌아오고, 황달, 간기능 검사 이상이 정상화됨 (대개 2~6주 정도 지속)
        - ㉡ ALT의 이상이 3~6개월까지 계속되는 경우도 있음.

(2) 검사 소견

① AST, ALT 상승

② 효소 상승 정도와 간염의 심한 정도는 꼭 비례하지 않음.

③ 빌리루빈뇨(bilirubinuria)와 혈청 빌리루빈이 상승

④ 빌리루빈뇨는 황달이 나타나기 1~2주 전에 먼저 나타남.

⑤ PT 연장 소견, 혈청 빌리루빈 상승 소견 → 예후와 간염의 심한 정도를 가장 잘 반영

⑥ 혈청 검사상 IgM형 anti-HAV는 최근의 감염을 의미하며, 4~6주 내에 IgG형 anti-HAV로 대체 IgG형 anti-HAV만 있으면 과거 감염을 의미하며 면역이 있음을 의미

(3) 진단

① IgM type의 anti-HAV Ab(보통 4개월 이후 소실)

② IgG type : 과거 감염, immunity(+)

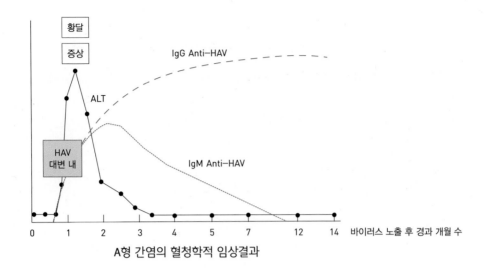

A형 간염의 혈청학적 임상결과

(4) 치료

① 급성 바이러스성 간염에 특별한 치료제는 없다.

② 안정, 고단백식이, 비타민 B : 관습적

③ 뇌증이 동반된 급성 전격성 간염 → 단백섭취 제한

(5) 합병증과 예후

① 대부분(98%)의 A형 간염은 완전 회복되며, 합병증은 드물다.

② 급성 전격성(acute fulminant hepatitis)

Ⓐ 급성 바이러스성 간염의 0.1%에 볼 수 있으며 대부분 수주이내 사망

Ⓑ 황달이 점차 심해지고 의식장애, 장출혈, 복수가 나타나며 간의 크기가 갑자기
줄며 만져지지 않을 때 의심

Ⓒ PT 연장, AST/ALT ↑ (≥ 1,000 IU/L), hypoglycemia, hyperammonemia, respira-
tory alkalosis

Ⓓ Babinski sign(+), 과호흡과 호기 시 특징적 냄새(fetor hepaticus), asterixis or flap-
ping tremor

Ⓔ 조직소견 : 광범위한 bridging necrosis

(6) 예방

① 주로 오염된 대변에서 입으로 전파되며, 물이나 음식에 의하여 집단 발생이 가능

② 황달 출현 전 2주에서 출현 후 1주 사이에 전염성이 문제 : 이 기간 동안 접촉은 피함

③ Vaccination

→ Ix. ① 간염유행지역으로의 여행자 및 장기 체류자

② A형 간염이 주기적으로 발생하는 지역의 2세 이상 어린이와 청소년

③ 만성간질환 환자

④ 그밖에 직업적으로 A형 간염에 노출될 위험이 있는 사람, 불법 약물 주사
남용자, 남성 동성연애자, 군인

④ post-exposure Tx.

- 면역글로불린(0.02mL/kg) : 2주 내에 IM

- Ix. ① A형 간염환자와 접촉한 경우(성적 접촉 포함)

② A형 간염 모체의 신생아

③ 집단발생한 어린이집 직원과 어린이

④ 병원이나 집단보호소 내 간염 유행 발생시

3] **B형 간염**

[1] 바이러스 구조

① B형 간염 바이러스(HBV)는 직경 42nm의 DNA 바이러스로서 HBV의 유전자는 S,
C, P, X로 구성(여기에서 각각 HBsAg, HBcAg/HBeAg, DNA polymerase, HBxAg이
만들어진다)

② HBV는 혈청 내에서 42nm의 완전한 바이러스인 Dane particle과 직경 22nm의 구형
입자 또는 막대형 입자로 발견

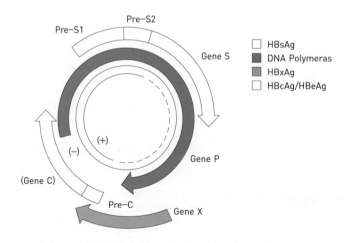

[2] 역학

① 1983년 예방접종의 임상 도입 후 우리나라 인구의 HBsAg 양성률은 과거 7% 정도
에서 현재 3%정도로 감소

② B형 간염의 주전파경로 : 비경구(parenteral)감염, 오염된 혈액이나 혈액제제(예 :
factor VIII or IX) 사용, 불법적인 약물 주사 사용자, 보유자와의 밀접한 접촉(칫솔,
면도기 종류)이나 성적전파

③ HBsAg 양성인 모체로부터 출생한 신생아에게 전파되는 출생 전 후기 감염 : 소아
의 가장 중요한 전파형태. 아시아, 적도 아프리카 중국, 과거의 우리나라 등 보유자
빈도가 높은 나라의 최초 감염 연령기는 영 · 유아 & 소아이며 주감염 경로는 모체
에서 태아로의 수직전파

④ 분만직후 신생아 : 2.5%에서만 HBsAg 양성. 나머지는 출생 2~5개월 후(+)
→ 재태기간 중 감염률은 낮고 대부분 분만 시 태반이나 양수 혈액을 흡인하는 것으로
추정

⑤ B형 간염바이러스 : 다른 바이러스와 달리 간세포의 직접적 손상이 아닌 T세포 매
개 면역기전에 의한 간 손상

⑥ 혈청 HBsAg가 6개월 이상 양성 → 만성 보유자

Ⓐ B형 간염 바이러스가 성인에서 감염되는 경우 약 10% 미만에서 만성 HBsAg 보유자

Ⓑ 임산부에서 신생아로 B형 간염 바이러스가 수직 전파되는 경우는 90% 이상에서
만성 HBsAg 보유자가 됨.

⑦ 6개월 이상 HBsAg를 보유하는 만성 보유자 중에는 간염 소견이 없이 건강한 보유
자 상태로 있는 경우도 있고 만성 간염 소견을 보이는 경우도 있음.

[3] Serologic marker의 의의

① 대표적인 항원-항체계 : B형 간염의 HBsAg와 anti-HBs, HBeAg와 anti-HBe, HBc
Ag과 anti-HBc, pre-S Ag (pre-S1, S2)과 anti-pre-S (anti-pre-S1, S2), HBxAg와
anti-HBx

② HBe항원-항체계는 감염성(infectivity)과 관계가 깊음.

Ⓐ HBeAg 양성인 환아 → 타인에게 감염시킬 위험↑

Ⓑ 반대로 anti-HBe 양성인 환아의 피 → 수혈을 받아도 B형 간염 감염의 위험성 ↓

③ HBcAg (hepatitis B core항원)은 환아의 혈청에서는 거의 발견하기 어려우며, 이에
대한 항체인 anti-HBc만 혈청 내에 있을 때

Ⓐ 감염 받고 회복된 지 오래된 환아

Ⓑ 최근 감염으로 Window 시기(HBsAg는 없어졌으나 아직 anti-HBs가 출현되지 않
은 이행기)에 있는 환아(IgM anti-HBc 양성)

Ⓒ B형 감염 바이러스가 있어도 검사상 나타나지 않는 만성 보유자의 경우를 생각
해야 함.

④ 급성 전격성 B형 감염 시 → HBsAg가 음성, IgM anti-HBc만 양성으로 나타나는 경우도 있음.

⑤ HBV DNA검사(최근에 많이 사용) → HBV의 증식과 감염력을 의미

구분	HBsAg	Anti-HBc	Anti-HBs	의의
B형 간염 바이러스 감염에서의 혈청학적 진단				
1	+	−	−	급성 HBV 감염 초기 또는 보유 상태, HBsAg 역가가 낮은 경우 거짓 양성
2	+	+	−	급성 간염(anti-HBc IgM)이나 만성 간염 또는 보유 상태(anti-HBc IgG)
3	−	+	+	HBV 감염 후 또는 회복(anti-HBc가 IgG형일 때)을 의미한다. 간혹 전격 간염에서 IgM anti-HBc가 양성이면서 anti-HBs가 양성인 경우가 있다.
4	−	+	−	급성 간염 회복 중 HBsAg은 없어졌으나 아직 anti-HBs가 출현되지 않은 이행기(window 시기), 그 외 HBV 감염 후 장기간 경과하였거나 anti-HBc의 거짓 양성
5	−	−	+	HBsAg 예방 접종 후

(4) 증상

① 급성간염 : 대부분 무증상, 증상이 있는 경우 A, C형 간염과 비슷

증상은 조금 더 심한편이며 관절통, 두드러기, 발진 등 혈청병양전구증상(serum sickness-like prodrome), 간외증상(막 또는 막증식성 사구체신염, Gianotti-Crosti 증후군, 혼합 한랭 글로불린혈증, 결절다발동맥염)

② 만성 간염에는 예후가 좋은 만성 지속성 간염(chronic persistent hepatitis)과 예후가 불량한 만성 활동성 간염(chronic active hepatitis)이 있으며, 양자의 구별은 간생검에 의함.

▶ 만성 지속성 간염

㉠ 간문 부위(portal area)에 염증 세포 침윤이 있으나 간실질에 간괴사 소견은 볼 수 없음.

㉡ 황달은 없이 AST, ALT만 상승하여 특별한 치료 없이 회복

▶ 만성 활동성 간염

㉠ AST, ALT상승과 함께 간생검상 간실질에 piecemeal necrosis가 특징적

㉡ 점차 진행하면 황달, 간문맥압 항진증, 간경화로 이행

▶ B형 간염에서 D형 간염 바이러스가 동반 감염되거나 변종 B형 간염 바이러스 (mutant HBV)감염 시 → 급성 전격성 간염이 잘 발생

▶ HBV은 원발성 간암의 원인이 되며 드물지만 소아에서도 보고

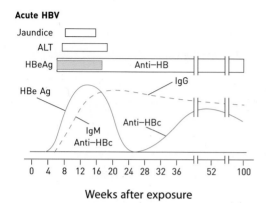

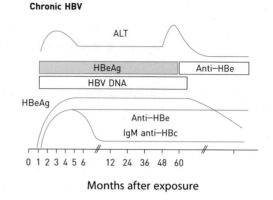

- 자연 경과

  Ⓐ 면역관용기 : 바이러스가 증식하고 HBeAg(+)이나 감염된 간세포에 대해 T세포가 관용을 가져 간세포 손상 없고 ALT가 정상인 시기

  Ⓑ 면역제거기 : 간 조직의 괴사가 동반되면서 ALT 상승 감염된 간세포가 제거되는 시기

  Ⓒ 비증식기 : 혈청 전환이 생기고(HBeAg이 음전, anti-HBe가 양전) 바이러스 증식이 사라지는 시기

면역 관용기 (HBV 증식 활발, HBeAg)	면역제거기(HBV 제거)	비증식기 (HBV DNA, 소실 anti-HBe)
경증간질환	활성 간질환	비활성 보유자

⑸ 예방과 치료

① 예방

  Ⓐ 실수로 오염된 주사 바늘에 찔린 경우나, 성적 배우자가 HBsAg 양성인 경우 : HBIG(B형 간염 면역글로불린) 0.06mL/kg을 24시간 내에 근주하고, 1개월 후에 한번 더 근육주사(HBIG의 anti-HBs치는 1 : 10만 이상으로 일반 immunoglobulin에 비하여 매우 높다)

  Ⓑ 통상적인 접종 방법은 근육주사로 3차례 접종

→ 근육주사 부위 : 성인이나 연장아에서는 deltoid근육, 영 · 유아에서 대퇴 근육 (antero-lateral aspect of the thigh)에 주사하는 것이 좋다(엉덩이 쪽 부위(gluteal region)에는 면역 효과가 떨어지므로 주사를 피하는 것이 좋다).

ⓒ ㉠ 2차 접종 : 1차 접종 후 1개월째에 시행,

㉡ 3차 접종 시기는 백신 종류에 따라 2개월째 또는 6개월째에 시행(백신 종류에 따라 약간 차이는 있으나, 신생아 및 10세 이하의 소아는 성인 용량의 절반이 권장)

㉣ 치료

Ⓐ 만성 B형 간염 환자에 대한 좋은 치료 방법은 아직까지 없으나 최근 인터페론이 많이 시도되고 있다. → 6개월간 피하로 500~1,000만/mL 1주 3회씩 주사하면 대개 30~50% 정도에서 치료 효과(HBeAg 소실, HBV DNA 소실, ALT 정상, 간 조직 검사 호전)를 볼 수 있다(ALT가 높거나 HBV DNA가 낮은 환자, 주산기 감염이 아닌 환자에서 반응이 좋다).

Ⓑ 경구용 B형 간염치료제 : 라미부딘(nucleoside analogue)

Ⓒ 다른 전신 질환, 지방간염, 반응 간염 등 ALT가 올라갈 수 있는 질환과 감별 후 HBV에 의한 활성 감염으로 인한 ALT 상승이 확실할 때 시작해야 한다.

Ⓓ 라미부딘 내성 시 adefovir (nucleotide analogue)를 추가하여 치료 지속

Ⓔ 현재 약제 내성 문제로 내성 발생이 적은 entecavir 또는 tenofovir를 세계적으로 사용 추세

(6) 신생아 B형 간염

① HBsAg(+)인 임산부에서 신생아로 주산기 감염[즉 B형 간염 바이러스의 수직 전파 (vertical transmission)] 임산부가 HBsAg 만성 보유자이거나 임신 말기(출산 3개월 전)에 감염을 앓은 경우에 잘 온다.특히, 임산부가 HBeAg이 양성인 경우는 그 신생아에게 감염시킬 위험성이 매우 높다. 감염된 신생아는 보유자 상태로 있는 경우가 많으나, 간혹 심한 만성 활동성 간염이나 급성 전격성 간염을 일으키기도 한다.

② 전파 경로는

Ⓐ 임신 중이나 분만 시 바이러스가 태반을 통하여 전파되는 경우

Ⓑ HBsAg 양성인 양수나 혈액을 분만 시 신생아가 흡인한 경우

Ⓒ 출생 후 어머니와 긴밀한 접촉에 의한 전파 등을 고려

• 이 중 Ⓑ가 가장 중요하다. 모유에 의한 전파 위험성은 거의 없다

→ 모유 수유의 금기가 아님.

③ 모체가 HBsAg이 양성인 경우 수직 감염의 예방법 : HBIG (0.5mL)를 출생 12시간 이내에 B형 간염 백신과 함께 접종 부위를 달리하여 투여

임산부의 HBsAg가 음성인 경우 : 출생 시에 시행하거나, 또는 편의상 타 예방 접종의 시작 시기인 생후 2개월부터 다른 예방접종과 함께 시작하여도 좋다.

④ 간염 예방 백신은 DPT, 소아마비, 홍역 등의 타 예방 접종과 함께 접종하여도 상호간의 방해 작용이 없다.

⑤ HBsAg의 유무를 모르는 임산부의 경우 : 출생 후 가능한 한 조기에 예방 접종을 시행하는 것이 바람직하다.

4) C형 간염

(1) 역학

① 1988년 수혈 등 비경구 전파(parenteral transmission)와 관계있다고 생각되던 NANB형 간염(parenterally transmitted non−A non−B hepatitis)의 원인이 C형 간염 바이러스로 밝혀졌다.

② 혈액 공여자의 대략 0.4~1.2% 정도가 C형 항체 양성자로 조사되어 있으며, 우리나라에서의 항체 양성률도 1~1.5% 정도이다. 만성 간질환의 약 20%에서 C형 간염이 원인이 된다.

③ 수혈 후 간염(posttransfusion hepatitis)의 약 80%에서, 만성 간질환의 45~85%에서, 간암의 70~85%에서 발견

④ C형 간염 항체 : 혈우병 환자(60~90%), 마약 정맥주사 사용자(60~90%), 신장 투석 환자(15~20%)들에서 매우 높은 빈도를 나타나는 것으로 알려져 있다.

⑤ 수혈이나 오염된 혈액제제 투여 등에 의한 전파가 가장 중요한 감염경로, B형 간염에 비하여 수직 감염이나 성적 전파가 매우 낮다(∵ C형 감염 환자의 혈액에서는 바이러스의 수가 매우 적기 때문). 후천성 면역결핍증과 동반된 환자에서는 상대적으로 바이러스 감염 역가가 높아져 성적 또는 수직 감염 등의 비경피 감염에 의한 감염이 증가된다고 알려져 있다.

(2) 증상

① 수혈 후 발생하는 C형 간염의 임상 증상은 B형 간염보다 경해서 대개 증상이 없으며, 황달이 없다(25% 정도에서만이 황달이 생김).

② ALT, AST 등 간효소치의 변동이 매우 심한 특징을 가지고 있다.

③ 만성 간염으로의 이행률(85%)이 높으며, 만성 간염의 25%는 간경화가 되고, 후일 간암이 발생할 수 있다.

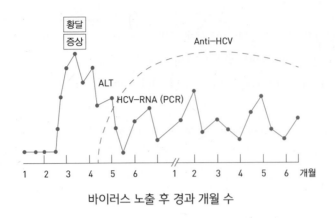

바이러스 노출 후 경과 개월 수

(3) 진단

① 혈중 바이러스 수가 적어 HCV단백 항원을 찾는 진단 검사방법 개발이 어려움 → 항체진단법에 의존

② HCV감염 초기 1~3개월 : 항체 검사 음성 → 급성 HCV감염 발견 어려움.

③ 제 3세대 anti-HCV항체 EIA 면역 분석법 : HCV의 증식과 감염성 반영(중화항체 아님)

④ RT-PCR : 매우 유용, 예민 급성 C형, 출생전 후기 감염, 저감마글로불린혈증 환자, 면역억제 환자의 진단에 유용

⑤ 소아의 만성 C형 감염은 간섬유화가 흔하며 이를 알기 위해서 간생검이 유일한 진단 방법이다.

(4) 치료

① 페그 인터페론(pegylated interferon) 알파와 리바비린(ribavirin) 병용요법이 표준 치료법

② 치료 종료 6개월 후에 혈중에 바이러스가 검출되지 않는 것으로 정의 되는 지속적 바이러스 반응(sustained virologic response; SVR)을 치료 반응의 척도로 삼는다.

③ 소아 만성 C형 간염의 치료는 HCV RNA가 검출되면서 간생검에서 연결 섬유증이나 문맥 섬유증이 동반되어 있으면서 최소한 중등도 이상의 염증이 있을 때 추천

④ C형 간염환자는 다른 간염에 의한 간손상을 막기 위해 A형, B형 간염예방접종, HCV 예방백신은 없다.

5) D형 간염

① 원인인 델타 바이러스 : 외피에 B형 간염의 표면 항원을 필요로 하는 불완전한 바이러스 → 혼자서 독립적으로는 증식할 수 없어서 D형 간염을 일으키지 못하고, 반드시 B형 간염 환자나 보유자에서 함께 간염을 일으키는 것이 특징(∴ HBV에 면역이 있으면 HDV도 예방)

② B형 간염 환자가 D형 간염 바이러스 감염이 되면 간염의 경과가 악화되어 예후가 나빠지며, 심한 만성 활동성 간염, 간경화, 급성 전격성 간염이 되기도 하므로 문제가 된다.

③ 우리나라는 B형 간염 바이러스 감염자가 매우 많은 데도 불구하고 D형 간염은 외국에 비해 매우 적은 것으로 알려져 있으며, 소아에서는 확진된 D형 간염 보고가 아직 없다.

④ 임상진단 : IgM형 델타항체(anti-HCV)나 HDV RNA

⑤ 치료 : 인터페론 알파

6) E형 간염

① E형 간염 바이러스는 과거 경구적으로 전파된다고 알려졌던 NANB형 간염(orally transmitted non-A non-B hepatitis)의 주요 원인)

② 주로 효소면역법에 의한 IgG와 IgM anti-HEV 진단법 이용

③ E형 간염은 유행적으로 집단 발생하는 경우↑(위생 상태가 나쁜 후진국에서 청장년층의 연령에 발생하는 급성 간염의 주요 원인으로 생각) 임신 중 발생하는 치명적인 바이러스 간염(사망률 20%)의 주요 원인이 E형 간염 바이러스에 의한다고 알려져 있다.

④ 임상적으로는 담즙정체 간염 형태가 많고 예후 좋다.

> **정리!!!**
>
> • 만성화 : B, C, D(rate는 C가 제일 높다), G
> • Carrier : B, C, D
> • 악성화 : B, C
> • 전격성 간염 : B, D
> • DNA virus : B
> • 전파 경로 : A, E만 fecal to oral route

2. 신생아 담즙 정체증

1) 정의

(1) 신생아 담즙 정체증 : 생후 14일 이후의 신생아기에 지속적으로 포합성 고빌리루빈혈증(conjugated hyperbilirubinemia)을 일으키는 질환군

(2) 감염성, 유전성, 대사성 또는 원인 불명의 어떤 요인에 의하여 담도의 기계적 폐쇄 또는 담즙 분비와 배설의 기능적 장애를 일으킴으로써 발생됨.

✚ 신생아 담즙 정체증의 원인과 감별진단

1. 담즙 배출 장애
　1) 간외 담도
　　Biliary astresia
　　Choledochal cyst
　　Bile duct stenosis
　　Mass (choledocholithiasis, neoplasm)
　　Bile/mucous plug("inspissated bile")
　　Choledochal-pancreaticoductal junction anomaly
　2) 간내 담도
　　Idiopathic neonatal hepatitis
　　Alagille syndrome (arteriohepatic dysplasia)
　　Nonsyndromic paucity of interlobular bile ducts
　　Ductal plate malformations: congenical hepatic
　　fibrosis, Caroli disease
　3) Canalicular membrane transpoters
　　PFIC type 1 (Byler disease)
　　PFIC type 2 (BSEP deficiency-progressive)
　　PFIC type 3 (MDR3 deficiency)

2. 간세포 기능이상
　1) 담즙산 생성 장애
　　세포소기관 기능이상(Zellweger)
　　BASD (3-oxo-Δ^4-5β-reductase deficiency,
　　3β-hydroxy-C27-steroid dehydrogenase/
　　isomerase deficiency)
　2) 감염
　　전신 세균성 패혈증
　　바이러스 간염
　　　hepatitis A, B, C, CMV, Rubella, Herpes,
　　　varicella, echovirus, coxackievirus, parvovirus
　　　B19
　　기타
　　　Tuberculosis, Syphilis, Listeriosis, Toxoplasmosis
　3) 독성
　　패혈증, TPN, 약물
　4) 대사질환
　　Cystic fibrosis
　　Idiopathic hypopituitarism
　　Hypothyroidism
　　Glycogenosis IV
　　Galactosemia, fructosemia
　　Gaucher disease
　　Neonatal iron storage disease

3. 기타
　1) 염색체 이상(Donahue 증후군, Trisomy 17, 18, 21)
　2) Shock and hypoperfusion
　3) Associated with enteritis
　4) Neonatal lupus erythematosus
　5) ARC syndrome

(3) 임상적 분류

　┌ 신생아 간염

　├ 간내 담도 형성 부전증(intrahepatic bile duct hypoplasia)

　└ 간외 담도 폐쇄증(extrahepatic biliary atresia)으로 분류된다.

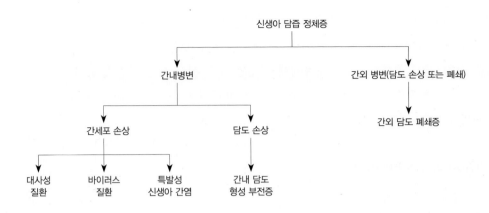

신생아 담즙 정체증의 병리 소견과 원인에 따른 분류

2] 기전

• 신생아 담즙 정체증

① 태생기 간세포 염증 → 신생아간염으로 진행 담도상피세포의 염증 → 간외 담도 폐 쇄증으로 이행

② 혼합형(mixed type) : 간세포와 담도 상피세포 양쪽에 염증을 일으키는 중간 형태이다.

③ 처음에는 담도 조영술상 담도 폐쇄가 없는 신생아 간염으로 진단되었다가 나중에 간외 담도 폐쇄증으로 이행되기도 함.

④ 태생기에 간에 손상을 주게 되는 주요 원인 : 바이러스 감염 또는 간의 대사상 질환 (대개 담즙산의 대사 장애)

3] 발생 빈도

(1) 특발성 신생아 간염−1 : 5,000∼10,000 신생아

(2) 간내 담도 형성 부전증−1 : 50,000∼75,000 신생아

(3) 간외 담도 폐쇄증−1 : 10,000∼15,000 신생아

4] 증상

(1) 임상소견 : 담즙의 혈액 내로의 역류, 간내 정체, 간외 배설 장애 현상에 2차적으로 나 타나는 소견

(2) 잿빛의 무담즙변(acholic stool)이 흔함, 장기간에 걸쳐 담즙이 혈액 내로 역류되면 담즙 산은 가려움증을 일으키고, cholesterol은 xanthomatosis를 일으킴.

(3) 혈청 빌리루빈치가 증가 → 황달이 지속, 담즙이 간 내부에 장기간 정체 → 간조직에 손상 → 담즙성 간경변(biliary cirrhosis) → 문맥압 항진증을 일으킴.

(4) 장기간 담즙의 장내 배설이 감소 → 흡수장애 → 영양 실조, 성장 지연, 만성 설사, 칼슘 결핍증을 일으키고, 또 지용성 비타민 흡수장애로 비타민 A, D, E, K 결핍증의 소견이 나타남.

3. 신생아 간염(Neonatal hepatitis)

1) 정의

  (1) 신생아 간염 증후군(neonatal hepatitis syndrome)

   • 원인에 따라

    ┌ 특발성 신생아 간염(m/c)

    ├ 감염성 신생아 간염(infectious hepatitis in a neonate)

    └ 대사성 및 유전성 신생아 감염

   • 임상적으로는 담즙변 신생아 간염과 무담즙변 신생아 간염으로 구분할 수 있다.

  (2) 감염성 신생아 간염의 주요원인 : TORCH complex (toxoplasma, rubella, CMV, herpes virus 등)

    B형 간염 바이러스(우리나라)

  (3) 대사성 또는 유전성 신생아 간염은 우리나라에서 드묾

2) 치료

  (1) 지방 흡수장애에 대한 치료 : MCT (medium-chain triglycerides)를 투여

  (2) 지용성 비타민 흡수장애에 대한 치료

   ① 비타민 A 결핍증 : 비타민 A 10,000~15,000IU/일 투여

   ② 비타민 E 결핍증 : 비타민 E (α-tocopherol) 50~400IU/일 투여

   ③ 비타민 D 결핍증 : D_2 5,000~8,000IU/일 또는 25-cholecalciferol 3~5g/kg/일 투여

   ④ 비타민 K 결핍증 : 비타민 K_1 2.5~5.0mg를 하루 걸러 투여

  (3) 무기질 결핍 : 칼슘, 인, 아연을 투여

  (4) 수용성 비타민 결핍 : 하루 허용량의 2배 투여

  ☆(5) 담즙산과 콜레스테롤 역류에 의한 가려움증 및 xanthoma에 대한 치료 :

    phenobarbital 5~10mg/kg/일 또는 cholestyramine 8~16g/일을 4회 분할 투여 ·

    UDCA 15mg/kg/일 투여

(6) 진행성 간질환에 대한 치료

　① 문맥압 항진증(식도정맥류 출혈, 복수, 비장 기능 항진증) : 일반 보존 요법

　② 간 부전(liver failure)에 대한 치료 : 간 이식술

3) 예후

　(1) 특발성 무담즙변 신생아 간염

　　① 60~70% : 완전 회복

　　② 5~10% : 간경화로 진행하며 출혈 및 패혈증 등에 의해 사망

　(2) 유전성 신생아 간염

　　① 20~30% : 회복

　　② 50% 이상 사망

4. 간내 담도 형성저하증(Intrahepatic bile duct hypoplasia or paucity)

1) 병인론

　① 선천적으로 간내 담도가 없거나 부분적인 형성 부전에 기인한다는 설

　② 간내 담도의 분절성 파괴로 그 일부가 위축되거나 소실됨으로써 발생된다는 설

2) 임상 소견

　특발신생아 감염과 동일, 확진 : 임상소견 + 간생검조직의 병리소견

3) 임상 증후군

　(1) Alagille 증후군(Arteriohepatic dysplasia)

　　간내 담도형성 저하증의 m/c

　　원인 : 간내 담도의 진행성 파괴(human Jagged 1 gene mutation)

　　특이한 얼굴 모양, 눈, 심혈관(말초 폐동맥 협착), 척추 기형, 신장 질환

　(2) Zellweger 증후군(Cerebrohepatorenal 증후군)

　　① 희귀한 상염색체성 열성(autosomal recessive) 유전

　　② 간 및 신장의 진행성 퇴화(degeneration)

　　③ 1/100,000 신생아의 발생 빈도를 보이며, 생후 6~12개월 내에 사망

　　④ 근력 저하, 정신 운동 지체, 특이한 머리 및 얼굴 모양, 간장 비대, 신피질 낭종

　　⑤ 간세포에 peroxisomes이 없음

(3) Byler disease

① 희귀하고 치명적인 가족성 질환

② 세담도막(bile canalicular membrane)이상에 기인

③ 성장 부진, 지방변, 가려움증, 구루병, 간경변

(4) 기타 : $\triangle^4-3-\text{oxosteroid}-5\beta$ reductase 결핍증

3β-hydroxy C_{27}-steroid dehydrogenase Isomerase 결핍에 의한 유전간내 담즙정체증

5. 간외 담도 폐쇄증(Extrahepatic biliary atresia)

1) 병인론

(1) 형태 생성(morphogenesis)의 결함 및 유전적 요인 : 태생기 11~13주째의 담관판 구조적 리모델링 실패, BA splenic malformation syndrome (*CFC1* gene), maternal microchimerism

(2) 바이러스 감염 : 동물 실험에 의하면, reovirus와 rotavirus감염 시 담도 폐쇄증과 유사한 소견

2) 무담즙변 신생아 간염과의 감별진단

• 간외 담도 폐쇄증은 조기에 수술할수록(특히 8주 이내) 수술 후 담즙 배출이 잘 되기 때문에 무담즙변 신생아 간염과 조기 감별진단이 필요

감별진단검사 :

① 십이지장액 내의 담즙 성분검사

② 초음파 검사

③ hepatobillary scintigraphy : DISIDA, PIPIDA, HIDA 스캔

④ 경피적 생검물 : 90% 이상 진단율

⑤ 수술적 담도 조영술

⑥ MR cholangiography

3) 임상 양상

★(1) acholic stool(무담즙변)

★(2) 대개 1주일 이후에 황달이 나타남(conjugated : 어두운 녹색).

  cf. unconjugated : 노란색

★(3) 열, 독성 증상, 핵황달 : 없음(BBB를 통과하지 않음).

  (4) 영양 상태는 오랫동안 좋은 상태를 유지

★(5) 대개 hepatomegaly(+) : Cirrhosis, Ascites

  (6) 비타민 K 부족으로 인한 출혈 현상−다른 지용성 비타민 결핍

4) 간외 담도 폐쇄증의 형태

  (1) I형 : 총담관의 폐쇄

  (2) II형 : 총간관(common hepatic duct)폐쇄

  (3) III형 : 간문(porta hepatitis)담관의 폐쇄

5) Laboratory finding

  (1) Urine bilirubin 증가, Urobilinogen(−) : 소변은 진한 갈색

  (2) Serum bilirubin 증가(direct), ALP 증가

  (3) 출혈시간, 응고시간 연장

  (4) AST의 지속적 증가

6) 진단

  (1) hepatobiliary scintigraphy : HIDA, DISIDA−동위원소가 장내로 배설되지 않을 경우 의심

  (2) liver Bx :

    ① 간의 섬유화

    ② 간내 담도의 증식

    ③ 간내 담관내 담즙정체

  (3) 초음파 검사 : triangular cord sign (+)

  (4) intraoperative cholangiogram(수술적 담도 조영술)

7) 치료

(1) 내과적 치료 : 신생아 간염 치료에 준한다.

(2) 외과적 치료

① 교정 불가능형 담도폐쇄증 : III형

★Ⓐ Kasai 수술법(hepatic portoenterostomy) : 8주 이전에 수술시 예후가 양호, 85% 이상에서 bile drainage 기대

★Ⓑ 간 이식술 : 국내 소아에서 가장 흔한 간 이식술의 적응증은 간외 담도 폐쇄 환아에서 Kasai 수술 시행 후에 오는 간경화

cf. Kasai 수술 후 합병증

㉠ 상행성 담도염 : 생후 2~18개월 사이

㉡ 성장 지연 : 8~24개월 사이

㉢ 지용성 비타민 결핍증 : 6개월~3세 사이

㉣ 문맥압 항진증 : 1~2세에 발생

㉤ 만성 간부전증(chronic hepatic insufficiency) : 2세 이후 발생

② 교정가능형 담도 폐쇄증 : I 및 II형

Ⓐ 담도 십이지장 문합술(choledochoduodenostomy)

Ⓑ 담도 공장문합술(choledochojejunostomy)

Ⓒ 담낭 공장 문합술(cholecystojejunostomy)

8) 예후

• 장기 예후를 양호하게 하는 요인(황달은 예후인자가 아님)

① 생후 8주 이내에 수술한 경우

② 수술 1개월 후 빌리루빈 배설이 하루 6mg 이상인 경우

③ 수술 전 간손상이 경미한 경우(수술 당시 간 섬유화 정도)

④ 재발성 담도염이 없는 경우

⑤ 수술시 간문담도의 직경이 150μm 이상인 경우

신생아 간염	간외 담도 폐쇄증

1. 신생아 간염 증후군
  ① 특발성 신생아 간염 : m/c
  ② 감염성 신생아 간염
  ③ 대사성/유전성 신생아 간염
	임상 양상
	  ① 1주일내 어두운 녹색 황달 발생(conjugated bilirubin 증가)
	  ② 열 × / 독성 증상 ×
	  ③ 핵황달 ×(BBB통과 ×)
	  ④ 간비대 ⇒ LC or 복수 발생
	  ⑤ 영양상태 : 오랫동안 좋은 상태 유지

2. 원인 : 감염성 신생아 간염
  ① TORCH complex
  ② B형 간염 바이러스 : 우리나라 m/c
	lab
	  ① 무담즙 변(회색변)
	  ② 소변 빌리루빈 증가(urobilinogen 없음)
	  ③ 혈청 빌리루빈 증가(직접형 증가)
	  ④ ALP 증가
	  ⑤ 출혈시간 연장
	  ⑥ 응고시간 연장
	  ⑦ AST, ALT 지속적 증가

3. 치료
  ① 지방 흡수장애 : MCT 섭취
  ② 지용성 비타민 흡수장애
    : 비타민 A, D, E, K
  ③ 무기질 결핍 : Ca, P, Zn 투여
  ④ 수용성 비타민 결핍 : 하루 허용량 2배 투여
  ⑤ 담즙산 + 콜레스테롤산 역류
    ⇒ 가려움증 / xanthoma
     – Phenobarbital
     – Cholestyramine
     – UDCA
  ⑥ 진행성 간질환 : 보존적 치료 + 간이식술
	진단
	  ① 간담도 scintigraphy (HIDA / DISIDA) : 동위 원소가 장내로 배설 × ⇒ 의심 가능
	  ② 간 생검
	    • 간 섬유화
	    • 간내 담도의 증식
	    • 간내 담관 담즙의 정체
	  ③ US
	  ④ 수술적 담도 조영술(cholangiogram)

	#> 무담즙변 신생아 간염과 DDx
	간외 담도 폐쇄증은 조기에 수술시(8주 이내) 술 후 담즙 배설이 좋음
	  ① 십이지장내의 담즙 성분 검사
	  ② US
	  ③ Hepatobiliary scintigraphy
	    : DISIDA / HIDA / PIPIDA
	  ④ 경피적 간 생검술
	  ⑤ 수술적 담도 조영술
	  ⑥ MR cholangiopancreatography

	Kasai 수술의 합병증
	  ① 상행성 담도염
	  ② 성장 지연
	  ③ 지용성 비타민 결핍증
	  ④ 문맥압 항진증
	  ⑤ 만성 간부전증

	치료
	  ① 내과적 치료 : 신생아 간염에 준함
	  ② 외과적 치료
	    • 교정 불가능시 : type 3(간문부 담관 폐쇄)
	     – Kasai 수술(간 portoenterostomy)
	     – 간이식
	    • 교정 가능한 경우 : type 1(총담관폐쇄) / type 2(총담관의 폐쇄)
	     – 담도 십이지장 문합술
	     – 담도 공장 문합술
	     – 담낭 공장 문합술

	예후인자 : 장기 예후 좋은 요인
	  ① 생후 8주 이내에 수술한 경우
	  ② 수술 1개월 째 빌리루빈 배설이 하루 6mg 이상
	  ③ 수술전 간 손상이 경미한 경우
	  ④ 재발성 담도염이 없는 경우
	  ⑤ 수술시 간문 담도의 지름 : 150 μm 이상
	    #. 황달의 정도 : 아님

6. 문맥 고혈압(Portal hypertension)

문맥압 항진증은 문맥압이 10~12 mmHg 이상일 때로 정의(정상 문맥압 5~10 mmHg).
어떤 원인으로 문맥 정맥이나 비장을 통해서 돌아오는 혈류가 제지받아서 초래

1) 원인

(1) Extrahepatic portal vein obstruction → prehepatic portal HTN

- 소아기 문맥압 항진증의 가장 중요한 원인
  (약 반수에서는 분명한 원인을 찾을 수 없음.)

  ① 제대 정맥의 도자법 시행으로 인한 제대 감염이 흔함 : 감염이 제대 정맥에서 문
     맥의 좌측 분지로 전파

     → 문맥 정맥으로 퍼지게 된다.

  ② 염증성 장질환 : 과응고 상태(hypercoagulable state)와 문맥 폐쇄

  ③ 문맥 혈전증 : 담도 감염, 원발성 경화성 담도염

  ④ 과응고 상태(hypercoagulable state) : C 단백과 S 단백 결핍증

  ⑤ 혈액응고 질환, 적혈구 증가증

(2) Intrahepatic portal hypertension (Sinusoidal)

간경변증(m/c), schistosomiasis

(간경변증의 원인 : 간외담도 폐쇄, 선천성 간섬유증 α1−antitrypsin deficiency)

(3) Post−hepatic portal hypertension (postsinusoidal)

Budd−Chiari 증후군(간정맥 혈전), Veno−occlusive disease(소아에서 간정맥 폐쇄의
m/c 원인), 골수 이식 전후로 사용되는 세포 독성 약제, 전신에 방사선 조사(irradia-
tion), pyrrolizidine alkaloids을 함유한 차나 생약 섭취

2) 병리기전

문맥 정맥이나 비장 정맥으로 들어오는 혈류가 저지 받아서 생기게 된다. Portosystemic
shunting이 되어서 문맥압을 낮추어 주지만, 결국에는 문맥압 항진증이 오게 된다. Col-
lateral vessel은 흡수 상피가 편평 상피와 합쳐지는 부위, 특히 식도와 항문 직장 부위에 흔
하다. Superficial submucosal collaterals, 특히 식도와 위에 있는 것은 압력이 증가하면 터지
기 쉽다. 위에서는 submucosal arteriovenous communication으로 위 기저부에 vascular ectasia
가 오며 위출혈이 되기 쉽다(congestive gastropathy).

3) 증상

(1) 식도정맥류에 의한 토혈, 혈변 : m/c 증상

(2) 비장비대, 비장기능 항진증 : 두 번째로 흔한 증상

(3) 간폐 증후군(hepatopulmonary syndrome) : nitro oxide의 정맥 내 순환으로 발생

4) 진단

(1) 복부 초음파 : 도플러 초음파가 가장 흔히 쓰이며 정확함

(2) MRI, CT : 문맥계의 해부학적 구조를 알 수 있다.

(3) 혈관 조영술(술전 해부학적 연관성 알기 위해)

(4) 상부위장관 내시경 : peptic ulcer 등에 의한 위장관 출혈 R/O

> cf. 식도정맥류 위에 붉은 점(red-wale sign, varix on varix)은 재출혈 가능성이 높음을 시사

5) 치료

(1) 급성 장출혈의 치료

① 결정질로 수액 소생을 시작하고 적혈구 농축액을 이어서 투여하며, 비타민 K, 혈소판, 신선 냉동 혈장으로 혈액 응고장애를 교정하면 대부분 자연 지혈

② 비위관으로 출혈을 확인하며, 출혈 예방을 위해 H2 수용체 길항제나 프로톤 펌프 억제제 투여

③ Vasopressin(부작용 감소를 위해, Nitroglycerin을 사용), 부작용 때문에 somatostatin 제제를 사용하기도 함.

④ Sengstaken-Blakemore tube : 진정제를 써야함, 폐흡인의 위험성↑

(2) 재출혈의 예방

① 치료내시경 : 내시경을 이용한 식도 경화 요법, 고무 밴드 결찰 요법(endoscopic variceal ligation, EVL) 이 경화요법보다 협착이나 천공 등의 부작용이 적음

② 단락(shunt) 수술법 : 간외문맥 고혈압이 있고 복수나 심한 출혈이 있는 환자에 국한, 최근 TIPS (Transjugular Intranepatic Portovenous Shunt)로 스텐트를 삽입하기도 한다.

③ 간이식(orthotopic liver transplantation)은 간실질의 병변, 간정맥 폐쇄, 심한 정맥 폐쇄질환 시

④ 비특이적 베타차단제 장기 복용 : 소아에서는 경험이 많지 않다(성인에서는 심박출량과 문맥 혈류량을 낮추어 정맥류 출혈을 감소시키고 장기 생존율을 높인다).

6) 예후

① 간질환이 있는 경우에는 예후가 나쁘다.

② 급성 출혈을 치료하고 반복 출혈을 예방한다.

7. 전격 간염(Fulminant hepatitis, Fulminant hepatic failure)

1) 진단기준

(1) 8주 미만의 급성 간 손상 생화학적 증거

(2) 만성 간질환의 증거가 없을 것

(3) 간뇌병증 환아에서 비타민 K로 교정되지 않는 PT의 연장(> 15초)이 있거나 INR의 증가(> 1.5) 또는 간뇌병증 유무에 상관없이 PT의 연장(> 20초)이 있거나 INR 증가(> 2)

(4) 전격성 간염의 경우 내과적 치료로 50%가 사망하게 됨으로써 간이식을 고려해야 한다.

2) 원인

(1) 바이러스

① 바이러스성 간염(m/c) : B형과 D형 감염바이러스 동반 감염 시 발생위험증가, 국내에서는 D형 및 E형 간염 바이러스의 보고는 극히 드묾

② 그외 : EBV, HSV, adenovirus, enterovirus, CMV, parvovirus B19, varicella-zoster

(2) 기타

① drug : acetaminophen, valproate, halothane

② 간혈관 압박, 울혈성 심부전

③ 청색성 선천성 심질환

④ 대사성 질환 : 윌슨병, 선천성 타이로신혈증, 선천성 과당불내증, 지방산의 β-oxidation장애

3) 증상

(1) 진행성 황달, 간성 구취, 발열, 식욕 부진, 구토와 복통 등 전신 증상

(2) 간 크기의 급속한 감소(massive hepatic necrosis) : 매우 나쁜 징후

(3) 출혈 성향(PT의 심한 연장-m/i)과 복수 - 급성기의 예후 평가에 중요

(4) 의식과 운동 기능 변화 : 간성 혼수 유의
└── 기면, 착란, 통증성 자극에만 반응, 제뇌 및 피질 박리의 자세 4기 혼수가 되면 호흡부전 발생

간뇌병증의 단계(stage)					
	단계				
	I	II	III	IVa	IVb
증상	기면, 도취감 : 밤낮 수면의 바뀜 : 때로는 각성	졸음, 부적절한 행동, 초조, 심한기분변화, 지남력 장애	각성 가능한 혼미, 착란, 산란성 언어	혼수, 독성 자극에 반응	혼수, 유해 자극에 무반응
징후	그림 그리기 및, 지능적인 행동의 장애	퍼덕떨림(flapping tremor, asterixis), 간성 구취, 실금	퍼덕떨림, 반사 이상 항진, 신근 반사, 경직	반사소실, 퍼덕떨림 소실, 이완	
뇌파	정상	전반적 느린파, θ파	매우 비정상적인, 3위상성파(triphasic wave)	매우 비정상적인 양측성 서파, δ파, electric cortical silence	

4) 치료

(1) 대부분 보전적 치료

(2) 기관 삽입 : 흡입 방지, 과호흡을 통해 뇌압 하강, 분비물 제거

(3) 산소공급

(4) 전해질 교정, 요량 유지, 혈장 수혈로 응고장애 교정

(5) 제산제, H2 차단제 : 위장관 출혈 예방

(6) 뇌부종(사망의 주된 원인) : 스테로이드와 삼투압 이뇨에 잘 반응하지 않는다, 만니톨로 치료

(7) 단백, 아미노산 섭취 제한

(8) 간이식술(생존률 증가) : 간뇌병증 3기 이상의 환자

5) 예후

(1) 원인이 A형, B형 간염이나 acetaminophen 과다복용의 경우가 치료율이 가장 높다.

(2) 회복되는 경우는 대개 완전 회복

8. 간경화(Liver cirrhosis) 증상, 검사소견, 합병증, 치료

(1) 급성 또는 만성 간질환의 말기 단계

(2) 간손상에 대한 수복(repair)으로 섬유화(hepatic fibrosis)와 재생결절(regenerating nodule)이 특징인 비가역적인 간실질의 구조적 변화

(3) 소결절의 크기에 따라 macronodular (1~5cm) cirrhosis와 micro- nodular (1cm 미만) cirrhosis로 구분(간경변이 차차 진행함에 따라 혈류의 제한이 심해져, 결국 문맥 고혈압증이 문제)

(4) 각종 간염의 후유증으로 생기는 괴사성 간경변증(posthepatitic 또는 postnecrotic cirrhosis)과 만성 담도 폐쇄 및 담도 염증의 결과로 생기는 담도성 간경변증(biliary cirrhosis)으로 나뉜다.

1) 증상

(1) 황달, 가려움증, 황색종(Xanthoma)등은 담도 정체에 의한 빌리루빈, 담즙산, cholesterol의 배설 장애로 오게 되는데 담도성 간경변증의 거의 전 예에서 나타나고, 괴사성 간경변증에서는 드물다. 거미 모양 혈관종(spider angioma)을 흔히 볼 수 있다.

(2) 곤봉 모양의 손가락(담도성 간경변증의 10~25%) 및 여성형 유방(gynecomastia)이 나타날 수 있다.

(3) 간, 비장 비대(특히 담도성 간경변증 때)

(4) 괴사성 간경변증 : 간이 작아짐. 담관간경화 : 간비대 → 섬유화가 극심해지면 간은 위축

(5) 문맥압 항진증 → 복벽 정맥의 팽창, 식도정맥류(esophageal varices)가 온다.

(6) 영양 부족, 성장 부진이 특히 담도성 간경변증에서 심하다.

(7) 비장이 큰 환아에서 식도정맥류가 있으면 문맥압 항진증이 원인이 될수 있으며 간기능이상이 동반되면 간경화가, 간기능이 정상이면 문맥혈전 또는 선천 간섬유증(congenital hepatic fibrosis)를 감별해야 한다.

2) 검사소견

(1) 간경화가 있더라도 대부분의 간기능 검사 소견이 정상일 수 있다.

(2) 혈청 단백 검사상 albumin 감소, gammaglobulin 증가가 주요 소견이며, 혈청 aminotransferase (ALT, AST)는 정상치의 50% 정도 상승하거나 정상인 경우가 많다.

(3) Alkaline phosphatase, cholesterol은 담도성 간경변증시 크게 증가한다.

(4) Prothrombin 시간의 연장을 흔히 본다.

(5) 비장 비대로 인하여 빈혈, 백혈구 및 혈소판감소를 볼 수 있다.

(6) 조직 검사상 섬유화 및 재생 소결절(regenerating nodule)이 진단에 필수적이다.

3) 합병증

• 간세포의 괴사, 재생, 섬유화가 진행 → 혈류 장애로 문맥압 항진증, 간부전 및 간성 혼수, 복수 등 주요한 합병증이 발생하게 된다.

• 기타 간경변증의 합병증

① 혈액학적 합병증으로 빈혈(철결핍성, 용혈성 등), 백혈구 감소증, 혈소판감소증, 혈액 응고 인자 결핍, DIC

② 핍뇨성(oliguric) 신부전증, 각종 감염 빈도의 증가, 심한 장출혈, 폐 AV fistula 발생에 의한 저산소증(arterial hypoxia) 등이 문제가 된다.

4) 치료

(1) Wilson병, 갈락토오스혈증, 총 담관낭, 간외 담도 폐쇄 등의 경우 : 조기 진단으로 병의 경과를 막을 수 있으나, 일단 간경화가 심해지면 특수 요법은 없다.

(2) 문맥압 항진증(식도정맥류 출혈), 복수, 간성 혼수(만성 간질환의 3가지 중요한 합병증) 에 대하여 적절한 대책을 세우도록 한다.

(3) 비장비대에 대한 손상 방지, 감염 방지, 간독성 약물 사용 금지에 주의해야 하며, 성장 장애와 영양 결핍이 되지 않도록 식이 요법에도 관심을 가져야 한다. 단백은 1.5g/kg 이상 되도록 하고, 지방 섭취는 줄이고, 비타민, 특히 비타민, A, D, E, K 등 지용성 비타민과 칼슘의 섭취가 부족되지 않도록 한다.

(4) 가려움증이 심한 환자 : cholestyramine (8∼16g/일)과 ursodeoxycholic acid (15∼20mg/kg/일)을 투여

(5) 간이식술 : 말기 간경화 환아의 근치적 치료법

5) 예후

현재는 간이식이 말기 간경화 환아의 치료법으로 확립되어 생존율이 증가하고 있다.

9. Wilson disease

• 구리대사장애로 간, 뇌, 각막, 신장 및 적혈구에 구리 침착으로 생기는 AR 유전성 질환(ATP 7B gene mutation)

• Triad : 간질환, 신경장애, Kayser-Fleisher ring(각막 내 구리침착)

• 빈도 : 3∼10만명 중 1명, 보인자율은 90명 중 1명

1) 증상

　(1) 간에 구리가 축적(간세포 내 구리의 담즙을 통한 배출장애)되어 증상이 나타나서, 보통 5세가 지나야 발병한다.

　(2) 어린 소아에서는 주로 간질환이 나타나고, 15세가 지나서는 신경증상이 주로 나타난다.

　(3) 처음에는 간효소치만 약간 증가된 무증상적 간 비대를 보이나 결국 만성 활동성 간염, 간경화, 간문맥 항진증, 전격성 간염을 초래

　(4) 대뇌 기저핵의 손상이 오면 초기에는 손발의 떨림, 구음장애 점차 진행하여 근긴장 이상과 함께 행동장애 K-F ring은 간질환을 보이는 환자의 60%에서 발견, 신경계질환을 보이는 환자에서는 100% 발견

　(5) 용혈 빈혈이 오고, 용혈이 자주 일어나면 담석이 발생

2) 진단 : 검사 소견 + 임상증상

　(1) Lab

　★① screening test : 혈청 Ceruloplasmin < 20 μg/dL

　★② 24시간 구리 배출량이 증가(>100 μg, 환아에서는 대부분 >1,000 μg, 정상 : 40 μg)

　★③ K-F ring : 안과에서 slit lamp test(K-F ring의 존재가 윌슨병을 반드시 의미하는 것은 아님)

　　④ 간 생검 : 간 조직 내의 구리농도 증가

　　⑤ 분자 유전학적 진단 : 원인이 불명한 3세 근처의 소아 간염에서 확진에 자주 사용

　(2) 임상증상

　　① 소아나 젊은 성인에서 원인 불명의 만성간질환이 있는 경우

　　② 사춘기나 성인에서 특징적인 신경증상이 있는 경우

　　③ 급성 용혈 빈혈 환자에서도 반드시 감별진단에 포함.

3) 치료

　　① 구리가 많이 함유된 음식은 금지 : 버섯, 코코아, 초콜릿, 땅콩, 간, 조개

　★② D-penicillamine(구리와 결합해 체외로 배출시키는 약제), Trientine(최근 TOC), Zn 비타민 B_6 대사의 길항제이므로 비타민 B_6(pyridoxine)을 투여해야 한다.

　　경한 신경증상에는 수주가, 간기능 호전에는 수개월에서 1년 정도가 소요된다.

　　• 부작용 : 10% 환아에서 나타날 수 있음

　　과민반응(발진, 발열, 백혈구감소, 혈소판감소) → 대체 치료 10일 이내

　　심한 독성 부작용(면역 복합체신염(신증후군)), 전신홍반루푸스, Goodpasture 증후군, 심한 관절염)

③ 페니실라민 부작용이 있는 경우 : 트리엔틴이나 아연경구요법으로 대체

④ 환아의 형제에 대해서는 Ceruloplasmin과 24시간 소변 구리배출량으로 screening 시행

10. Reye syndrome

- Acute toxic encephalopathy with hepatic dysfunction
- 뇌압 상승 + 혈중 암모니아 ↑, 황달이 없는 AST/ALT의 상승, PT연장
- 호발연령 : 3세 이하(우리나라, 유럽)

1) 원인 : 불명(미토콘드리아의 손상이 중요)

바이러스 감염, 특히 influenza B, 수두 유행 후 발생 빈도가 증가함이 역학적으로 확인. 아스피린 복용과도 관계가 있다고 추측(viral infection 시 aspirin 투여를 피할 것을 권장한 결과 최근 급격히 발생 빈도 감소 추세)

2) 병리 기전

유전학적으로 감수성이 있는 사람이 인플루엔자 또는 수두 바이러스에 의한 감염과 아스피린 사용의 상호 작용으로 인하여 발생

3) 진단

임상증상(구토증상, 응고장애, 황달소견 없음) + 혈청검사(AST↑, ALT↑, 암모니아↑, 빌리루빈 정상) + CSF검사(뇌압상승) + 간생검(간염증이나 괴사가 없는 소수포성 지방증)

4) 임상 증상

바이러스 감염이 있는 5~6일 후 구토와 뇌병증으로 나타난다. 신경학적 증상은 경련, 혼수, 사망으로 급속히 진행한다.

5) 감별진단 : MCAD (Medium Chain Acyl-CoA Dehydrogense) deficiency

6) 치료

- 조기에 의심 → 뇌압상승에 대한 치료(m/i)
    - Ⓐ 모든 환아에게 10~15% 포도당 용액
    - Ⓑ 수액량 제한(뇌부종 의심 시) (1,500 mL/m² /일 이하로)

ⓒ Hyperventilation (PaCO₂ 농도 저하→뇌혈류량 감소)

ⓓ 뇌압 : 20mmHg를 넘지 않도록

ⓔ Pentobarbital − 뇌혈류 감소, 뇌 대사 감소에 도움

ⓕ 비타민 K, FFP − 출혈성 소인에 대한 치료

ⓖ Neomycin, lactulose 관장 − 혈중 암모니아 감소를 위해

7) * 예후 : 신경증상의 정도에 따라

- mild : 24~72hr 내 완전 회복
- deep coma, decerebrate rigidity, 경련 : high mortality, 후유증 ↑

VIII 췌장질환

1. 췌장염(Pancreatitis)

1) 원인

(1) 전신성 질환(35%) : sepsis, shock

- 바이러스 감염 : mumps가 소아에서 가장 많다. EBV, coxsackievirus, rubella, hepatitis A, Influenza, IBD, Reye 증후군, H-S 자반증, H-U 증후군, 가와사키병

(2) 손상(15%) : 복부둔상, 어린이학대, 화상수술

(3) 선천적 기형(10%) : 총담관낭, 췌장성 협착, 오디괄약근 기능부전, 분할췌장

(4) 대사 장애(5%) : hyperlipidemia (type I, IV, V), 고칼슘혈증, 당뇨병, 영양실조(kwashiorkor), α1-antitrypsin def.

(5) 약물 및 중독(5%) : valproic acid, alcohol, sulfasalazine, furosemide 등

2) 병인론

autodigestion : 췌장관의 기계적 폐쇄나 대사요인 또는 감염이나 혈관이상과 같은 기타요인에 의해 불활성 형태로 분비되는 단백효소나 췌장 내에서 조기 활성이 일어나 췌장실질의 괴사 초래

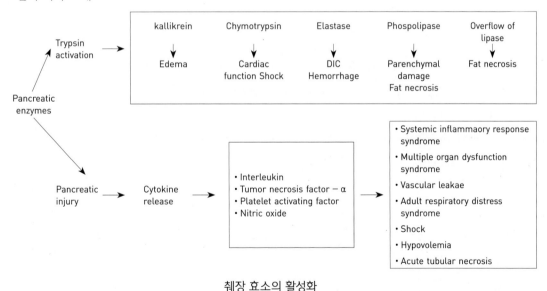

췌장 효소의 활성화

3) 증상

  (1) 복통 : 상복부에서 갑자기 시작, 등 쪽으로 방사(1/3), 점점 심해지는 양상, 무릎을 가
     슴에 대고 쪼그려 앉거나 옆으로 누워 통증을 완화하려 함, 지속적인 구토, 미열동반

  (2) 진찰 소견 : 복부 압통, 팽창, rebound tenderness, guarding

  (3) 옆구리의 반상 출혈(Grey-Turner 징후), 배꼽 주위의 반상 출혈(Cullen 징후)

    • 심한 출혈성 대장암

4) 진단

복통, 혈청췌장효소(amylase 또는 lipase) 가정상 상한치의 3배 이상 상승, 특징적인 영상
학적 소견 중 두 가지 이상이 있을 때 진단

  (1) 임상증상 및 징후

  (2) 검사실 소견

    ① 비특이성 검사

      Ⓐ 증가 : 혈색소, Hct, 백혈구, 혈당, BUN, Cr, Bilirubin, Lipid

      Ⓑ 감소 : Ca, Mg, 동맥 산소 장력

    ② 특이성 검사 : 일반적으로 급성 췌장염은 Serum amylase와 Lipase로 진단

      Ⓐ Serum amylase : 3배 이상 증가 시에 진단적 의의

      Ⓑ Serum lipase : 보다 특이적, 더 오랫동안 증가(후기진단)

  (3) 방사선 검사

    ① 복부 방사선 촬영 : sentinel loop (localized ileus), Colon cut off sign, 장폐쇄

    ② US, CT : 진단과 목적 관찰에 중요 hypoechoic, edema, abscess 등

    ③ ERCP : acute pancreatitis 때 금기 but, calculous pancreatitis때 조기에 시행가능

  (4) EKG 상 ST change, T wave abnormal

  (5) hypertriglyceridemia (15~20%)

5) 합병증

① 초기 합병증 : shock, 장폐색, hypocalcemic tetani

② 후기 합병증 : 가성 낭종, phlegmon, 농양

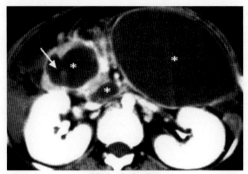

췌장 가성 낭종

급성 췌장염의 발병 3개월 후에 촬영한 복부 컴퓨터 단층 촬영으로
다수의 췌장 가성 낭종이 관찰되며(*), 한 낭종에 대한 경피적 배액술을 시행하고 있다(→).

6) 치료

① 치료목적 : 통증 완화 + 대사 항상성 유지

② NPO : 필수적

③ 구토 동반 시 NG tube로 suction

④ 수액요법 : 수분, 전해질 균형유지

⑤ 진통제 : Meperidine (Demerol IV or IM)

   → Morphine은 쓰면 안 됨. ampulla of Vater의 경련을 초래하여 통증을 악화

⑥ 치료반응은 2~4일에 걸쳐 일어나며 혈청 아밀리아제가 정상화되고 임상증상이 해소

⑦ 증상이 호전되면 고당질, 저지질 식사를 소량씩 시도한다.

⑧ 급성 췌장염에서 수술적 치료는 불필요하나 괴사된 조직이나 농양의 수술적 배액
  은 필요

※ 췌장염이 췌관 협착이나 결석 등의 해부학적 이상과 관련 시 내시경적 치료가 좋음

IX 복막 질환

1. 급성 장간막 림프절염
- 영상 의학적 진단으로 5mm 이상의 단축(short-axis) 지름을 가진 림프절이 3개 이상 모여 있는 경우
- 말단 회장부 장간막 림프절의 비특이성 염증
- 상기도 감염이 선행, 급성 충수염으로 오인 가능

1) 증상
- 발열과 구토
- 심한 복통
- 진찰 시 McBurney 부위에서 배꼽 쪽으로 통증이 있으면서 통증의 부위가 변함.
- 충수염과 DDx. : 일반적으로 고열, mild leukocytosis(10,000/mm³을 넘지 않음)

2) 진단

다른 원인 질환을 감별함으로써 이루어짐. 확진은 복강경 or 개복에 의한 조직검사

3) 치료
- 특별한 치료는 필요 없으며 예후도 좋은 편
- 급성 충수염과의 감별에 복부 초음파 검사가 도움

2. 급성 원발성 복막염(Acute primary peritonitis)
1) 역학
   (1) 거의 6세 이전에 발병, 성별 빈도차는 없음.
   (2) 원인균 : Pneumococcus (m/c), GNB (*E. coli, K. pneumoniae*) : 복강내에 세균성 감염이 발생하는 것
   (3) 소아의 대부분은 신증후군 또는 간경변증에 의한 복수가 있는 환아

2) 임상증상
   (1) 서서히 또는 급격히 발병, 발열, 구역질, 구토, 심한 복통이 주증상, 설사도 있을 수 있음.
   (2) 압통 및 복근 경직, 복부 팽만, 장음 감소

(3) 충수염과의 감별

   ① 급성 충수염 때는 설사는 드물다.

   ② 충수염보다는 고열

   ③ 백혈구가 충수염때보다 높음(20,000~50,000/mm^3).

(4) 진단적 복수 천자

   ① 단백량의 증가

   ② 백혈구 수 250/mm^3 이상(50% 이상이 호중구)

   ③ pH<7.35, 동맥혈과 복수의 pH 차이 >0.1, lactate 증가

3) 치료

우선 cefotaxime과 aminoglycoside 투여한 후에 균 검사후 적절한 항생제 투여(10~14일)

3. 급성 속발 복막염(Acute secondary peritonitis)

1) 원인

(1) 복부 내 장기, 특히 충수돌기의 농양 혹은 천공에 의함

(2) 소아에서는 충수돌기염이 흔한 증상, 그밖에 장중첩증, midgut volvulus, incarcerated hernia, Meckel's diverticulum의 파열 등

(3) 신생아에서는 괴사성 장염의 합병증이 흔한 증상, 그밖에 태변성 장폐색증, 위 혹은 장의 자연천공 등

2) 증상

(1) 발열, 미만복통, 구역질, 구토가 특징적

(2) 고열이 대부분 나타나고, 복통이 움직일수록 더 악화

(3) 지속적인 담즙성 구토(병소가 국한되지 않으면) 및 심한 변비

(4) 촉진상 복막자극증상, 장음의 감소 or 소실, 수지 직장검사 시 압통 호소

3) 검사소견

(1) leukocytosis(>12,000/mm^3, neutrophil dominant)

(2) 복부 단순 촬영 : 복강내 free air, 장폐색증 소견, 복강내액, 요근음영(psoas shadow)의 소실 등 이 나타날 수 있다.

(3) 한 가지 이상의 세균이 복수에서 관찰되거나 복부단순촬영에서 free air가 나타나며 무력장 폐쇄증, 기계적 장폐쇄증, 복막액의 소견이 관찰됨.

4) 치료 & 예후

　(1) 수술적 수분 공급, 전해질 불균형의 교정, 항생제 투여, 위 흡인 등의 보조적 치료 및
　　 수술적 원인 제거

　(2) 연장아에서는 사망률이 1% 내외이고, 신생아에서는 50% 정도

4. 선천 횡격막 탈장(Congenital diaphragmatic hernia)

- 여러 형태의 결손이 가능함.
- 대부분은 Bochdalek Hernia(후외측 결손, 2,200~5,000명 중 1명꼴)
- 80~90%가 Left side, 10~20%에서 탈장낭이 발생
- 폐 발육부전 : 결손 부위를 통해 복부 장기가 흉곽 내로 들어가 폐를 압박하여 발생,
　높은 사망률(50%)의 원인

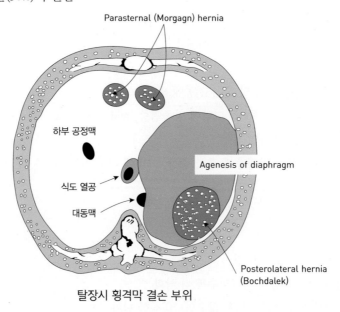

Parasternal (Morgagn) hernia

하부 공정맥

Agenesis of diaphragm

식도 열공

대동맥

Posterolateral hernia
(Bochdalek)

탈장시 횡격막 결손 부위

1) 임상 증상

　(1) 증상이 나타나는 시기와 심한 정도는 흉곽내 복부장기의 양과 폐발육부전의 정도에 비례

　(2) 전형적인 환아는 청색증, 빈호흡, 흉골 함몰 등의 호흡부전을 출생 시 또는 출생 후
　　 수분, 수시간내에 호소

　(3) 출생 후 6시간 이내에 증상이 나타나면 사망률이 50%를 넘고, 24시간 후에 나오면
　　 100% 살 수 있음.

　(4) Scaphoid abdomen, 이환된 쪽의 호흡음 소실 등을 볼 수 있음.

2) 진단

- 흉부 X선상 폐야에 bowel 음영 + 종격동의 이동 소견
- 감별진단 : 선천 폐낭종, 감염, 흉막유출, 기흉

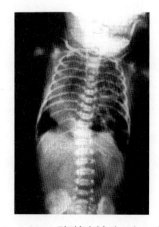

3) 치료

(1) NG tube insertion : 장관 팽만 방지

(2) Dyspnea : endotracheal ventilatory support

　cf. mask ventilation : 절대금기(장속으로 공기가 들어가 악화됨)

(3) 호흡보조의 목적 : pul. HTN과 지속적인 태아순환을 막아줌.

Bochdalek 탈장(좌측)의 X선 소견

(4) 고식적 호흡 보조가 효과 없을 때 : high frequency veutilation (HFV)

(5) 고 위험군에서는 ECMO(체외순환, extracorporeal membrane oxygenator)도 가능

(6) 수술 : 폐혈관 저항이 안정된 후 실시

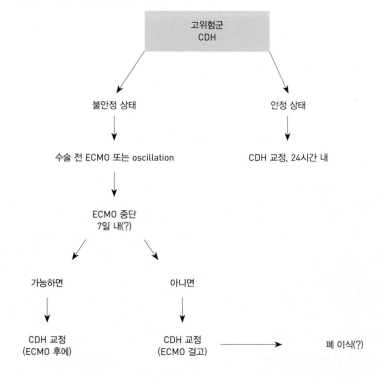

선천성 횡격막 탈장(CDH) 수술을 급히 하지 않은 경우의 처치

4) Diaphragmatic hernia와 동반 잘 되는 것

    (1) Incomplete rotation of cecum

    (2) Umbilical defects

    (3) Duodenal constricting bands

5) 예후

    • 폐 발육 부전이 높은 사망률(50%)에 관여

$$Px\downarrow \begin{cases} ① \text{ 좌심실 크기}\downarrow \\ ② \text{ 위장이 횡격막보다 위에 존재} \\ ③ \text{ 양수과다} \\ ④ \text{ 횡격막 결손}\uparrow \end{cases}$$

    • poor prognostic factor – small LV, 위가 횡격막 위에 있을 때, 양수과다, large diaphragmatic defect

5. 배꼽 탈출(Omphalocele)과 복벽 개열증(Gastroschisis)

    (1) 배꼽 탈출 : 탈장낭이 있고 그 정상부에 탯줄이 붙어 있다.

        장관 외에 간 비대, 위장관 등도 나와 있으며 간혹 다른 기형(심기형 25%, 염색체 이상 11%, Beckwith–Wiedemann 증후군)도 동반

    (2) 복벽 개열증 : 탈장낭이 없고, 탯줄은 정상위치에 있으며 그 우측에 복벽 결손이 있다.

        주로 부종이 있고, fibrin으로 덮힌 소장이 탈장(간이나 위장, 비장이 나오는 일은 드물다.) 장이상 회전이나 장폐쇄가 동반(10%)되기도 하나 다른 기형은 동반되지 않는다.

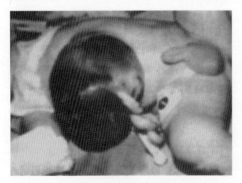 

           배꼽 탈장(sac의 정점에 탯줄이 부착)   복벽 개열증

6. 신생아 복부 종괴

(1) 신생아 시기의 복부 종괴는 대개 양성이고 10~15%만이 악성이다. 2/3가 후복막에서 생기고 그 중 55%는 신장이 원인이다. 비정상적인 복부 종괴는 초음파 검사로 확인해야 한다.

    ① 낭성 복부 종괴 : 수신증, 다낭성 형성 장애신(multicystic dysplastic kidney), 부신 출혈, 수자궁질증(hydrometrocolpos), 장중복증, 담도 낭종, 난소 낭종, 장간막 낭종, 대망 낭종 또는 췌장 낭종

    ② 고형 종괴 : 신경모세포종, Wilms tumor, 간모세포종과 기형종

(2) 흔한 원인 : 다낭성 형성 장애신, 부신출혈, 복부 기형종 순. 장관과 간담도 계통의 병변은 신생아 복부 종괴의 1/5을 차지하고 그 중 75%는 위장이나 장관에서 생기는데, 장중복증이 m/c

7. 서혜부 탈장

(1) 초상돌기(processus vaginalis)가 완전히 막히지 않아 복부내장이나 복수가 이곳을 통하여 내려와 있는 상태

(2) 증상 : 배에 힘을 줄 때, 특히 어린이가 울 때 샅고랑 부위에 종창으로 나타난다. 이 덩어리는 가볍게 누르면 대개 환원되는 수가 많다.

(3) 치료 : 서혜부 탈장은 저절로 닫히는 일은 없고 감돈의 위험성이 있으므로 진단이 되는대로 수술해 준다.

(4) 감별진단 : 물음낭종, 고환의 비틀림(torsion), 서혜부 림프절

호흡기 질환

Power Pediatrics

 성장 및 발달의 개념

1. 호흡기의 발달

1) 태내 발달

(1) 배아기(embryonic period) : 임신 4~6주

(2) 가선기(pseudoglandular period) : 임신 6~16주

　　선천성 기형이 주로 발생하는 시기

(3) 세관기(canalicular period) : 임신 16~26주

(4) 소낭기(saccular period) : 임신 26~32주

(5) 폐포기(alveolar period) : 임신 32주~

　　30~34주에 제2형 폐세포에서 surfactant 생산

2) 출생 후 발달

(1) 폐기관지 발달

　┌ 18개월 이전 : 모세혈관 수 증가

　└ 18개월 이후 : 기도 크기 증가

(2) 폐순환기의 변화 : 난원공과 동맥관 폐쇄로 체순환과 폐순환이 완전 분리

(3) 흉벽의 발달 : 4세경 거의 성인 수준으로 발달

2. 영유아 호흡기의 특징

1) 기도

(1) 신생아는 주로 비강 호흡 : 상기도 안지름 매우 좁고, epiglottis가 큰 구조
  → 코막힘만으로도 호흡곤란 일으키기도 함.

(2) 상기도 자극만으로도 쉽게 기관지 경련, 무호흡 일어날 수 있음.

(3) 후두 연골 충분히 발달하지 않음 : 흡기 시 형태 유지 못하고 협착이 자주 일어남.

(4) 말초 기도 저항이 특히 더 증가

(5) 기관지 평활근의 양이 적고 발달이 미숙 : 특히 3세 미만 → 기관지 확장제의 효과가
  적음(기관지 천식은 평활근 수축보다 기관지 점막의 부종에 의존)

(6) 기도 내의 점액선의 밀도가 높음.

2) 흉곽

(1) 흉곽 운동이 호흡에 불리하게 작용 : 흉벽이 단단하지 않고, 늑골 많은 부분이 연골로
  구성, 원통형 흉곽 모양

(2) 횡격막근의 근섬유 중 피로를 이겨낼 수 있는 근섬유의 비율이 낮음 → 횡격막근이 쉽
  게 피로→ 호흡곤란 시 견디지 못함.

3) 환기

(1) 호흡기의 표면적, 특히 폐포 표면적이 적다 → 확산장애

(2) 기도 내경이 작다(기도저항은 기도 반경의 4제곱에 반비례) : 기도 폐쇄가 약간만 발
  생해도 심한 호흡곤란이 생김 → 환기장애

(3) $PaCO_2$ 증가에 대한 중추 화학 수용체 반응이 약함 : 성인은 10~20배 환기 증가, 신생
  아 3~4배 증가

4) 수면과 호흡 조절

(1) 호흡에 불리한 REM 수면을 더 많이 함 : 수면시 평상 호흡량↓, 호흡수↓, 환기량↓,
  FRC↓, 상기도 저항↑(REM 수면 시 두드러짐), 호흡 불규칙, 늑간근 긴장도 소실 →
  상기도 폐쇄 쉽게 일어남.

3. 기도 폐쇄와 기도 저항의 관계

저항 = 8×관의 길이×가스의 점도 / πr^4

→ 내경이 조금만 작아져도 이로 인한 기도 저항이 현저히 증가

  ; 소아에서 호흡기 질환을 앓을 때는 기도 내경을 본래 크기로 유지시키는 것이 매우
중요함.

4. 영유아기 기도폐쇄가 갖는 임상적 의의

(1) 환기 장애 :

  ① 저산소증 → 폐쇄가 심하면 호흡곤란, 청색증

  ② 이산화탄소 과잉증(hypercapnia)

(2) 불완전 폐쇄 : 폐기종, 완전폐쇄 : 무기폐(국소적인 폐기종, 무기폐는 별다른 증상 없음)

(3) 기도의 세정 작용 감소 : 만성적인 염증상태(잘 낫지 않거나 자주 재발하는 폐렴)

5. 기도 폐쇄의 형태

1) 폐쇄 위치에 따른 분류

상부 기도 폐쇄	DDx	하부 기도 폐쇄
2차 기관지 이상의 상부기도	발생 부위	3cm 미만의 기관지(광범위하게 산재한 병변) ∵기도 점막의 부종, 기도 분비물의 저류, 기관지의 외부 압박 또는 이들의 조합
흡기성 호흡곤란	주증상	호기성 호흡곤란 ; 호기 시간 연장
carina이상 : 질식사망 가능 if 부분폐쇄가 일어나도 심한 호흡곤란	완전폐쇄가 일어나면	반점상의 무기폐가 발생하나 이로 인한 증상은 별로 나 타나지 않음
흡기성 천명(stridor) : 크고 쇳소리	호흡음	호기성 천명(wheezing)
흉부함몰 inspiratory effort → Negative intrathoracic Pr ↑	흉부모양	흉곽의 전후경이 증가, 늑골간격 커짐 (횡격막이 아래로 내려감)
기침할 때 객담은 별로 나오지 않음 후두 부위에 폐쇄 ; barking cough 기관 or 큰기관지 폐쇄 ; brassy cough	기타 임상양상	반복되는 마른기침 흉부 운동이 줄어들고 청진상 호흡음 감소 호기시 기도 저항↑, 폐과팽창, 타진상공명음

2) 폐쇄 형태에 따른 분류

 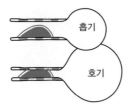 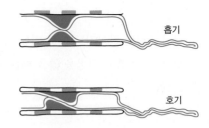

A. 부분 폐쇄(by-pass valve형)   B. 일방 폐쇄(check valve형)   C. 완전 폐쇄(stop valve형)

기도폐쇄의 종류

(1) By-pass valve형 기도 폐쇄 : 부분 폐쇄. 그림 A

　　기관지 내경에 비해 폐쇄 요인이 작을 때 발생

(2) Check valve형 기도 폐쇄 : 일방 폐쇄. 그림 B

　　① 흡기시에는 기관지 내경이 커지기 때문에 공기가 들어갈 수 있으나 내쉴 때는 내경
　　　이 좁아져 공기가 나갈 수 없어 폐포 내에 공기가 과다하게 저류 → 폐기종 발생

　　② 호기 천명(expiratory wheeze)이 들림

　　③ 복식 호흡

(3) Stop valve형 기도 폐쇄 : 완전 기도 폐쇄. 그림 C

　　① 더 이상 공기가 드나들 수 없게 되면 폐포 내에 들어 있던 공기가 혈중으로 흡수 →
　　　무기폐

　　② 호흡음 감소 : 숨을 들이마시거나 내쉴 때 기도의 내경이 바뀌기 때문에 기관지 자
　　　체가 상대적으로 밸브 역할을 함

Ⅱ 호흡기 관리

1. 기도 확보 방법

1) 기도 확보를 위한 자세

(1) 구강 - 인후 - 기관이 일직선 상에 놓이게 함 : 소아는 혀가 상대적으로 크고, 의식 없을 때 인두강 뒷부분으로 말려 들어가 기도 폐쇄를 일으킬 수 있음.

(2) head tilting - chin lift maneuver : 경부 척추 손상 의심될 때는 목 구부리는 자세 피하고, 턱만 밀어 올릴 것.

2) 인공 기도

(1) 인두 기도(pharyngeal airway) : 비강 및 구강내 폐쇄가 있을 때 우선 시도

(2) 기관 내 삽관(ETT) : 적어도 하루 이상 기도를 유지, 분비물에 의한 기도 흡인 우려, 기계호흡 필요

(3) 기관 절개(tracheostomy) : 기관기도 삽입 어려움, 오랫동안 인공기도 유지 필요

3) 인공 호흡

인공 기도가 준비되지 않을 시, mouth to mouth, nose to mouth, bag-mask 이용

2. 산소 공급 방법

1) 산소 투여법

(1) 동맥혈 산소 분압 65~90mmHg, 또는 산소포화도 92% 이상으로 유지

High flow system	DDx	Low flow system
충분	환자 요구량에 따른 산소유입	불충분 → 실내공기 함께 혼합사용
일정(온도, 습도를 함께 조절할 수)	FiO_2	일정 X
비용이 비싸고 환자가 불편할 수 있음	기타	비용이 적게 들고 환자가 편안히 느낌
벤투리 마스크, 텐트, 후드, 산소 연무기	보조사용품	비 캐뉼라, 단순 마스크, 호흡낭 부착된 마스크, 비 카테터

(2) 호흡 양상이 불규칙, 깊은 호흡, 얕은 호흡 → high flow system으로 공급

2) 산소 공급 장치

(1) 저유량 산소 공급법

① 코캐뉼라(nasal cannula, nasal prong)

- 마스크보다 편해서 소아 연령에서 많이 사용
- 호흡 양상이 규칙적이고 일정하며, 호흡수 빠르지 않은 경우 효과적

② 코카테터(nasal catheter)

- prong을 고정시키기 어려울만큼 불안정한 상태일 때 사용
- 비 캐뉼라와 비슷한 산소농도 공급

③ 산소 마스크(simple face mask) : 일정한 산소 농도 얻기 어렵고, 장기간 사용시 불편, 2세 이하에서는 사용 어려움.

④ 산소 저장기 부착 마스크(oxygen mask with reservoir bag)

- 호흡낭(reservior bag)이 최고 흡기 유속 제공
- 마스크에 one way valve 달려 있어, 저장기에 저장된 공기만을 흡입
- 장기간 사용시 불편

(2) 고유량 산소 공급법

① 산소 텐트(oxygen tent) : 산소 농도 일정치 않고, 체온 유지에 어려움.

② 산소 후드(oxygen hood) : 6개월 이하의 영아에서 많이 사용

③ 벤투리 마스크(Venturi mask) : 고농도 산소를 정확하게 조절해서 공급 가능

④ 기관 내 삽관(endotracheal tube), 기관절개관(tracheostomy tube)

3) 산소요법의 부작용

(1) superoxide or hydroxyl 이온 생성 → 폐산소 독성

(2) 호흡 정지

(3) 무기폐

(4) 미숙아 → 수정체후섬유 증식증(retrolental fibroplasia)

3. 분비물 제거 방법

1) 진한 가래에 대한 치료

(1) 수액 공급 : 경구, 정맥 통한 수액 공급으로 가래를 묽게 만듦.

(2) 가습기, 열가습기, 약물

2) 폐쇄 원인 제거 방법 중 호흡 물리 요법(chest physiotherapy)

호흡기 내의 분비물을 제거하여 폐포환기를 호전시키고자 함이다.

(1) 체위 변동

움직이기 어려운 환자의 체위를 자주 변경하거나(소극적) 병변이 있는 부위의 분비물
이 잘 흘러 나올 수 있도록 자세를 취하게(적극적) 한다.

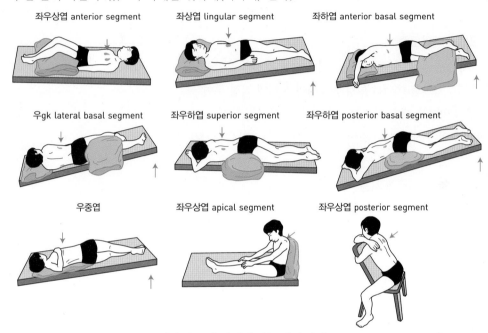

좌우상엽 anterior segment   좌상엽 lingular segment   좌하엽 anterior basal segment

우gk lateral basal segment   좌우하엽 superior segment   좌우하엽 posterior basal segment

우중엽   좌우상엽 apical segment   좌우상엽 posterior segment

객담의 누적 위치에 따른 배담 자세

하루 3~4회 식사 전과 취침 시 시행, 1회 시행 시간은 30분 넘지 않게 한다.

(2) 두들김과 진동

체위 변동 상태에서 그 부위를 컵 모양을 한 손바닥 또는 고무컵으로 두드리거나 기계
등을 이용해 진동을 유발 : 두들김 → 진동 → 기침

(3) 호흡 운동과 기침

최대 흡기 상태에서 유도하는 기침, 흡기 중간 상태에서 입을 벌리고 강하게 내쉬는
호흡운동, 횡격막 호흡 운동, rib springing

3) 흡인(suction)

(1) 분비물이 기침으로 충분히 배출되지 못할 때 흡인 기구 사용

(2) 합병증 : 상기도에 물리적 손상, 저산소증, 심부정맥 서맥, 혈압상승, 저혈압, 호흡정지, 심한 기침, 구역, 구토, 후두경련, 기도, 경련, 통증, 원내감염, 무기폐, 두피 내압 상승

4. 흡입요법과 에어로졸

1) 에어로졸 : 공기 중에 부유하는 고체나 액체 입자의 혼합물

2) 흡입요법 : 약물을 에어로졸 형태로 병변 부위에 직접 투여

(1) 소량의 약물로 빠른 치료 효과

(2) 병변 부위에 작용한 뒤 소변으로 직접 배설 → 전신 부작용 적음

3) 천식, 후두염 등 치료에 사용

호흡기 질환의 진단과 폐기능 검사

1. 호흡기 질환의 주요 임상 증상과 진찰 소견(병적 호흡음)

1) 증상

(1) 기침

- 만성 기침 : 기침이 영아에서 기간과 관계없이, 소아에서 2주 이상, 성인에서는 2개월 이상 지속될 때에는 철저한 원인 규명 및 치료가 시도되어야 함
- 만성 기침의 원인

만성 기침의 원인		
영아	학령 전기	학령기/청소년기
흡인성 증후군	**흡인성 증후군**	**반응성**
연하장애, 신경 장애	이물질	천식
위식도 역류,	위식도 역류	**기관지확장증**
식도 기관루(H형)	반응성	**부비동염**
선천성 기형	천식	**만성 중이염**
혈관 기형	**부비동염**	**감염**
반응성	**만성 중이염**	마이코플라스마
영아 천식	기관지확장증	**자극성**
감염	**감염**	흡연
바이러스	바이러스	공해
(RSV, CMV)	마이코플라스마	**면역결핍**
클라미디아	세균	**심인성**
세균	**자극성(수동 흡연)**	

* 습관성 기침 : 수주~수개월 지속, 치료에 반응×, 잠잘 때는 증상 없음.

(2) 호흡곤란

숨이 차다고 표현되는 주관적 증상 : 폐쇄성, 제한성, 혈관성 폐질환

① 상기도 폐쇄성 질환 : 컹컹하고 울리거나 쇳소리가 나는 기침을 하며, 숨소리는 매우 거칠고, 흡기 시에 stridor, 심한 흉부함몰을 보이는 중증의 호흡곤란 증상이 나타남.

② 하기도 폐쇄성 질환 : 기침 소리는 약하고 연속적이며, 숨을 내쉬는 시간이 길어진 다. 호기 시에 천명이 들리며 흉부함몰이 있으나 상기도 폐쇄질환시보다 심하지는 않다. 하기도 폐쇄질환이 아주 심하면 청진상 천명마저 들리지 않고 호흡음이 감소 된다.

2) 시진

   (1) 얼굴색, 표정, 의식상태, 코움직임, 입의 개폐 정도, 호흡 횟수, 규칙성, 깊이, 흉벽 함몰, 흉곽 모양, 호흡 형태

   (2) 청색증 : 환원 헤모글로빈이 피부 모세관 혈액의 5g/dL이상일 때 나타나는 증상

   (3) 곤봉지 유무

3) 청진

   (1) 호흡음 : 중심기도의 와류에 의해 생기며, 좌우 대칭이다.

     ① 정상적인 호흡음 : 폐포음(vesicular sound), 기관지음(bronclial breathing sound), 기관지 폐포음(bronchovesicular breathing sound)

     ② 호흡음 작아짐 : 늑막강내 가스 액체가 있거나, 기도폐쇄, 폐기종, 폐실질의 감소

     ③ 기관지음 커짐 : 무기폐 주변, 폐조직의 경화가 있어 소리의 전도가 잘될 때

   (2) 병적인 잡음(adventitious sound)

     ① 나음(rale) : 수포음, 전반적인 호흡기 잡음의 의미로 쓰임

     ② 악설음(crackle) : 기수 계면이 존재할 때, 흡기 시 막혀있던 세기관지가 열리고 진동하면서 들림

       • 미세 악설음 : 제한성 폐질환, 울혈성 심부전 초기의 흡기 시

       • 거친 악설음 : COPD의 흡기 및 호기 시

     ③ 염발음(crepitation) : 작은 기관지가 열리면서 생기는 소리, 머리카락 부빌 때 나는 소리

     ④ 천명(wheeze and stridor)

       • wheeze : 좁아진 기관지벽의 진동에 의해 생기는 연속적인 고음의 휘파람 소리, 호기 시에 잘 들림(천식)

       • stridor : 기관과 후두에서 생기는 고음의 음악성 호흡음, 흡기 시에 잘 들림

     ⑤ 통음(rhonchus) : 분비물에 의해 비교적 큰 기관지가 좁아져 있을 때 나는 잡음

     ⑥ 흉막 마찰음(friction rub) : 호흡할 때 흉막이 서로 마찰되어 생기는 소리, 흡기 시에 더 잘 들리며 빠그락거리는 가죽소리 : 심막염

> 분비물에 의한 moist rale : crackle, crepitation
> 기관지 좁아져 발생하는 dry rale : wheeze, rhonchus

4) 촉진과 타진

  (1) 성대 진탕음(vocal fremitus)

    ① 늑막염에서 생기는 마찰음과 목소리가 전달되어 발생

    ② 증가 : lobar pneumonia 초기감소 : COPD(천식), 흉막염

  (2) 타진소견

    ① 공명음(resonance) : 폐의 정상 타진음

    ② 과공명음(hyperresonance), 고음(tympanic sound) : 기흉, 폐쇄성 폐질환

    ③ 탁음(dull) : 폐경화, 늑막염, 제한성 폐질환

2. 소아 폐기능 검사시 고려사항

1) 환자의 협조도

  충분한 시간과 편안한 분위기에서 사전에 교육 : 인내와 숙련된 기술로 환자의 협조 구함

2) 폐의 성장 및 발달(성인과 다른 패턴)

  기도의 성장 및 분화가 선행 → 폐포의 성장

  폐혈관 등 폐실질 외 조직이 상대적으로 많음.

  교원질 섬유 보다는 탄성 섬유가 상대적으로 많음.

  말초성 기도저항이 중심성 기도저항보다 상대적으로 많음.

3) 성인과 다른 적응증

  급성 호흡기 질환(>만성 폐쇄성 질환)

  기능적 질환이나 다른 질환에 2차적으로 병발(>기질적 질환)

IV 호흡조절

1. 호흡조절이 일어나는 과정

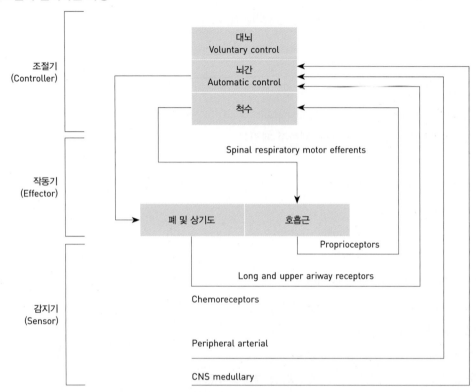

호흡 조절 계통의 구성

1) 중앙 조절기(central controller)
- 수의적-pyramidal tract, 의식적 호흡조절
- 자율적-연수와 뇌교의 신경군, 비의식적 호흡조절
- 호흡 리듬 생성-Pre-Botzinger complex

2) 감지기(sensor)
- 중추 화학 수용체-$PaCO_2$ 변화 → H^+농도 변화에 반응
- 말초 화학 수용체-동맥혈의 화학적 구성 감지, 저산소혈증에 대한 즉각적 보상으로 과환기 유발
- 폐 및 상기도 수용체
- 근육 수용체

3) 작동기(effector) : 호흡근육

- 흡기-횡격막, 외부늑간근, SCM, scalene
- 호기-내부늑간근

2. 호흡조절 이상으로 인한 질환

Apnea
Periodic Breathing
Apparent Life–Threatening Event(ALTE)
Sudden Infant Death Syndrome
Obstructive Sleep Apnea Syndrome
Alveolar Hypoventilation Syndrome
Neuromuscular Disease
Associated with Obestity
   Arnold–Chiari Malformation
   Gastroesophageal Reflux

V 호흡부전

정의 : 동맥혈 산소 및 이산화탄소 분압의 변화

1. 병태생리

기전	흉벽함몰	호흡시도
기계적인 이상* : 환기 요구량 증가와 이에 따른 신체적 노력 모두 증가	+	↑ 빈호흡, 숨찬증상 보조호흡근 과다사용
호흡근기능 or 신경분포이상	−	↑ ineffective respiration 낮고 빠른 호흡 숨찬 증상 심해짐
호흡중추의 조절이상	−	↑ 호흡곤란의 증상, 징후 거의 없음

소아에서는 폐나 흉벽의 기계적인 이상이 흔함

호흡기 질환이 있는 경우 : 숨쉬는데 필요한 힘의 요구량 > 호흡근 운동량 : 호흡부전

2. 치료

목표 : 적절한 가스교환을 회복시켜 합병증을 최소화

① 유발요인 제거, 원인 질환에 대한 적절한 치료심폐부종−수축촉진제, 이뇨제 or 천식−기관지 확장제, 항염제

② 산소 공급 통해 교정 : 저산소증(더위험, 교정쉬움), 고탄산혈증

③ 기계적 환기 : 산소에 의한 폐손상을 최소화할 수 있는 적절한 혈액 가스 분압 유지

VI 선천 호흡기 질환

1. 선천 후두 협착음

(선천 후두 연화증, **congenital laryngeal stridor, laryngomalacia**)

- 천음(stridor) : 흡기 시 기도가 좁아지면서 나타나는 호흡음(후두개의 기형, 무기력, 기도벽의 허약으로 인함)
- 선천 후두 천음 : 후두의 가장 흔한 선천 기형, 영아의 천음 중 m/c, 남아(2.5배) 호발

1) 증상

⑴ 시끄럽고, 그르렁거리는 천음 : 생후 2주 이내 나타나 6개월까지 점점 심해짐.

⑵ 울거나, 수유할 때 심함.

⑶ 누워있을 때 증상 악화, 엎어 누이면 완화

2) 진단

⑴ flexible laryngoscopy로 진단

⑵ 감별진단 : 출생 초기에 영아 테타니, 출생 손상으로 인한 후두부종

3) 치료

⑴ 대부분 성장하면서 저절로 좋아짐, 특별한 치료 필요 없음.

⑵ 엎드린 자세가 천음을 줄이나, 질식에 주의

VII 호흡기감염

▶ **호흡기감염을 일으키는 바이러스**

- Respiratory syncytial virus : 세기관지염
- Rhinovirus : 급성비인두염, 상기도감염
- Parainfluenza virus : 크루프
- Adenovirus : 인두염, 인두결막염
- *Mycoplasma* : 상하기도 질환 모두 유발, 세기관지염, 폐렴, 기관지염, 인두편도염, 고막염, 중이염
- Influenza virus : 급성 후두개염, 상기도 질환

1. 상기도 질환(Disease of Upper Respiratory Tract)

1) 감기(common cold)

(1) 원인

대부분 바이러스가 원인 : Rhinovirus가 m/c

(2) 역학

① 3세 이하에 호발, 소아는 1년에 평균 6~8회 감기에 걸림.

② 1년 내내 발생하나 특히 초가을부터 늦은 봄까지 호발

③ 추위, 습도와는 관계없이 발생빈도는 노출횟수에 비례

④ 선천 면역 이상이 있을 때에도 감기가 자주 발병

(3) 임상증상

① 가장 흔히 나타나는 증상은 인두통, 코막힘

② 인두통은 보통 빨리 좋아지고 2-3일째에 코증상, 코증상 시작 후 기침 시작

③ 신체소견은 상부에 국한하여 나타남; 콧물이 현저히 증가

(4) 감별진단

감기의 감별진단	
부비동염	고열, 두통 또는 안면부 통증, 안와주위 부종, 14일 이상 지속되는 콧물 또는 기침
알레르기 비염	반복되는 가려움, 재채기, 맑은 콧물, 코 막힘, 눈 충혈과 가려움, 비즙 도말검사에서 호산구 증가.
이물(foreign body)	일측성 코막힘과 악취나는 콧물, 피가 섞인 콧물
백일해	지속되는 경련성 기침
사슬알구균 감염증	콧구멍 주변 찰과상, 점액 화농성 콧물
선천성 매독	생후 3개월 이내에 시작한 지속적인 콧물

(5) 합병증

① 중이염(m/c) : 나이가 어릴수록 잘 걸림(영아는 이관이 짧고 곧고 넓기 때문에). 감기 초기에도 생길 수 있으나 대개 급성기가 지난 후에 발생 → 감기 도중에 다시 열이 오르거나 귀가 아프고 보채면 중이염 의심.

② 부비동염, 인두후부 및 편도 주위 농양, 안와 주위 연조직염, 알레르기 비염, 천식 악화

(6) 예방

① 유행 시 단체 생활, 대중 모인 장소 피하기

② 손씻기, 구강 위생

③ 인플루엔자 예방 접종

(7) 치료 : 감기 치료는 증상에 따른 대증 요법으로 한다.

① 항바이러스제 치료 : 리노바이러스 감염에 대한 항바이러스 치료제는 없다.

② 발열과 인두통이 심할 때 : acetaminophen or ibuprofen (aspirin은 Reye증후군 위험성을 높이므로 사용×)(NSAIDs는 감기로 인한 인두 불편감을 어느 정도 줄여주는 효과는 있지만, 호흡기 증상개선은 안됨)

③ 비폐색으로 수면장애, 수유곤란 시 : 점비약(nose drop)의 비강 점적 주입

2) 비염의 감별진단

	알레르기성	감염성	혈관성
원인	IgE 매개체	호흡기감염	자율신경성
유발인자	알레르기	바이러스, 세균 등	온도, 알코올, 담배, 향료 등
발현형태	돌연발현, 돌연회복	서서히	돌연
환경요인	영향	영향없다	일정하지 않다
계절	빈번	영향없다	영향없다
발열	없다	있다	없다
가려움증	있다	없다	경도 or 없다
결막염	있다	없다	없다
분비물	농성	수양성	수양성
도말소견	eosinophil	neutrophil	없다
피부반응	양성	음성	음성
항알레르기제에 대한 반응	있다	없다	없다

3) 급성 인두염(acute pharyngitis)

　(1) 원인

　☆① 일반적으로 virus에 의해 발생 : adenovirus (m/c) 그외 enterovirus, Epstein-Barr virus,

　　　coxsackievirus, herpes simplex virus, metapneumovirus

　☆② 세균으로는 group A β-hemolytic streptococcus가 흔하지만 유행시기가 아니면 전체

　　　의 15% 미만

　　③ 3세 이하에서는 adenovirus, 학동기에는 group A streptococcus가 흔한 원인

☆(2) 임상증상

바이러스성 인두염	연구균성 인두염
• 결막염, 콧물, 쉰목소리와 기침. 서서히 진행	• 증상이 빠르게 시작, 인두통과 열이있고 기침은 없다.
• 아데노바이러스: 고열, 결막염	• 발열, 인두통, 인두발적, 삼출성 편도선 비대.
• EBV: 삼출이 있는 편도비대, 경부림프절염, 간비장비 대, 발진과 전신피로	• 연구개와 후인두: 점상출혈 혹은 도넛모양 병변
• 콕사키바이러스 : 포진성 구협염(herpangia)일 때, 인두 뒤쪽 회색의 수포 궤양	• 목젖: 묽고 점묘된 듯하고(stippled) 부어보일 수 있다.
• 급성 림프소절성: 인두 뒤쪽 노랗고 하얀 결절	• 전부 경부 림프절증이 대개 나타나며 압통을 동반.
• 어린소아에서 HSV감염: 고열, 치은 구내염, 인두염	• 홍반성 미만성 구진이 보이면 성홍열 의심.
• 경과 : 4~5일 이상 지속. 합병증 드물다.	• 선행 감기 증상 없이도 일어남

　(3) 진단 : 인두 배양, 사슬알균 항원 검출법

　(4) 감별진단

　　① 디프테리아, 전염성 단핵구증 : 편도에 막성 삼출물(+)

　　② herpangina : 대개 편도 삼출물은 없으나, 전구개궁, 구협, 연구개에 수포성 궤양이

　　　호발(Coxsackie A)

　　③ 담배나 마리화나 남용

　(5) 치료

　　① 대부분 바이러스성이므로 특별한 치료 필요 없음.

　　② 임상적으로 세균성이고 항원검출법에서 양성인 경우, 성홍열의 임상 증상이 있는

　　　경우, 사슬알균 인두염으로 확진된 가족이 있는 경우, 급성 류마티스열의 병력이

　　　있는 경우, 최근 가족 중 류마티스 열에 걸린 경우는 항생제 치료 바로 시작

　　③ 사슬알균 인두염 치료 : 페니실린, 10일 간 치료

4) 편도와 아데노이드(tonsils and adenoid)

(1) 주요기능

① 호흡 기관의 감염 방어역할

② 면역글로불린 형성

(2) 편도절제술의 적응증

① 종양의 감별이 필요

② 심한 수면 무호흡증, 또는 폐쇄로 호흡 장애, 연하 장애 동반

③ 편도절제술에 대한 소아과 가이드 라인 : 1년에 7회 이상 인두염으로 항생제 치료 받았거나, 2년 동안 매년 5회 이상 또는 3년 동안 매년 3회 이상 항생제 치료 받은 경우

cf. adenoidectomy or tonsillectomy는 감기예방, AGN 예방, allergy예방과는 관계없다. 습성 또는 만성 부비동염의 예방이나 치료에도 별 도움이 안 된다.

(3) 아데노이드 절제술 적응증

① 코가 항상 막혀서 입으로 숨을 쉬거나 비음이 심한 경우

② 아데노이드 얼굴

③ 반복성 혹은 만성 중이염이 있을 때, 특히 전도성 청력소실이 있을 때

④ 감염성 아데노이드 비대에 의해 반복성 혹은 지속적인 비인두염이 있을 때

5) 급성 중이염(AOM)

(1) 임상적 특징

① 소아의 호흡기 감염의 매우 흔한 합병증(by 유스타키안관을 통한 감염)

② 어린 소아의 2/3에서 적어도 1회는 경험하며 50%에서는 2회 이상을 경험

③ 호발연령 : 6~13개월(6세 이후에는 발생 빈도가 현저히 감소)

④ 소아에서 잘 생기는 이유 : 이관이 짧고 넓고 곧다.

(2) 원인

① 바이러스

② 세균성; *S. pneumoniae*(m/c), *H. influenzae, M. catarrhalis*

(3) 임상증상

① 보통 상기도 감염에 동반

② 이통, 청력장애, 이명, 분비물

③ 치료에도 불구하고 2~3주 이상 배농이 계속되면 만성

④ 영아 : 전신증상이 더 뚜렷

⑤ 소아 : 이명, 어지러움, 청력장애

(4) 진단

- 임상 증상과 고막소견으로 진단

① 급성발병, 중이내 삼출액, 중이내 염증, 세가지가 모두 있을 때 진단.

② 중이내 삼출액의 여부 : 고막이 충혈, 불투명, 팽만, 운동성 감소, 심한 경우 고막 천공, 화농성 분비물의 4가지 중에서 최소 한 가지 이상이 발견될 때.

③ 중이염내 염증 : 고막의 현저한 발적, 또는 정상 생활이나 수면을 방해할 정도로 확실한 이통

(5) 치료

① 항생제

☆ • ampicillin 혹은 amoxicillin(DOC)을 10~14일 : *S. pneumoniae, H. influenzae*를 cover

- 임상적 호전 이 없거나 내성균이 의심되면 : amocixillin-clavulanate
- 알레르기 반응이 일어날 수도 있다 : 1형 면역반응일 때 → 마크로라이드 항생제

   1형 면역반응이 아닐 때 → 세팔로스포린 계통

② 고막천자(tympanocentesis)와 고막절개술(tympanotomy) : 고막이 팽만, 심한 통증, 심한 전신증상, 치료에 반응이 없을 때

(6) 합병증 : 청력감소(m/c), 진주종, 안면신경마비, 유양돌기염, 고막천공, 만성 중이염 등

6) 삼출 중이염 : 급성 중이염 1개월 치료 → 3개월 지났는데도 삼출물

- 급성 감염 증상없이 중이 내에 삼출액이 고이는 중이염, 급성 중이염의 합병증
- 3개월 이내 대부분 소실

(1) 증상

① 청력 감소 → 행동장애

② 소아에서는 다양한 증상으로 표출

③ 장기간 염증 지속 시 : 중이구조 변화, 고막함몰, 유착성 중이, 진주종 형성

④ 3개월 이상 중이염 지속 시 청력측정, 발달검사를 자주 시행

(2) 치료

☆① 고막 절개, 환기관 삽입 고려 : 3개월 이상 삼출 지속 or 양측성 or 청력소실(+)

② 항생제 : 다른 상기도 감염이 있거나 치료되지 않은 중이염이 있을 때

7) 경부 림프절염(Cervical lymphadenitis)

(1) 원인

① 소아의 상기도 감염 및 여러 원인에 의해 : 상기도 감염 or 급성 인두염의 합병증일 경우 많음.

② group A *Streptococcus*가 주된 원인균. *Staphylococcus*, Pneumococcus도 가능

(2) 치료

① 적절한 항균요법으로 1~2주 혹은 대개 3주 내에 림프절이 좋아진다.

② 화농하여 파동(fluctuation)이 생기면 절개하여 배농해야 함.

(3) 조직검사 적응증

① 크기가 3cm 이상, 결핵, 종양이 의심되는 경우, 항생제 치료에 호전이 없는 경우

② 원인 불명의 장기간의 발열, 체중감소, 야간발한, 단단한 종괴, 주위 조직과의 유착이 있을 때

③ 2주일 이상 크기 증가, 4~6주가 되어도 크기가 줄어들지 않음, 8~12주가 되어도 정상 크기로 되지 않을 때

④ 새로운 증후나 증상이 나타날 때

cf. 감염성 경부 림프절의 종대 시 우리나라에서는 결핵에 의한 감염을 꼭 감별해주어야 함.

8) 부비동염(sinusitis)

(1) 원인균

급성 부비동염 : *S. pneumoniae* (m/c), *H. influenzae*, *M. catarrhalis*

(2) 임상증상

① 코증상(코막힘, 화농성 콧물, 후각이상), 안면증상(얼굴이 붓고 안면통, 두통), 비인두증상(구취, 치통, 기침, 이통)과 전신 증상(발열, 피로) 와 같은 비특이적 증상으로 나타남.

★② 감기가 평소보다 심하거나 10일 이상 지속될 때 의심 : chronic nasal obstruction

③ 목소리가 콧소리로 변함

④ 기침은 낮에 자주 하지만 후비루(PND)가 있으면 야간에 심함.

⑤ 증상이 90일 이상 지속되면 만성부비동염으로 진단한다.

(3) 진단방법

① X선(Waters view, Caldwell view)

 : 침범된 부비동에 air fluid level, 혼탁, 점막비후(>4mm)

② CT · MRI : 원인 감별에 효용성이 제한적

③ CT : 수술적 치료가 필요한 경우, 치료실패, 합병증 발생, 또는 반복적 부비동염 있을 때 해부학적 이상을 확인하기 위해 사용

④ 부비강 천자 : 세균 배양 위한 가장 믿을만한 검사, 치료에 반응 없거나 생명을 위협하는 합병증 있을 시 시행

⑤ 초음파 : 민감도와 특이도 낮음

⑷ 치료

★① 항생제 : amoxacillin(1차 치료제), TMP-SMX, amoxicillin-clavulanate, 2세대 또는 3세대 cephalosporin, Macrolide

   ┌ 급성 시 증상 소실된 후 1주일까지 치료
   └ 치료 호전 없을 경우 : 세균 배양검사를 통해 항생제 변경

   우리나라에서 분리되는 pneumococcus는 70% 이상이 penicillin-resistant.

② 외과적 배액과 세척 : 2차 치료에도 호전 없을 경우

⑸ 합병증 : 뇌막염, 경막하농양, 해면동혈전증, 시신경염

9) 인두 후부 농양(retropharyngeal abscess) 및 편도 주위 농양(peritonsillar abscess)

⑴ 인두 후부 농양

① 3~4세에 흔함, 최근 귀, 코와 인두에 감염 병력이 있음, 5세 이후에는 드묾

② 인두벽에 종창과 화농이 생겨 연하 곤란을 동반함

③ 고열과 고개를 뒤로 젖히는 과신전(hyperextension) 모습

⑵ 편도 주위 농양

① 5세 이후에도 발생

② 목젖이 병변 반대편으로 밀리고 입을 벌리지 못함(trismus)

③ 급성 후두개염과 이물 흡인을 감별해야함

⑶ 인두 후부 농양과 편두 주위 농양의 원인균

① A군 사슬알균, 혐기세균, *S. aureus*이 중복 감염되는 경우가 흔함

② *H. influenzae*, *Klebsiella*와 *M. avium-intracellulare* 등

⑷ 진단

① 흡기 시 경부 측면 X선(soft tissue neck film)에서 인두 후부 부위가 넓어짐

② 공기수면위(air-fluid level)이 관찰될 수 있음

③ 목 컴퓨터단층촬영(neck CT)이 매우 유용한 진단법이지만, 농양을 발견하지 못하는 경우도 있음

(5) 치료

   ① 주사기 흡인 배농(needle aspiration)과 A군 사슬알균과 혐기성균에 대한 항생제 투여로

   ② 항생제 : 3세대 세팔로스포린과 아목시실린–설박탐 또는 클린다마이신 병합요법

   ③ 위의 치료에도 호전되지 않으면 수술적 배농을 고려

2. 하기도 질환(Disease of Lower Respiratory Tract)

1) 후두 및 기관의 급성 감염

✚ 크루프(croup)

1) 정의	2) 종류

① 목이 쉬거나 목소리에 변화가 오고
② 흡기시에 소리가 나며
③ 기침이 개가 짖는 소리 같고(barking cough)
④ 흡기성 호흡곤란, 호흡 촉박, 흉벽의 함몰, 특히 흉골하
  부와 상부 및 쇄골상부 함몰 등을 나타내는 증후군
	① 성대와 성대 하부에 생긴 염증 : 후두염, 후두 기관염,
	  후두 기관 기관지염
	② 성대의 상부에 생긴 염증 : 후두개염

---

(1) 감염성 상기도 폐쇄(감염성 크루프)

   ① 원인 및 역학

      Ⓐ 디프테리아, 세균성 기관염, 급성 후두개염을 제외하고 감염성 기도 폐쇄를 일

         으키는 대부분의 원인은 바이러스성

      Ⓑ parainfluenza (75%)가 m/c. 그 외 adenovirus, RSV, influenza, measles 등

   ② 종류

      Ⓐ 크루프(acute laryngotracheobronchitis)

      Ⓑ 급성 후두개염(acute epiglottitis, supraglottitis)

      Ⓒ 급성 감염성 후두염(acute infectious laryngitis)

      Ⓓ 연축성 크루프(spasmodic croup)

   ③ 크루프(acute laryngotracheobronchitis)

      Ⓐ 개요 : 크루프의 대표적 형태로 바이러스성이 m/c

      Ⓑ 증상

    ☆ • 쇳소리의 기침(brassy cough)

    ☆ • 흡기성 천명

       • 악화시 지속적 천명, 비의 확장, 흉벽 함몰 등 기도 폐쇄 증상

       • 천명 or 악설음 : 기관지/세기관지 침범 시

ⓒ 진단

- 임상적 증상에 의함

☆ • 목의 전후 촬영에서 특징적으로 후두개의 좁아짐이 관찰

- 방사선 촬영보다 기도확보가 우선

④ 급성 후두개염(acute epiglottitis, supraglottitis); 크루프의 가장 중한 형태

Ⓐ 원인 : *H. influenzae*가 대부분

Ⓑ 임상증상

- 연하통(odynophagia), 호흡곤란, 침을 흘린다(drooling), 고열, 천명

- 증상이 갑자기 발생하고 급격히 진행하는 것이 특징

ⓒ 진단 : 후두경상 크고 부푼 붉은 빛의 후두개(thumb sign)

Ⓓ 치료

- 내과적인 응급질환 → 적절한 치료 시 2~3일에 호전

- 기관삽관이나 기관절개의 준비없이 인두를 건드려서는 안 된다.

- 항균제 : ampicillin, sulbactam, cefotaxime, ceftriaxone 7~10일간 사용

후두 기관 기관지염 (laryngotracheobronchitis) =Viral croup	후두개염(epiglottitis)
1) 원인 : Parainfluenza virus : 75%	1) 원인 : *H. influenzae* type b
2) 호발 연령 : 3개월~3세	2) 호발 연령 : 2~7세

3) 증상
① 발열 : 심하지 않음
② 밤에 증상이 더 심함
③ 빠르게 약화 → 3~4일에 걸쳐 완화
④ 기관 침범
  : 쇳소리 기침+간헐적 흡기성 천명
⑤ 세기관지쪽 침범시
  : 심한 폐색성 호흡곤란 증상
	3) 증상
	① 갑자기 발생
	② 급격한 호흡곤란
	③ 고열
	④ 침을 흘리거나 목소리 안나옴
	⑤ 흡기성 천명동반
	⑥ 연장아
	  − 인후통
	  − 연하 곤란
	⑦ 적절한 치료 : 2~3일내 호전

4) 진단 CXR : 후두 아래 부위가 좁아짐(=Subglottic narrowing) → 모래시계형태	4) 진단 ① CXR lat. 부어있는 후두개 음영 ② 후두경 : 크게 부푼 붉은 빛의 후두개 확인

5) 치료
① Mild : 차가운 증기
☆ ② 스테로이드
  − 염증성 부종 감소
  − 섬모 상피세포 파괴 방지
☆ ③ Epinephrine
	5) 치료
	① Ceftriaxone
	② Cefotaxime
	③ Ampicillin−Sulbactam
	④ 7~10일 사용
	⑤ 호흡곤란 심하면 기관삽관

⑤ 급성 감염성 후두염(acute infectious laryngitis)

Ⓐ 원인 : 흔한 질환으로 디프테리아를 제외하고는 거의 바이러스성

Ⓑ 증상 : 대개 인두통, 기침, 쉰 목소리가 나는 상기도 감염으로 시작. 일반적으로 경하게 병을 앓고, 어린 영아를 제외하고는 호흡곤란은 드물다.

Ⓒ 특징

- 후두경상 성대와 성대하 조직에 염증성 부종이 특징적
- 기도 폐쇄가 호발하는 곳은 대개 성대하 부위다.

⑥ 연축성 크루프(spasmodic croup)

Ⓐ 원인 및 역학

- 1~3세에 호발
- 원인 모르나 감염, 알레르기, 정신적 요인 및 위식도 역류 등이 관여함

Ⓑ 증상

- 대개 저녁이나 밤중에 발병
- 가벼운 콧물과 쉰 목소리가 있은 뒤 갑자기 발병
- 특징적으로 컹컹거리며, 금속성의 기침, 흡기 시 협착음(stridor), 호흡곤란으로 잠에서 깨어 불안 초조해 함
- 수시간 후에는 증상은 덜해지고 기침도 완화되며 다음날 낮이 되면 기침 외에는 건강하게 보인다.

Ⓒ 치료

- 분무기로 차가운 증기를 쐬어주면 급성 후두 경련과 호흡곤란은 수분 내 완화
- epinephrine 분무도 증상 호전 가능

⑦ 크루프의 종류별 특징

	바이러스성	세균성	연축성
연령	3~5세	3~7세	소아
원인	바이러스	세균	불명
선행질환	상기도염	상기도염	없다
경과	양호	중독성	돌발성
점막소견	부종	부종	창백
치료	대증적	항생제	자연소실

⑧ 크루프의 치료

Ⓐ 크루프 환아에서 입원

- 후두개염이 있거나 의심이 되는 경우, 천명이 진행되고 휴식시에도 심한 천명이 있는 경우, 호흡곤란, 저산소증, 불안, 청색증, 창백, 의식약화, 위독하게 보이면서 고열이 있는 경우 입원시킨다.
- 입원하여 기관절개, 경비 기관삽관의 필요성 여부와 적당한 시기를 정할 수 있다.

Ⓑ 기관삽관이나 기관절개가 필요한 대상

- 모든 후두개염의 환자
- 적절한 치료에서 불구하고 2차적인 폐쇄로 인한 호흡 부전의 징후가 심해지는 후두기관 기관지염, 연축성 크루프와 후두염 환자의 일부

▶ 적응증

- 보채는 것이 차츰 심해지고
- 맥박수와 호흡수가 빨라지며
- 흉벽 함몰이 차츰 심하게 되면
  청색증이 나타낼 때까지 기다리면 너무 늦다.

☆ • 에피네프린 분무 치료 : 효과적

☆ • 스테로이드의 사용 : 염증성 부종의 감소와 섬모 상피세포의 파괴 예방

- 진정제는 금기 : 불안해하는 것이 폐쇄의 정도와 기관절개나 기관삽관의 필요성을 나타내는 임상적 지표이기 때문

	바이러스 croup	세균성 croup	Epiglottis 후두개염	비감염성 크루프 Spasmodic croup
침범 부위	Larynx	Trachea	Acute epiglotitis	Larynx
원인 균	Panainfluenza virus	*S. aureus*	Hib	모름
호발 연령	3개월~3세	3개월~5세	2~7세	1~3세
증상 발현 양상	• 다양함 • 12~48시간	점차 진행 양상	• 빨리 진행 • 4~12시간	빠르다
발열	다양	고열	고열	없음
쉰목소리 개기침소리	존재	존재	없음	±
폐쇄의 경과	다양한 진행	• 다양한 진행 • 대개 심하다	• 빨리 진행 • 응급 상황 • 다양	
WBC 수	• 경도 상승 • Shift to left	• 다양함 • 증가	• 현저히 상승 • Shift to left	• 대개 정상 • 호산구 과다증
방사선 검사	PA view : subglottic narrowing	PA view : subglottic narrowing	Lateral view : subglottic swelling	
치료	• 찬 습기 • 에피네프린 • 스테로이드	• 찬 습기 • 항생제 • 기관삽관	• 항생제 　Ceftriaxone 　Cefotaxime 　Ampicillin–sulbactam • 기관삽관	• 항히스타민제 • 스테로이드

(2) 세균성 기관염

    ① 개요 : 후두개를 침범하지 않는 기도 폐쇄증으로 대부분 3세 이하

    ② 원인

        Ⓐ *S. aureus*가 m/c

        Ⓑ *Moraxella catarrhalis, H. influenzae*

    ③ 증상

        Ⓐ 쇳소리 기침, 고열, 중독 증상, 호흡곤란

        Ⓑ 객담이 진하고 농성

    ④ 치료

        Ⓐ 기관삽관 및 기관절개술

        Ⓑ 항균제 : 항포도상구균제 포함

        Ⓒ 크루프의 일반 요법

2) 급성 세기관지염(acute bronchiolitis)

(1) 역학 : 2세 이하의 영아, 그 중에서도 돌 전후에 가장 많이 발생, 영아 입원의 m/c 원인. 겨울과 초봄에 가장 많이 발생

(2) 원인

    ① RSV (respiratory syncytial virus) : 50% 이상

    ② parainfluenza

    ③ adenovirus : 장기간 지속되는 합병증 야기

    ④ *Mycoplasma*

(3) 발생기전

    • 세기관지의 폐색

        ① 기도의 부종, 점액이나 세포성 탈락물의 축적, 바이러스에 의한 기관지 말단 부위의 침입

        ② check valve type : 폐의 과도 팽창

           stop valve type : 완전한 폐색, 무기폐

(4) 임상증상

    ① 처음에 경한 상기도 감염 증상(콧물, 기침, 재채기)→ 고열(38.5~39℃), 식욕 감소 → wheezing, 호흡곤란, 불안정, 수유곤란

    ② 경한 경우 : 1~3일내 증상이 없어진다.

    ☆③ 심한 경우 : 호흡수 60~80회/분, 심한 환기 부족과 청색증

④ 코를 벌렁거림, 호기 연장

★⑤ 호흡보조근육의 사용으로 인한 늑간 및 늑간 하부의 함몰

⑥ 폐의 과도 팽창에 의한 횡격막의 눌림으로 간과 비장이 늑골연 아래서 만져진다.

(5) 진단

① 청진 소견 : Hyperresonance, rales, ronchi, wheezing, course breath sound

→ noisy chest

② X선 소견(거의가 정상 소견)

Ⓐ 과도 팽창(hyperinflation)

Ⓑ lateral view상 AP diameter 증가, diaphragm flattening

Ⓒ 폐침윤 : 무기폐나 폐포의 염증반응에 의한 것

(6) 경과

① 기침, 호흡곤란 발병 후 처음 48~72시간 동안 병이 가장 심해짐

② 어린 영아 → 무호흡 발작, 호흡성 산증

③ 이후 병은 급격히 치유되어 수 일 내에 완전히 회복

(7) 예후 : 사망률 1% 이내로 예후는 좋다.

① 사망의 원인

Ⓐ 지속되는 무호흡 발작

Ⓑ 교정되지 않는 심한 호흡성 산증, 빈호흡으로 인한 수분 소실

Ⓒ 물을 삼키지 못해 심한 탈수

② 선천성 심장 질환, 기관지폐이형성증, 면역결핍증, 낭포성 섬유증이 있는 유아에서
   는 더 높은 이환률과 사망률

③ 기관지 폐렴이나 패혈증 같은 세균성 합병증은 흔하지 않으나 중이염은 발생할 수 있다.

④ 세기관지염을 앓은 영아의 상당수가 소아기 후반에까지 기도 과민성을 보인다.

(8) 예방

① RSV 면역글로불린의 정맥 투여 ⎤ 청색증형 선천성 심질환 환아 투여 금지

② RSV에 대한 monoclonal antibody의 근주 ⎦

(9) 감별진단

① 기관지 천식

② 울혈성 심부전

③ 기도내 이물

④ 백일해, 유기인 중독, cystic fibrosis

(10) 천식과의 감별(천식의 특징)

① 보통 1세 이후(1년 이내에는 흔치 않음)

② 천식의 가족력

③ 한 아이에서 반복되는 발병(>2회)

④ 선행되는 감염이 없는 급작스런 발병

⑤ 호기의 심한 연장

⑥ 호산구 증가증

⑦ β_2-agonist에 즉각 반응

(11) 치료 : 호흡장애가 있는 영아는 입원을 시켜야 하지만 치료로는 보조요법만을 해줄 뿐이다.

☆① 습도를 높인 산소 공급

② 진정제 : 호흡을 억제 시킬 수 있으므로 금기

③ 수액과 전해질 균형

④ 항바이러스제 Ribavirin (virazole) : 선천성 심장질환이나 기관지폐이형성증이 있는 영아에게는 분무투여를 고려해야 하나 효과 확실치는 않다.

⑤ 항생제는 2차적인 세균성 감염이 없는 한 사용하지 않는다.

⑥ corticosteroid는 효과 없으며 오히려 해로울 수 있다.

⑦ 기관지 확장제(albuterol 등) : 천식과 감별을 하는 의미에서 사용하는 것도 좋다.

⑧ 급속한 호흡 부전이 오는 경우는 호흡기 치료가 요망

⑨ aminophylline은 쓸 필요 없다.

⑩ 에피네프린 : 혈관 수축 작용에 따른 정맥 울혈과 점막부종을 호전, 흡입제로 분무

3) 폐렴

　(1) 원인

　　① 해부학적 분류

　　　Ⓐ 대엽성 폐렴 : 한 엽의 전부 또는 일부

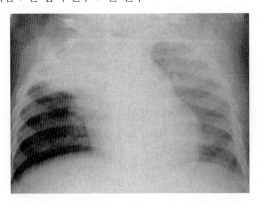

　　　Ⓑ 간질성 폐렴 : 폐의 전반적 세기관지염 혹은 기관지염으로 주로 망상형 침윤

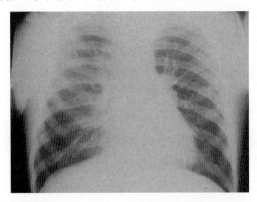

　　　ⓒ 기관지 폐렴 : 산재성, 소엽성, 간질성 폐렴을 모두 포함, 주로 반점상 침윤

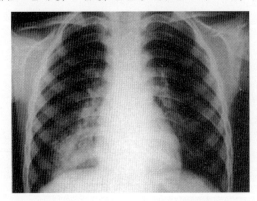

② 연령별 원인

신생아기	Group B *Streptococcus* 그람음성균(*E. coli, Klebsiella*) *S. aureus* CMV, *Chlamydia*
영아기	RSV, Parainfluenza, Influenza, Adenovirus, Enterovirus, *Chlamydia, Staphylococcus, H. influenzae*
유아기	바이러스는 영아기와 동일 Pneumococcus *H. influenzae*
학령기	*Mycoplasma*, Pneumococcus Group A *Streptococcus* Influenza A, B

③ 흉부 X선 소견별 원인

X선 소견	추정원인균	X선 소견	추정원인균
대엽성 또는 소엽성	Pneumococcus *Staphylococcus* *H. influenzae* b형 Group A *streptococcus* *Klebsiella* Tuberculosis *Mycoplasma* 기타	기관지 폐렴	Virus *Mycoplasma* 세균:그람양성, 그람음성 Mycobacteria *Pneumocystis jirovecii* *Chlamydia* *Rickettsia* 기타
흉막삼출성폐렴	Pneumococcus Group A *streptococcus* *Staphylococcus aureus* *H. influenzae* b형 *Mycoplasma* 기타	폐렴이 동반된 폐농양	*Staphylococcus aureus* *Klebsiella* Anaerobes Foreign body
기류(Pneumatocele)가 있는 폐렴	*Staphylococcus aureus* *Klebsiella* 기타	속립성 및 결절성	Tuberculosis *Histoplasma capsulatum* *Coccidiodes immitis* Blastomyces Multiple aspiration Pulmonary edema Psittacosis *Mycoplasma* Virus 기타

(2) 바이러스 폐렴(viral pneumonia)

① 특징

Ⓐ 세기관지염, 기관지주위염, 간질성 폐렴 형태

Ⓑ 신생아를 제외한 모든 연령에서 가장 흔한 폐렴

② 원인 : RSV, adenovirus, parainfluenza, influenza, 홍역, CMV

바이러스	영아기	유아기	학동기
RSV	+++	++	±
Parainfluenza 3	++	+	+
Parainfluenza 1	++	++	+
Influenza A	+	++	++
Influenza B	±	+	++
Parainfluenza 2	+	+	±
Adenovirus	+	±	±
Cytomegalovirus	+	±	±
picornavirus	±	±	±

③ 전염 방식 : 직접접촉, 비말 감염, 공기전염

④ 호발연령 : 2~3세

⑤ 잠복기 : 3일~3주일

⑥ 임상증상

Ⓐ URI 선행, 호흡기 질환의 가족력이 있는 경우가 많다.

Ⓑ 점진적 발병(1주~수주)

Ⓒ 체온 : 보통 중증도 이하

Ⓓ 마르고 힘든 기침, 가벼운 호흡곤란, 권태감

Ⓔ 빈호흡과 흉부 함몰

⑦ 진찰 소견

Ⓐ 초기 : 없을 수 있다.

Ⓑ 후기 : 산발적 수포음, 탁음, 특징적으로 청진 소견이 수시로 바뀜.

Ⓒ 진찰 소견상 폐렴의 특이 소견 없어도 X선 소견이 많이 관찰

바이러스성 폐렴과 세균성 폐렴의 감별		
구분	바이러스성	세균성
1) 발열 정도	중등도	고도
2) 선행 상기도염	빈번	드물다
3) 가족력	빈번	드물다
4) 발병 형태	서서히	갑자기
5) 가래	없다	있다
6) 전신상태	경증	중증
7) 늑막통	드물다	흔하다
8) 침범 부위	간질성	대엽성
9) 백혈구(좌방이동)	없다	있다
10) 항생제에 대한 반응	없다	있다

⑧ 검사소견

Ⓐ ESR 및 CRP 상승 또는 정상

Ⓑ 백혈구 정상 또는 증가(주로 림프구)

Ⓒ X선 소견 : 폐문부로부터 침윤이 생겨 말단부로 가면서 희미해짐

Ⓓ 혈청소견 : RSV, 인플루엔자, 파라인플루엔자, 아데노바이러스 검사 양성

⑨ 치료

Ⓐ 대증요법, 안정, 수액요법, 산소요법

Ⓑ 2차적인 세균 감염 시 항생제 사용

Ⓒ RSV감염 시 항바이러스제 흡입요법

Ⓓ 수두 : acyclovir

Ⓔ Influenza : amantadine, rimantadine

Ⓕ CMV : ganciclovir

[3] 폐렴균 폐렴(Pneumococcal pneumonia)

① 원인균 : *Streptococcus pneumoniae*-그람양성쌍구균으로 소아기 폐렴의 m/c

② 양상

Ⓐ 늦겨울-초봄에 호발

Ⓑ 주로 대엽성 폐렴, 간혹 기관지 폐렴

③ 증상

Ⓐ 영·유아

• URI 증상 선행 후 폐렴 증상

• 고열(39~40℃), 불안정, 호흡곤란

- 신음소리(grunting), 그렁거림, 흉부함몰, 빈호흡, 빈맥
- 청진 : 기관지 호흡음, 악설음

  Ⓑ 학동기 이후

- URI 증상 후 오한으로 시작
- 고열, 빠른 호흡, 진성 기침, 불안, 섬망
- chest-knee position 취하려 함(흉막통 완화)
- 진찰 소견 : 흉부 함몰, 타진상 탁음, 기관지 호흡음, 나음(rale)

④ 진단

  Ⓐ 백혈구증가(주로 다핵구) 및 좌방 이동

  Ⓑ 객담이나 폐흡인물 배양

  Ⓒ ESR 상승 및 CRP 양성

  Ⓓ 흉부 X선 소견

- 대엽성 경화(연장아에서 흔함)
- 방사선적 완해는 임상적으로 호전되고 수주 후에도 완전하지 않을 수 있음.

  Ⓔ 혈액 배양 : 10~30%에서 양성으로 나타남.

⑤ 치료

  Ⓐ 경미한 경우 : amoxicillin

  Ⓑ 입원이 필요한 경우 : penicillin G

  Ⓒ Penicillin resistance인 경우 : ceftriaxone, cefotaxime

⑥ 예후 및 합병증

  Ⓐ 사망률 : 1% 미만

  Ⓑ 적절한 항균요법으로 예후는 양호하다.

  Ⓒ 중이염이 m/c Cx

    그 외 농흉, 폐농양, 무기폐, 패혈증, 뇌막염

⑷ 포도알균 폐렴(Staphylococcal pneumonia)

  ① 원인 : *S. aureus*

  ② 특징

    Ⓐ 주로 영아기에 볼 수 있다(30%는 3개월 미만, 70%에서 1세 미만).

    Ⓑ 대부분 Penicillin내성, coagulase 양성인 *S. aureus*에 의함.

    Ⓒ 10월~5월 사이 호발

    Ⓓ 홍역, 수두, 인플루엔자 등의 바이러스 질환 후에 흔함.

③ 임상 양상

ⓐ 초기 : 기침, 비폐색, 고열, 식욕부진, 중독 증상

ⓑ 급속히 중등도 내지 심한 호흡 장애

ⓒ 흉막 삼출액 특성 : 다핵구 증가, 단백 증가, 당 저하

ⓓ 심한 백혈구 수 증가와 좌방 이동, 백혈수 감소는 예후가 불량하다.

④ 방사선학적 소견

ⓐ 단순한 침윤으로부터 consolidation, 다발성 농양 및 액체의 형성이 빠르게 진행

ⓑ 농흉(empyema), 농기흉(pyopneumothorax) 및 기류(pneumatocele), 기낭(air cyst) 형성이 전형적인 포도상구균 폐렴의 특징

ⓒ 급속히 한쪽 폐렴에서 다른 쪽으로 퍼지며, 편측에 국한되거나 양측인 경우 비대칭적으로 일측이 더 현저

⑤ 치료 : 정맥용 항생제로 72시간 동안 임상 증상 호전 시 경구용으로 전환(dicloxacillin, cephalexin, amoxacillin−clavulanate)

ⓐ 강력한 항균요법 : 3~4주간

• Penicillinase resistant Penicillin : methicillin, nafcillin, oxacillin

• methicillin내성인 경우 : vancomycin, cephalosporin

ⓑ 습도, 산소, 수분 및 전해질 교정, 회복 시 고단백 음식

ⓒ 기흉, 농흉

• 가슴관 배액

• 삼출액, 농흉의 양이 적어도 권장

⑥ 합병증

폐농양, 농흉, 기흉, 기관지확장증

중이염, 부비동염

심막염, 패혈증, 수막염, 골수염, 복막염

⑦ 예후 : 사망률 10~30%

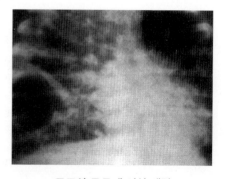

포도상 구균에 의한 폐렴

⑸ 인플루엔자균 폐렴(*H. influenzae* pneumonia)

① 원인 : *H. influenzae* b형

② 발생 : 주로 영아와 유아에서 발생(4개월~4세)

③ 임상양상

ⓐ 대엽성 혹은 기관지성

ⓑ 흉막 삼출 및 기류 동반 가능

ⓒ 대엽성인 경우 : 폐렴구균성 폐렴과 비슷하지만 더 서서히 발생하고 오랜 경과를 취한다. (2~4주)

ⓓ 기침(항상 나타남), 객담, 발열, 빠른 호흡

④ 치료 : 우선 ceftriaxone이나 cefotaxime을 항생제에 포함시킨다.

⑤ 합병증 : 균혈증, 농흉 외에 심외막염, 수막염, 화농성 관절염, 연조직염 등(어린 영아에서 심함)

⑥ 예방 : 헤모필루스 인플루엔자 백신

(6) 마이코플라스마 폐렴(*Mycoplasma* pneumonia)

① 개요

ⓐ *Mycoplasma* pneumoniae : 세포벽이 없으며 독립적으로 자랄 수 있는 가장 작은 미생 물체

★ⓑ 전체 폐렴의 10~30% 정도 차지, atypical pneumonia

ⓒ 학동기 또는 청소년기 호흡기 감염의 주원인 : 5~7세가 거의 반을 차지하고, 3~10세 사이가 80% 이상

ⓓ 잠복시 : 12~14일

② 임상증상 : extrapulmonary Sx이 많다.

ⓐ 주증상 : 심하고 오래가는 기침과 38℃ 이상의 발열

ⓑ 초기에는 두통, 권태감, 콧물, 인후통이 점차 진행되다가 목이 쉬고 기침 나타남.

ⓒ 기침 : 건성 기침(2주 동안 악화) → 가래 섞인 기침(3~4주 후 소실)

ⓓ 진찰 소견 : 청진상 악설음, 천명(40%)

　→ 증상이 신체진찰 소견보다 심하게 나타난다.

ⓔ 구토, 복통, 피부발진이 30~40%에서 동반된다.

ⓕ Extrapulmonary Sx

- 신경계 : Guillain-Barre syndrome, 뇌수막염, 뇌염, 소뇌실조증, Bell's palsy
- 순환계 : 심막염, 심근염
- 혈액계 : 용혈 빈혈, 혈소판감소증, 응고장애
- 골격계 : 류마티스성 증후군
- 피부 : 홍반성 구진상 발진, 다형 홍진
- 기타 : 급성 췌장염, 간염, 신부전

③ 방사선 소견

대부분 기관지 폐렴

주로 하엽에 가장 많이 침범한다.

폐문부 림프절비대가 1/3에서 발견

④ 진단

 Ⓐ 백혈구 정상, ESR↑

☆Ⓑ cold agglutinin

 ☆ 초기 혈청 냉응집소가 1 : 64 이상 or 추적 측정 시 4배 이상 증가(*Mycoplasma* Ab)

  → 발병 1주 말에 증가하여 3~4주에 최고치에 도달, 감염 후 1년 이상까지 높게

  유지

 Ⓒ 단일 특이 항체 : 감염 후 10일~3주 간격 두고, 4배 이상 증가

 Ⓓ 객담 항원 검출, PCR 이용한 DNA검출

☆⑤ 치료 : Macrolide (Erythromycin, clarithromycin, azithromycin)

(7) 주폐포자충 폐렴(*Pneumocystis jirovecii* pneumonia)

① 역학

 Ⓐ 영아나 미숙아, 영양 장애아, 악성 종양 환자 특히 백혈병 환자 등 면역 억제 또

  는 결핍아에서 볼수 있는 기회감염증

 Ⓑ 대부분(75%) 4세 이전에 감염(정상 성인의 90% 이상은 주 페포자충에 대한 항체

  존재)

② 원인균

 Pneumocystis jirovecii(P. carinii) : 낭포, 포자소체, 영양형 3가지 형태

③ 임상 양상

 Ⓐ epidemic infantile form : 3~6개월 미숙아, 영양결핍아에서 주로 발생. 발열 없이

  발병이 느림. 빈호흡 → 호흡곤란, 청색증

 Ⓑ sporadic form : 면역결핍된 소아에서 주로 발생. 급작스런 발병, 저산소증, 발열,

  빈호흡, 호흡곤란, 기침, 청색증, 수포음 들리지 않으나 후기에는 들림.

④ 흉부 방사선 소견

 Ⓐ 양측 폐문 부위의 대칭적 미만성 망상 결절 음영

 Ⓑ 폐포경화(폐문에서 말초로 진행)

⑤ 진단

 Ⓐ 폐 생검, 기관지 폐포 세척액, 폐 흡인물 이용(높은 진단율 but 위험성)

 Ⓑ 유발객담 세포 검사(민감도↓)

 Ⓒ Gomori methenamine silver, toluidine blue O 염색 → 낭종염색

 Ⓓ Diff Quik 염색, Giemsa 염색 → 포자소체 또는 영양형을 염색

⑥ 치료

　　Ⓐ TMP-SMX : 2주간 투여

　　Ⓑ pentamidine : TMP-SMX에 반응 없을 때

　　Ⓒ 최근에는 prednisolone을 보조요법으로 함께 7일간 투여 후 서서히 끊는 것이 권장되고 있다.

⑦ 예방 : 고위험아에서 TMP-SMX 사용

4) 호흡 기도내의 이물

(1) 후두 이물

① 크루프성 기침, 쉰 목소리, 흡기성의 호흡곤란이 특징적

② 객혈, 천명 및 청색증

③ 떡, 빵, 핫도그가 흔함.

④ 직접 후두 검사법으로 이물 확인하고 제거

(2) 기관 내 이물 : 특징적 소견으로 천명과 숨을 쉴 때마다 기관위에서 찰칵거리는 소리가 들림.

(3) 기관지내 이물(bronchial foreign body)

① 호발 연령 : 생후 6개월~3세 남아

② 원인 : 땅콩이 m/c

③ 호발부위 : 우측 주기관지 > 좌측(우측이 더 굵고 짧으며 각도가 크기 때문)이라고 알려져 있으나 실제 빈도는 좌, 우측 기관지에서 거의 비슷하다.

　• supine : RUL

　• upright : RML or RLL

④ 임상증상

　　Ⓐ 기도 폐쇄의 정도와 이물의 종류에 따라 다름.

　　Ⓑ bypass valve(약간 막힌 경우) : 증상 없거나 wheezing

　　Ⓒ check valve : 폐쇄성 과팽창

　　Ⓓ stop valve : 무기폐

　　Ⓔ 식물성 이물이 흡입되어 오래된 경우 괴사성 염증을 일으킴.

　　Ⓕ 폐쇄가 적은 금속성 이물 : 증상이 가벼울 수 있다.

⑤ 진단

　★Ⓐ 병력이 m/i

　★Ⓑ 청진소견 : wheezing or breathing sound 감소

ⓒ 흡기 및 호기시의 chest X선 : secondary change

ⓓ 확진 : 기관지경을 실시한 뒤에 내리게 되는데 굴곡성보다는 경직성 기관지경이 좋다.

ⓔ 폐환기 관류 스캔

⑥ 치료

Ⓐ 이물질이 후두, 기관에 위치한 경우 : 내시경으로 제거

Ⓑ 2차 감염이 있을 경우에는 항생제를 투여한다.

ⓒ 환아가 질식 상태인 경우

★ • 1세 미만 : five back blow and five chest thrust method

　• 1세 이상 유아 : abdominal thrust method

★ • 큰 소아 : Heimlich maneuver

ⓓ mouth-to-mouth breathing : 위의 방법으로 제거 안 된 때 좌우 어느 한쪽 기관
　지로 밀어 기도 확보

ⓔ 이물이 carina 하방에 위치한 경우 : 기관지경하에서 확인하고 제거

ⓕ 기관지 확장제 흡입 후 체위 배액법을 하는 방법은 과거에 사용되었으나, 원래
　이물이 있던 쪽이 부종으로 폐쇄된데다 빠져 나온 이물이 반대측 기관지로 옮겨
　가서 질식할 위험이 있어 현재는 추천되지 않는다.

영아가 기도 이물에 의해 질식했을 때의 응급 처치　　　　복부 압박

Heimlich 방법

5) 무기폐

(1) 원인

① 선천성 무기폐 : 출생 후 폐 확장이 일어나지 않음.

- 횡격막이나 호흡근육이 약함.

- 호흡 중추 손상

- 흉곽 내 압박(심비대, 횡격막 탈장 등)

- 분만 전 산모에게 과다 투여된 진통제

② 이차성 무기폐 : 생후 확장이 일어났으나 폐가 다시 수축(collapse)됨.

- 폐에 대한 외부 압박

- 기도 폐색

- 호흡기계 마비와 호흡 운동 장애를 일으키는 손상

(2) 증상 및 진찰소견

① 호흡곤란, 빈맥, 빠르고 얕은 호흡, 청색증

② 타진상 탁음, 청진상 호흡음의 감소

③ 기관과 심장이 무기폐가 있는 쪽으로 밀려 있다.

④ 방사선 소견 : radiopaque, mediastinal shifting

(3) 치료

① 무기폐가 없는 부위를 아래로 눕히고, 기침을 유발시킨다.

② 분비물 제거를 위한 체위 배액

③ 기도내 이물 확인 시 즉시 기관지경을 이용하여 제거

④ 산소요법, 간헐적 양압호흡

6) 기관지확장증

(1) 정의 : 기관지 및 기관지 주위 조직의 염증성 파괴 → 해당 기관지 내에 삼출물이 축적
→ 거의 영구적인 기관지 확장을 초래

(2) 원인과 발병기전

① 유전적으로 초래되는 낭종성 섬유증 : 서구에서 전반적인 기관지확장증의 m/c 원인

② 우리나라에서는 감염 후 폐쇄 세기관지염, 결핵, 간질성 폐질환, 면역결핍이 소아
기관지 확장 증의 흔한 원인

③ 기관지폐, 만성염증, 비정상적인 기관지 연골형성

④ 만성 감염에 의한 기관지확장증 : 기관지확장증 전단계→HCRT에서 기관지 확장이
보이는 단계→기관지확장증이 확립된 단계

⑤ 기관지확장증은 하엽에서 가장 흔히 발생.

(3) 증상

① 기침, 다량의 점액성, 농성 가래

② 하기도 감염의 반복, 식욕부진

③ 열은 흔하지 않으며, 급성 악화 시 객혈

④ 증상과 호전의 반복적 경과가 특징

⑤ 진찰 소견에 특별한 이상 없거나 미미, 청진상 습성 또는 음악성 수포음

⑥ 손가락 곤봉(clubbing) 현상은 1년 이상 증상이 지속되는 환아에서 생김

⑦ 성장 지연

(4) 진단

① X선 : 대부분 병변이 나타나지 않음. 무기폐, 뚜렷한 선상 선조 있으면 의심(marked linear streaking)

② HRCT가 가장 믿을만한 방법 : 주위 혈관보다 직경이 큰 반지 모양의 기관지 확장 (signet ring)

③ 가래검사, 면역기능검사, 섬모 구조와 기능검사, sweat chloride 검사 등

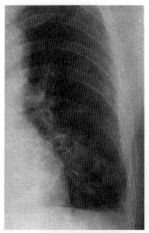 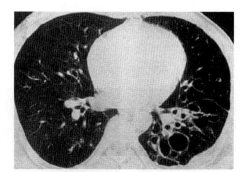

(a) X선 사진　　　　　　　　　　(b) CT 소견

기관지 확장

(5) 치료

① 호흡기 감염의 모든 원인제거, 체위 배액법으로 가래 제거

② 급성 악화기에 전신적인 항생제 치료 2~4주 간 비경구 항생제 투여

③ 내과적 치료에도 불구하고 국소적 병변이 심한 경우 폐 분절 또는 대엽절제술 시행.

IX 흉막 질환

1. 농흉(empyema)

1) 흉막에 농이 고이는 경우

2) 원인

적절히 치료되지 않은 *S. aureus* 폐렴 시 가장 흔히 생김.

S. pneumoniae, H. influenzae, group A streptococcus

3) 발생

영아군과 학령기 전에 흔히 생긴다.

4) 임상증상

(1) 폐렴 초기 증상과 비슷, 열이 지속

(2) 영아기에는 호흡곤란이 악화되는 현상, 연장아가 더 심함.

(3) 청진상 호흡음 감소

5) 진단

(1) X선 소견

- costophrenic angle이 둔화, 종격동이 반대로 밀린다.
- decubitus view : pleural fluid의 shift
- 체위 변동에 따른 액의 변위가 없으면 loculated empyema를 의미한다.

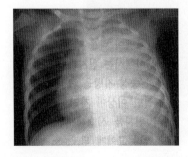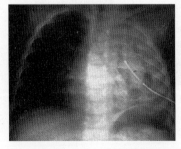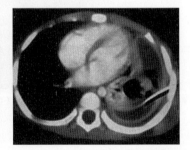

농흉의 X선 사진 및 CT 소견

(2) 흉강 천자

① exudate 소견

- 단백질 > 3g/dL

· LDH > 200IU/L

· pH < 7.2

② Gram stain, cytology, culture

6) 치료

(1) 흉강 천자액이 농이 확실 : 흉강 폐쇄식 배액법(closed drainage)

(2) 적절한 항생제 사용

(3) 항생제 정주 투여후 72시간 이상 고열과 호흡곤란이 지속 : 흉강 삽관술이나 수술적 박피술 고려

2. 기흉(Pneumothorax)

1) 정의

폐로부터의 공기유출로 인해 폐외, 즉 흉막공간(pleural space)에 공기가 축적되는 것

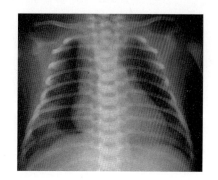

2) 역학

(1) 특별한 원인 없이 온 원발성 기흉 : 신생아기에 흔하고, 마르고 키가 큰 청소년 남아에서 잘 생긴다. 그 외 대개 기저 폐질환이 2차적으로 온다.

(2) 영아기 포도상 구균 폐렴에서 기흉의 빈도가 높은 편이다.

(3) 낭포성 섬유증에서는 심각한 합병증 발생

3) 증상

(1) 발병은 대개 갑자기 온다.

(2) 광범위한 기흉 : 통증, 호흡곤란, 청색증, 청진상 심하게 감소된 숨소리, 타진 상 tympanic sound, 병변이 없는 쪽으로 후두, 기도, 심장이 밀림

4) 진단

방사선으로 진단, tension pneumothorax 확인

5) 치료

(1) 5% 이하의 작은 기흉 : 특별한 치료를 요하지 않음

⑵ 5% 이상의 무기폐, 반복되는 기흉, tension pneumothorax인 경우 :

  ① 100% 산소투여 → 흉막 공기와 혈액 사이의 nitrogen pressure gradient를 증가시켜 신속하게 호전시킨다.

  ② 진통제를 사용(codeine이나 morphine, meperidine)하나 호흡억제 효과 주의

  ③ 폐쇄성 흉강 삽관술 : 카테터로 누적된 공기를 빼주고 external opening을 수면 밑에 유지시켜 폐를 재확장시키는 방법이 적당

3. 유미흉(Chylothorax)

1) 정의

유미(chyle)가 흉관에서 새어 나와 흉강 내에 고이는 것

2) 원인

수술 합병증인 흉관 파열(m/c)

3) 증상

  ⑴ 일측성, 대개 좌측

  ⑵ 흉강 내 액체 양에 따라 증상이 다름

4) 진단

  • 흉강 천자 : 우윳빛 액체 확인

5) 치료

  ⑴ 1세 미만 소아는 절반이 자연 호전

  ⑵ 저지방 · 고단백 식이

  ⑶ 염분제한, 이뇨제 투여

  ⑷ 비타민 A, D.